CATHERINE COULTER

CÓRKA CZARNOKSIĘŻNIKA

CATHERINE COULTER

CÓRKA CZARNOKSIĘŻNIKA

przełożył

Cezary Murawski

bis

Warszawa 2009

Tytuł oryginału: ***Wizard's Daughter***

Okładka: Maciej Sadowski
Korekta: Katarzyna Nowak

ISBN 978-83-7551-102-4 (oprawa twarda)
ISBN 978-83-7551-101-7 (oprawa miękka)

Wydawnictwo BIS
ul. Lędzka 44a
01-446 Warszawa
tel. (0-22) 877-27-05, 877-40-33; fax (0-22) 837-10-84

e-mail: bisbis@wydawnictwobis.com.pl
www.wydawnictwobis.com.pl

Druk i oprawa: Białostockie Zakłady Graficzne S.A.

Rozdział 1

Dawno temu

Wiedziałem, że coś jest nie tak. Leżałem na plecach i nie mogłem się ruszyć. Pojedyncze światło padało wprost na moją twarz, lecz nie było na tyle silne, by mnie oślepić. Światło było osobliwe, miękkie i blade, ponadto zdawało się słabo pulsować.

– Nie śpi pan, jak widzę.

Mroczny głos, głos, jaki można by było usłyszeć pośród najciemniejszej nocy; z pewnością męski, lecz niepodobny do żadnego z tych, jakie kiedykolwiek słyszałem. Każdy normalny człowiek przestraszyłby się takiego głosu, lecz, co dziwne, odbierałem go jedynie jako odrobinę wścibski.

– Tak, nie śpię – odparłem. – Jednak nie mogę się ruszyć.

– Nie, jeszcze nie. Jeśli zgodzi się pan zrobić to, co chcę, będzie pan znów się ruszał, jak miało to miejsce, zanim uratowałem pana i przywiozłem do siebie.

– Kim pan jest? Gdzie pan jest?

– Stoję za kreteńskim światłem. Jest urocze, czyż nie? Połyskliwe, jak królewski jedwab, ciepłe i miękkie, jak palce kobiety muskające twarz. Ocaliłem panu życie, kapitanie Jaredzie Vail. W zamian proszę o przysługę. Zgadza się pan?

– Skąd pan zna moje nazwisko?

Kreteńskie światło – cokolwiek to było – na chwilę jakby pojaśniało i ustabilizowało się jak słup pochwyconego w pułapkę ognia, potem znów osłabło, zamieniając się w miękki żar, pulsujący niczym serce po wysiłku. Czyżby uwierzyło, że znieważyłem istotę, jaka się za nim kryła? Być może pana, który nim władał? Nie, to było przecież śmieszne. Światło, bez względu na to, jak się zachowywało, nie potrafiło oddychać, nie miało uczuć ani duszy... chyba że...?

– Dlaczego nie mogę się ruszyć?

Gdzie podział się ten cholerny typ? Pragnąłem spojrzeć mu w twarz, chciałem zobaczyć człowieka, który mówił wszystkie te słowa.

– Ponieważ, póki co, nie chcę, żeby pan mógł. Wyświadczy mi pan przysługę za uratowanie panu życia?

– Przysługę? Chce pan, żebym kogoś zabił? Przez trzy lata nie wysłałem na tamten świat żadnego pirata ani złodziejskiego portowego szczura.

Skąd wzięła się ta żałosna próba żartu? Nie było mi do śmiechu, czułem bardziej współczucie wobec tego, co mógł uczynić ludzki głos, i przypuszczalnie dlatego siliłem się na dowcipkowanie. Mimo to nie czułem trwogi, chociaż wiedziałem w jakimś zakamarku mego umysłu, że powinienem być śmiertelnie przerażony. Ale nie byłem.

– Kim pan jest? – zapytałem ponownie.

– Jestem pańskim wybawcą. Zawdzięcza mi pan życie. Czy zamierza pan spłacić swój dług? Ile jest warte pańskie życie, kapitanie Jaredzie Vail?

– Moje życie jest warte wszystko to, czym jestem. Czy pozwoli mi pan żyć, jeśli nie wyrażę zgody?

Kreteńskie światło przez moment rozbłysnęło jaskrawym błękitem, potem zamigało, jak gdyby ktoś je potarł, machając ręką. Potem znów świeciło bez migania. Mrok z tyłu wciąż pozostawał nieprzenikniony, jak czarna kurtyna przesłaniająca pustą scenę. Moja wyobraźnia stanęła w ogniu. Głos ściągnął mnie z powrotem na ziemię.

– Czy wypuszczę pana z życiem? Tego nie wiem. – Trudna do zniesienia pauza. – Tego nie wiem.

– W takim razie nie mam wyboru, prawda? Nie chcę umrzeć, chociaż do tej pory byłbym już trupem, gdyby mnie pan nie uratował. Nie wiem wszakże, jak pan tego dokonał. Ogromna fala natarła na mnie, a rana w moim boku – zginąłbym od samego uderzenia, prawdopodobnie zanim zmiażdżyłyby mnie masy wody.

W tym momencie zdałem sobie sprawę, że nie czułem bólu w rozdartym boku, który wcześniej był przyczyną niewypowiedzianych katuszy i męczarni. Nie odczuwałem niczego oprócz silnego, stabilnego bicia własnego serca; żadnego bólu ani strachu, żadnych trudności ze złapaniem tchu.

– Ach, ból. To kolejny dług, jaki ma pan do spłacenia wobec mnie. Zgodzi się pan?

Dlaczego się nie bałem? Brak lęku sprawił, iż w duchu odczuwałem chłód. Sądziłem, że w rezultacie w mniejszym stopniu byłem człowiekiem, w mniejszym stopniu… pozostawałem wśród żywych. Czy jakimś sposobem pozbawił mnie ludzkiego strachu?

– Jak mnie pan uleczył?

– Dysponuję wieloma możliwościami – odparł lakonicznie ponury głos.

Powróciłem do własnych myśli, starając się zachować spokój i skupienie, nie pozwalając, by oderwane, trwożne myśli sprowokowały mnie do krzyku pełnego przerażenia, chociaż wiedziałem, że każdy człowiek przy zdrowych zmysłach do tej chwili już by bełkotał. Chciał, żebym mu odpłacił za ocalenie mi życia. Z pewnością mogłem to uczynić. Wolałem jednak zapytać.

– Nie rozumiem. Uratował mnie pan w sposób, w jaki nie mógł tego dokonać żaden śmiertelnik. Jeśli nie jest to jakiś wyrafinowany sen, jeśli wciąż jeszcze żyję, powiedziałbym, że może pan uczynić wszystko. Cóż takiego mógłbym zrobić dla pana, czego nie byłby pan w stanie zrobić sam?

Chłodne milczenie ciągnęło się bez końca. Kreteńskie światło wpadło w dziki taniec, strzelając skrami błękitu, które mknęły w górę ku ciemności, potem nagle uspokoiło się. Czy światło było zwierciadłem uczuć mojego wybawcy?

– Przysiągłem nie wtrącać się. To przekleństwo, że muszę być posłuszny wobec danego przeze mnie słowa.

– Komu złożył pan przysięgę?

– Nie musi pan tego wiedzieć.

– Czy jest pan człowiekiem, tak jak ja?

– Czyż nie mówię bez ustanku, jak czyni to człowiek, by usłyszeć brzmienie własnego głosu? Czy nie roześmiałem się jak człowiek?

Tak. Nie.

– Czy powie mi pan, gdzie jestem?

– To nie jest ważne, mój przyjacielu.

Jego przyjaciel? Skoro jest takim przyjacielem, dlaczego nie mogę się ruszyć? Nagle poczułem własne palce. Poruszyłem nimi lekko, lecz wciąż nie mogłem podnieść ręki i to z pewnością było niepokojące. Mówiąc prawdę, wcale nie byłem zaniepokojony, jedynie zainteresowany i zaintrygowany, jak człowiek nauki byłby, odkrywszy coś niespodziewanego. Czy on widział myśli w moim mózgu? To kazało mi przerwać myślenie.

– Cóż kapitan statku mógłby dla pana zrobić? Wykazał się pan mocą, jakiej sobie nawet nie wyobrażam – powiedziałem powoli. – Znajdowałem się na pokładzie brygantyny, o pięć mil od wyspy Santorini, ostatniego portu, do którego zawinąłem. Nagle gigantyczna fala nadeszła nie wiadomo skąd. Słyszałem krzyki moich marynarzy, słyszałem, jak pierwszy mat błagał Boga, by go ocalił, kiedy ta koszmarna fala przewaliła się nad nami. Wtedy rozszczepiona deska wbiła mi się w bok, powodując otwartą ranę, a potem nadciągnęła niszcząca wszystko góra wody, a teraz…

– A teraz jest pan tutaj, w cieple, żywy i cały.

– Moi ludzie… Mój statek…

– Zginęli, pański statek został zniszczony. Ale pan ocalał.

Przywołałem w myślach Doxeya, mojego pierwszego oficera, głośnego i ordynarnego, lojalnego wobec mnie i nikogo innego. Oraz Elkinsa, kucharza, zawsze nucącego sprośne rymowanki, zawsze przyrządzającego grudkowatą owsiankę znienawidzoną przez wszystkich.

– Być może jestem martwy – powiedziałem. – A pan jest diabłem i igra ze mną, bawiąc się przy tym, utrzymując we mnie przekonanie, że wciąż jestem pośród żywych, choć w rzeczywistości jestem trupem…

Śmiech. Tak, to był śmiech, niski i dziwacznie pusty, i jeszcze coś – nie był to całkiem człowieczy śmiech – odniosłem wrażenie, że to raczej naśladowanie śmiechu. Czyżbym trafił do piekieł? Czy zły wuj Ulson znalazł się w moim polu widzenia, gotów powitać mnie w swym domu? Dlaczego nie odczuwałem trwogi? Przypuszczalnie śmierć usunęła ludzki strach.

– Nie jestem diabłem. On jest istotą całkowicie odmienną. Czy spłaci pan swój dług wobec mnie?

– Tak, o ile rzeczywiście jestem żywy.

Poczułem szarpnięcie bólu tak potwornego, iż ochoczo powitałbym śmierć jako wybawienie. W moim boku ziała otwarta rana. Czułem własne ciało oderwane od kości. Wyczuwałem moje trzewia wylewające się z jamy brzucha. Wrzasnąłem w ciemność. Kreteńskie światło strzeliło wysoko, dzikim, szalonym błękitem. Potem ból, tak jak się pojawił, raptownie ustąpił. Kreteńskie światło uspokoiło się.

– Czy wyczuł pan śmiertelne uderzenie upadającej belki?

Przez moment nie byłem w stanie mówić, oddychając z ogromnym trudem, wciąż mając w pamięci potworne katusze.

– Tak. Czułem własną śmierć, oddaloną o chwilę zaledwie, zatem muszę być martwy albo…

Dosłyszałem rozbawienie w tym mrocznym głosie, znów jakoś pustym, chociaż nie do końca.

– Albo co?

– Jeśli naprawdę żyję, to musi pan być magiem, czarnoksiężnikiem albo czarodziejem, chociaż nie mam całkowitej pewności co do istnienia zasadniczych różnic między wymienionymi tytułami. Albo jest pan istotą z wyżyn lub z nizin, których istnienia człowiek racjonalnie myślący nie może zaakceptować. Nie wiem tego, a pan mi nie powie.

– Potrzebuje mnie pan, ponieważ obiecał się pan nie wtrącać.

– Wtrącać?…

– To osobliwie beznamiętne słowo, słowo pozbawione groźby czy namiętności, jak obietnica poczyniona przez niezamężną ciotkę, czyż nie? Spłaci pan swój dług?

Nie widziałem znikąd nadziei. Miał mnie w garści.

– Tak, spłacę swój dług.

Kreteńskie światło zamigało i zgasło. Pogrążyłem się w ciemności czarniejszej niż serce grzesznika. Byłem sam. Nie słyszałem żadnych oddalających się kroków, żadnych odgłosów jakiegokolwiek ruchu. Nikt poza mną nie oddychał w nieruchomym, czarnym powietrzu.

Czym jednak był mój dług?

Zasnąłem.

We śnie siedziałem przy wielkim stole i spożywałem posiłek godzien samej królowej Elżbiety, serwowany przez dłonie, których nie byłem w stanie dostrzec – pieczone bażanty oraz inne wykwintne mięsiwa, daktyle i figi, słodkie podpłomyki, jakich nigdy wcześniej nie kosztowałem. Wszystko smakowało wybornie, zaś cierpkie *ale* ze złotego dzbana rozgrzało moje usta i rozchodziło się po moim ciele niczym matczyne mleko. Czułem się syty i ukontentowany.

Nagle światło w moim sennym widzeniu zmieniło się i pojawiła się przede mną mała dziewczynka o włosach rudych jak zachód słońca pod Gibraltarem, zaplecionych w luźny warkocz na plecach. Miała niebieskie oczy, a jej mały nosek pokrywały piegi. Wydawała się do tego stopnia realna w tym olśniewającym śnie, iż poczułem, że wystarczy tylko wyciągnąć rękę, by jej dotknąć. Zanuciła:

Marzę o pięknie i niewidzialnej nocy
Marzę o potędze i rozpalonej mocy
Marzę o tym, że nie jestem sama,
Lecz wiem o jego śmierci i jej grzechu brzemiennym.

Dziecięcy głos, słodki i szczery; wzbudzał uczucia, z których istnienia nie zdawałem sobie sprawy. Uczucia, jakie łamały mi serce. Lecz te osobliwe słowa – cóż one znaczyły? Czyja śmierć? Czyj brzemienny grzech.

Znów zanuciła piosnkę, tym razem ciszej, i ponownie jej głos zapadł mi głęboko w serce, gdy słuchałem osobliwej tonacji molowej i niedających spokoju, smętnych nut, które sprawiały, iż zbierało mi się na szloch.

Cóż ta mała dziewczynka mogła wiedzieć o udręce lub grzechu?

Zamilkła. Powoli poczyniła krok w moim kierunku. Chociaż wiedziałem, że to sen, mógłbym przysiąc, że słyszałem jej oddech, odgłosy jej lekkiego stąpania. Uśmiechnęła się i przemówiła do mnie, nawet gdy już znikała w miękkim powietrzu. Tym razem jej słowa zabrzmiały dosadnie w moim umyśle: *Ja jestem twoim długiem.*

Rozdział 2

Czasy obecne
22 kwietnia 1835 r.
Londyn

Nicholas Vail stał na skraju dużej sali balowej udekorowanej tuzinami wiotkich czerwonych i białych chorągwi zawieszonych u sufitu w równych odstępach, zmierzonych z wojskowym drylem.

– By oddać wrażenie królewskiego turnieju. Wie pan, milordzie – powiedziała z dumą lady Pinchon, napuszona jak paw w purpurowym turbanie na głowie.

Zgodził się z nią bez zająknienia, wyraził żal, iż żaden rycerz ani rumak nie wpasuje się w tę wspaniałą salę balową, na które to słowa zmierzyła go przenikliwym wzrokiem.

Pocił się od gorąca wszystkich tych ciał zgromadzonych nazbyt blisko siebie oraz niezliczonej wręcz mnogości okapujących woskiem świec w każdym narożniku komnaty. W długim rzędzie balkonowych drzwi, wychodzących na duży kamienny taras, co najmniej dwoje było otwartych; na zewnątrz był spokojny wieczór.

Współczuł damom. Miały na sobie po pięć halek – policzył je u kilku ostatnich kobiet, z którymi spędził noc. Według jego szacunku obecnych było dwieście pań, co przekładało się na jeden tysiąc halek. To się nie mieściło w głowie. A ich balowe suknie – damy wyglądały jak deser z wielu jardów ciężkich brokatów i atłasów, w każdym kolorze wynalezionym przez człowieka, owinięte frędzlami i falbanami, które ścierały kurze z posadzki. We włosy miały wpięte przywiędłe kwiaty oraz biżuterię – wszystko to musiało ważyć dobrze ponad pięć kilogramów. Oczyma wyobraźni zobaczył zwiewne halki ułożone w kopiastą stertę pośrodku sali, z wszystkimi sukniami rzuconymi na szczyt, jak lukier na wierzchu ciastka. Wszystko to skropione było kubełkami klejnotów, które zdobiły ich uszy, szyje oraz nadgarstki. A to oznaczało, iż kobiety paradowały nagie. Był to zaiste obraz, który mógł podrażnić umysł mężczyzny. Dostrzegł jedną szczególnie przysadzistą dość młodą matronę, której podbródki drżały, gdy się śmiała; szybko odpędził od siebie ten wizerunek.

Co do mężczyzn, prezentowali się elegancko i dumnie w zapiętych na ostatni guzik, zwężanych strojach z długimi połami w kolorze stosownej czerni, wykrochmalonych i sztywnych, niewątpliwie sprawiających udrękę w tym gorącu. Wstrząsnął nim dreszcz. Wiedział dokładnie, jak się czuli, bowiem był odziany tak samo jak oni.

Kobiety przynajmniej mogły odsłonić niemal połowę torsu, co sprawiało, że suknie z dekoltem niemal zsuwały się z ich opadających, białych ramion. Postanowił przejść się, tu i ówdzie nieco się przepychając, by się przekonać, jaka będzie reakcja. Lecz te nagie ramiona nie mogły zadośćuczynić tym śmiesznym, długim rękawom, które sterczały sztywno. Gdyby musiał nosić takie rękawy, z pewnością urządziłby łowy na szalonego mizoginistę, który narzucił je kobietom. Czy rękawy miały uczynić je bardziej ponętnymi?

Nadeszła pora, by przejść do rzeczy. Uniósł głowę, niczym wilk węszący zdobycz. Łowy w końcu dobiegły kresu – ona tu jest, o czym zresztą wiedział – wyczuwał ją. Włosy zjeżyły mu się na rękach, kiedy jej zapach nasilił się w jego nozdrzach. Obrócił się raptownie, niemal wytrącając tacę z dłoni lokaja. Pomógł służącemu odzyskać równowagę, odstawił na tacę kieliszek z ponczem i ruszył w jej stronę, zatrzymując się w chwili, kiedy wreszcie mógł ujrzeć jej twarz. Była młoda, z pewnością jeszcze nieobyta w Londynie, lecz on wiedział, że taka będzie. Śmiała się perliście, ogromnie czymś rozbawiona. Widział jej uroczo połyskujące białe zęby, loki splecione w grube warkocze i ułożone na szczycie głowy, co sprawiało, że wyglądała na bardzo wysoką. Kiedy podszedł bliżej, dostrzegł także, że jej jasnoniebieska suknia nie zwisała na ramionach. Jej ramiona nie opadały po skosie, były mocne, ucięte prosto. Biała karnacja przypominała piasek na plaży po zawietrznej stronie wyspy Coloane.

Warkocze miały kolor ciemnej czerwieni, soczystego kasztanu, jak chce język pisany, lub barwy z palety Tycjana, jeśli ktoś jest poetą. To była ona, w duchu nie żywił nawet cienia wątpliwości. W oderwanych momentach w ciągu minionych lat zastanawiał się, czy opuści ziemski padół jako zramolały starzec, nie zdoławszy jej odnaleźć. Czy wciąż jeszcze nie nadeszła właściwa pora. Lecz ten czas nadszedł i on znalazł się tutaj, tak samo jak ona. Odczuwał niewypowiedzianą ulgę.

Szedł ku niej, świadom tego, że ludzie go obserwują. Czynili tak zazwyczaj, gdyż był hrabią, a nikt nie wiedział o nim nic. Londyńska elita uwielbiała tajemnice, zwłaszcza gdy w grę wchodził sekret w postaci mężczyzny stanu wolnego, z dobrą prezencją oraz szlacheckim tytułem. Chodziło też o jego wzrost, jeden z darów otrzymanych od dziadka, on zaś wiedział, że swoją posturą budził przestrach. Wiedział też, że z powodu długich, czarnych włosów, zaczesanych do tyłu i przewiązanych czarną, aksamitną kokardą, ludzie oglądali się za nim i dostrzegali człowieka nie w pełni cywilizowanego. Być może mieli nawet rację. Wiedział, że jego oczy potrafią być zimne jak śmierć; był to kolejny dar dziadka – czarne oczy, za sprawą których ludziom przychodzili na myśl czarnoksiężnicy lub, co niewykluczone, kaci.

Jakaś para w tańcu zagrodziła mu drogę. Zręcznym ruchem odsunął się na bok, widząc niepokój na twarzy mężczyzny, lecz niemal ich nie zauważył, tak bardzo skupił uwagę na niej.

Każdym ze zmysłów rozpoznawał i przyjmował do wiadomości, iż ona była rzeczywiście tą, której on szukał. Teraz tańczyła walca, jej partner obracał nią po szerokich kręgach, a jej niebieska atłasowa suknia wirowała i nadymała się wokół niej niczym balon. Unosiła się lekko na stopach, zgrabnie podążając za partnerem, starszym mężczyzną – na tyle starym, by mógł być jej ojcem. Tyle że nie miał ani wydatnego brzucha, ani też obwisłych policzków, jak przystało na jowialnego tatulka. Był za to słusznego wzrostu, szczupły i pełen gracji; z niebieskimi oczyma jasnymi jak letnie niebo, niemal tak jasnoniebieskimi jak jej. Jego twarz także cechowała się zbytnią urodą, uśmiech nadmiernym wdziękiem. Jej małżonek? Z pewnością nie, była zbyt młoda. Roześmiał się z samego siebie. Dziewczęta wychodziły za mąż w wieku siedemnastu, niektóre nawet szesnastu lat, za mężczyzn starszych niż ten, który wyglądał na czerstwego i z pewnością nazbyt dziarskiego, jak na swój wiek.

Minęli go w tańcu. Dostrzegł, że jej oczy były jaśniejsze od oczu dżentelmena. Emanowała niezwykłą ekscytacją.

Stał spokojnie, obserwując. Wirowali dookoła, mężczyzna prowadził ją po obwodzie sali, żeby nikt nie wchodził im w paradę.

Nie mógł zrobić nic poza czekaniem, co też uczynił, opierając się od niechcenia o ścianę, z rękoma skrzyżowanymi na piersiach, obok dużej palmy. Nie znał imienia tej kobiety, lecz wiedział już, że nie będzie to Mary ani Jane. Nie, jej imię będzie egzotyczne, lecz nie był w stanie wyobrazić sobie angielskiego imienia na tyle egzotycznego, by pasowało do jego wyobrażenia o niej.

Zobaczył bladego młodego dżentelmena oraz damę, która wydawała się jego matką, szepczących do siebie; patrzyli w jego stronę. Uśmiechnął się do nich, wcale nie mając im tego za złe. W końcu był świeżo upieczonym lordem Mountjoy, a ludzie spekulowali, w jaki sposób zdoła piastować tytuł, nie mając grosza przy duszy, ponieważ stary hrabia przepisał cały swój majątek trzem młodszym przyrodnim braciom Nicholasa. Wszystkim, co mu przypadło w schedzie, była przekazana jako ordynacja, popadająca w ruinę rodzinna posiadłość w hrabstwie Essex, Wyverly Chase, zbudowana przez pierwszego hrabiego Mountjoy, który walczył z Hiszpanami niczym bohaterski wiking i zdołał oczarować wieczną dziewicę, królową Elżbietę. To ona, jak się należy, wyniosła wicehrabiego Ashborough do godności hrabiowskiej. Rezydencja Wyverly Chase liczyła sobie już trzysta lat, i było po niej widać upływ każdej dekady. Co do przekazanych w majoracie trzech tysięcy akrów, jego ojciec dopilnował, żeby były pozbawione wartości, na ile to możliwe, na skutek braku pieniędzy i pańskiego oka; trwało to do chwili, gdy opuścił ziemski padół. Synowi przypadły zatem wyłącznie leżące odłogiem pola, zdesperowani dzierżawcy oraz góra długów.

Usłyszał szept jakiegoś mężczyzny, jakoby nowy hrabia dopiero co przybył z Chin. Nie powstrzymał się od uśmiechu.

Dostrzegł mężczyznę spoglądającego ku niemu, widział, jak ten mówi coś do korpulentnego jegomościa. Snuli być może przypuszczenia na temat tego, czy Nicholas spotkał się już z trójką przyrodnich braci, teraz już młodych mężczyzn, spośród których dwóch, jak zasłyszał, było równie dzikich i nieokiełznanych jak sztorm na kanale La Manche. Ach, lecz co najważniejsze, skoro był nędzarzem, czy przybył do Londynu, by znaleźć spadkobierczynię fortuny?

Muzyka przestała grać, walc wreszcie dobiegł końca. Panie uśmiechały się i śmiały, wachlując żwawo maleńkimi wachlarzami, zaś panowie usiłowali nie pokazać po sobie, jak bardzo brakowało im tchu.

Nicholas obserwował starszego męczyznę, który poprowadził ją ku gromadce osób stojących po przeciwnej stronie sali balowej.

Nadszedł czas, by uczynił to, co powinien był uczynić. Czas, by zrobić to, co było jego przeznaczeniem.

Rozdział 3

Podszedł wprost do starszego mężczyzny, który z nią tańczył, i się ukłonił.

– *Sir*, nazywam się Nicholas Vail i pragnąłbym zatańczyć z... – tu utknął w martwym punkcie.

Czy mogła być jego żoną? Z pewnością nie. Jego córką?

– Ach, z tą młodą damą, *sir*?

Mężczyzna odwzajemnił mu się płytkim ukłonem.

– Wiem, kim pan jest. Co zaś się tyczy młodej damy, obiecała już tego walca mojemu synowi.

Nicholas rzucił szybkie spojrzenie na młodzieńca mniej więcej w tym samym wieku co on sam, uśmiechającego się do czegoś, co powiedziała mu dziewczyna. Młodzian podniósł wzrok, przechylił głowę w jedną stronę i skinął Nicholasowi. Dziewczyna obróciła się, by spojrzeć na niego wprost, i nie spuszczała wzroku z jego twarzy. Choć przed chwilą jeszcze tak pełne radości, teraz jej oblicze wydawało się odległe i niemożliwe do rozszyfrowania. Dostrzegł jednak coś w jej oczach, coś – wiedzę, tajemnicę, sam nie wiedział co. Lecz z pewnością się dowie, i to rychło. Potem młody mężczyzna przemówił do niej, ona zaś położyła dłoń na jego przedramieniu i pozwoliła mu poprowadzić się na parkiet.

Nicholas odniósł wrażenie, iż go rozpoznała. Cóż, on ją znał, zatem możliwe było, że i ona go rozpozna – nie miał jednak co do tego pewności. Nigdy wcześniej go nie spotkała.

Odnalazł ją, nawet jeśli nie znał jeszcze jej imienia.

Starszy mężczyzna odchrząknął, a Nicholas zdał sobie sprawę, że wciąż się w nią wpatruje.

– Jestem Ryder Sherbrooke – zwrócił się z rozbawieniem do Nicholasa. – To moja małżonka, Sophie Sherbrooke.

Nicholas ukłonił się przed damą, pulchną i urodziwą, obdarzoną przez naturę pełnymi i miękkimi ustami. Dama nie uśmiechała się jednak, spoglądając na niego ze sporą dozą nieufności.

Poczuł ogromną ulgę. Ona nie była jego żoną. Raz jeszcze dygnął przed Sophie Sherbrooke.

– *Madame*, cała przyjemność po mojej stronie. Jestem Nicholas Vail, lord Mountjoy. Pani małżonek jest wybornym tancerzem.

Uścisnęła rękę męża, potem się roześmiała.

– Mój małżonek wmawia mi, że urodził się z doskonałymi stopami. Kiedy byliśmy młodsi, pozwalał mi tańczyć na swoich doskonałych stopach. Wtedy też obwołano mnie najbardziej wytworną damą sezonu.

Nicholas był pod urokiem.

– Jak już napomknąłem, słyszałem o panu, lordzie Mountjoy – rzekł Ryder. – I wcale nie mam pewności, czy życzę sobie, żeby poznał pan moją podopieczną, nie wspominając już nawet o wspólnym z nią tańcu.

Jego podopieczną? Nicholas musiał przyznać, iż to go zaskoczyło. Nie wyobrażał sobie czegoś podobnego.

– Nie było mnie w Anglii dostatecznie długo, bym zyskał sobie reputację, jaka pana niepokoi, panie Sherbrooke. Czy wolno mi spytać, skąd się wziął pański niepokój co do mojej osoby?

– Pański ojciec był człowiekiem, którego z satysfakcją wyzwałbym na pojedynek, gdyby choć raz przekroczył granice, lecz on nieustannie stąpał wzdłuż niej. Przypuszczam, iż przypisuję jego niedoskonałości panu, jego synowi, co jest z mojej strony rażąco niesprawiedliwe. Jestem tego świadom, lecz tak po prostu jest.

– Jeśli mam być szczery, *sir* – rzekł powoli Nicholas. – Uciekłem od niego tak wcześnie, jak mogłem. Rzadko widywałem go po tym, jak poślubił drugą małżonkę, co się zdarzyło, gdy miałem pięć lat.

– Jak rozumiem, trójka jego młodszych synów ochoczo poderżnęłaby panu gardło – odparł Ryder, potem na chwilę zamilkł, spoglądając badawczo na młodego rozmówcę. – Jest pan świadom tego, jak mniemam, że Richard, najstarszy spośród pańskich przyrodnich braci, żywi przekonanie, iż tytuł należy się jemu?

Nicholas wzruszył ramionami.

– Każdy z nich lub wszyscy razem mogą swobodnie skoczyć mi do gardła, *sir*. Lecz jestem człowiekiem, którego trudno wysłać na tamten świat. Inni już próbowali.

Ryder dawał wiarę jego słowom. Wyglądał na kogoś, kto musiał sam przedzierać się przez życie. I kto wiedział, kim oraz czym jest. Widział, że Nicholas Vail raz jeszcze spogląda w stronę Rosalindy, która wciąż wybuchała śmiechem, jak zresztą zawsze, kiedy tańczyła walca.

– Robi się późno, *sir* – odezwał się Ryder. – Po tym walcu zabieram moją rodzinę do domu.

– Czy wolno mi będzie złożyć państwu wizytę jutro rano?

Ryder omiótł go taksującym spojrzeniem. Nicholas poczuł ciężar tego spojrzenia. Zastanawiał się, czy jego osoba zdoła zyskać akceptację. Oczywiście słyszał wcześniej o Sherbrooke'ach. Lecz ta para w roli strażników... Tego po prostu nie rozumiał i czuł przez skórę, że komplikacje dopiero teraz przybiorą na sile.

– Zatrzymaliśmy się w miejskiej rezydencji Sherbrooke'ów, przy Putnam Square – odparł Ryder.

– Dziękuję panu, *sir*. *Madame*, było mi bardzo miło. Do jutra zatem.

Nicholas wyszedł zamaszystym krokiem z sali balowej, nie zwracając uwagi na gości, którzy schodzili mu z drogi.

– Zastanawiam się, co zamyśla ten młody człowiek – rzekł Ryder Sherbrooke do małżonki.

– Rosalinda jest piękna. To prawdopodobnie proste zainteresowanie mężczyzny kobietą.

– Wątpię, czy cokolwiek, co dotyczy Nicholasa Vaila, jest proste. Zastanawiam się, jaki on jest.

– Jeśli to łowca posagów, już wkrótce dowie się, że Rosalinda nie dziedziczy fortuny i zapewne zacznie szukać gdzie indziej.

– Uważasz, że on potrzebuje pieniędzy?

– Słyszałam pogłoski, jakoby jego ojciec nic mu nie zapisał poza tytułem oraz popadającą w ruinę posiadłością. I uczynił to celowo. Zastanawiam się dlaczego. Czy ten młody człowiek tkwi w długach? Tego nie wiem. Ale wiem, Ryderze, że duma i arogancja przyjemnie się w nim pomieszały, nie sądzisz?

Ryder się roześmiał.

– Tak, to prawda. Zastanawiam się, czy on zdaje sobie sprawę z faktu, że jest na językach całego Londynu?

– Och, tak. Oczywiście. Wyobrażam sobie, że to go bawi.

Żadne z nich nie zauważyło, iż Rosalinda spogląda za Nicholasem Vailem.

Nicholas tymczasem wziął laskę i kapelusz od lokaja, wręczając mu szylinga za usługę.

Nagle tuż obok rozległ się męski głos.

– Proszę, proszę, czyż to nie nowy hrabia Mountjoy, szósty. Jak tuszę, z krwi i kości. Witaj, bracie.

Nicholas odniósł wrażenie, iż przypomina sobie ten głos z dzieciństwa, lecz musiała upłynąć chwila, zanim rozpoznał w młodym człowieku, który przed nim stał, najstarszego ze swych przyrodnich braci, Richarda Vaila. Przyszło mu do głowy w tym momencie, gdy spoglądał na młodego mężczyznę, że czuł ogromną niechęć wobec dzielenia z nim jednego nazwiska. Spojrzał w lśniące oczy Richarda, ciemne jak jego własne, niemal czarne, i coś w nich zaiskrzyło – czyżby gniew? Nie, było to coś więcej niż prosty gniew, była to bezsilna furia. Richard Vail nie emanował szczęściem. Nicholas się uśmiechnął.

– Szkoda, że pamięć cię zawodzi, a przecież jesteś taki młody – jestem siódmym hrabią Mountjoy, nie szóstym, a także ósmym wicehrabią Ashborough.

– Niech cię diabli, nie powinieneś być ani jednym, ani drugim.

– A ty, Richardzie, powinieneś w końcu dorosnąć.

W Richardzie płonęła wściekłość; na przemian zaciskał i otwierał pięści.

– Jestem mężczyzną w większym stopniu, niż ty będziesz kiedykolwiek. W Londynie przyjmują mnie z ochotą. Ciebie nie. Nie przynależysz tu. Wróć do swej nieokrzesanej egzystencji. Słyszałem, iż przyjechałeś z Chin. I że tam właśnie pędziłeś żywot, czyż nie?

Nicholas uśmiechnął się i popatrzył na drugiego młodego mężczyznę, który stał u boku Richarda.

– Poznaję ciebie. Jesteś Lancelot, prawda?

Jako bracia nie mogli chyba bardziej się różnić. W przeciwieństwie do Richarda czy Nicholasa młodzian był skromnej postury, miał jasne włosy i bladą karnację, prezentując wygląd poety o delikatnej konstytucji. Nicholas spojrzał na jego dłonie artysty, o długich palcach i nadobnym kształcie. Zastanawiał się, co jego ojciec sądził o tym urodziwym synu, który przypominał swoją matkę, Mirandę, o ile Nicholas ją pamiętał.

Z pięknych ust blondyna wydobył się nadąsany głos.

– Każdy wie, że wołają mnie Lance.

– A zatem nie rycerz? – odparł Nicholas przeciągając samogłoski.

– Niech pan nie stroi sobie żartów ze mnie, *sir*. To było mało śmieszne.

Nicholas zmarszczył czoło z ponurym wyrazem na twarzy.

– Ja? Z pewnością nie zamierzałem z ciebie krotochwilić. W końcu jesteś moją rodziną.

– Tylko w rezultacie gorzkich i niesprawiedliwych okoliczności – wtrącił Richard. – Nie chcemy ciebie tutaj. Nikt z nas sobie ciebie tutaj nie życzy.

– Jakież to dziwne – ripostował gładko Nicholas. – Jestem teraz głową rodu Vailów. Jestem waszym najstarszym bratem. Powinniście powitać mnie z otwartymi ramionami, rozkoszować się moim towarzystwem, szukać u mnie rady i wsparcia.

Lancelot wydał z siebie grubiański odgłos.

– Jest pan tylko nic niewartym awanturnikiem, *sir*, który powinien przypuszczalnie przebywać za kratami w Newgate.

– Awanturnikiem, hm. To ładnie brzmi, nieprawdaż?

Nicholas uśmiechnął się do obu młodych mężczyzn bezstronnie, obcych mu, obydwóch. Oni zaś darzyli go nienawiścią, którą to nienawiść wobec niego bez wątpienia rozniecili jego ojciec oraz ich matka. Kiedyś byli niewinnymi dzieciątkami; pamiętał ich z ostatniej wizyty w Wyverly Chase, tuż przed śmiercią dziadka. Miał wtedy zaledwie dwanaście lat.

– Jak pamiętam – powiedział niespiesznie – jest was trzech. Gdzież zatem jest... jak on ma na imię?

– Aubrey – wycedził przez zaciśnięte usta Richard. – Studiuje w Oksfordzie.

Oksford, pomyślał Nicholas; słowo to brzmiało obco i tchnęło obcością.

– Przekażcie Aubreyowi serdeczne pozdrowienia ode mnie – dodał, skinąwszy głową w stronę Richarda i Lancelota na pożegnanie.

– Słyszałem, że zatrzymałeś się w hotelu Grillon – zawołał za nim Richard. – Szkoda, że ojciec nie zapisał ci miejskiej rezydencji.

Lancelot zarżał.

Nicholas się odwrócił.

– Mówiąc szczerze, Wyverly Chase to więcej niż dostatecznie dużo. Odetchnąłem z ulgą, że sypiąca się kupa gruzu z epoki georgiańskiej przy Epson Square nie została mi przekazana jako majorat.

Same remonty muszą was kosztować zyski z co najmniej trzech nocy spędzonych przy hazardowym stole, o ile, rzecz jasna, kiedykolwiek wygrywacie.

– Ojciec nie zostawiłby ci również Wyverly Chase, gdyby nie musiał ustanowić ordynacji. Szkoda tylko, że teraz posiadłość legnie w gruzach – rzekł kąśliwie Lancelot.

– Legła na długo przed moim przybyciem – odparował Nicholas.

– A ty nie będziesz w stanie nic z tym zrobić – obstawał przy swoim Lancelot. – Wszyscy wiedzą, że jesteś ubogi jak łapacz kogutów na wrzosowisku.

– Nie sądzę, by to porzekadło było mi znane – skomentował Nicholas.

– To prawda, nie jesteś prawdziwym Anglikiem, zgodzisz się? – dorzucił od siebie Richard, szydząc bez ogródek. – Chodzi o chłopaka, który handluje kogutami używanymi do walk, bezwartościowego drobnego żebraka z dłońmi podziobanymi przez ptaki. Jak słyszeliśmy, przybyłeś tutaj z dalekich Chin. I masz nawet kilku chińskich służących.

Nicholas skinął im obu, jak czyni to nauczyciel.

– To dobrze, że nadstawiacie uszu. Osobiście zalecam słuchanie, zawsze uważałem to za pożyteczny nawyk.

Potem obrócił się, by wyjść przez frontowe drzwi, trzymane otworem przez tego samego lokaja – który zamienił się w słuch.

– Na dobrą sprawę zawsze byłem zdania, że słuchanie jest bardziej pożyteczne niż mówienie. Moglibyście to przemyśleć.

Nicholas dosłyszał, jak Lancelot dyszy gniewem. W czarnych oczach Richarda ponownie zagościła nienawiść, a twarz spłoniła mu się ognistym rumieńcem. Interesujące, jak skutecznie ich ojciec wzniecił w ich duszach nienawiść skierowaną ku niemu.

Nicholas ruszył po szerokich stopniach w stronę pasażu. W jego pamięci Richard był szczęśliwym chłopcem, Lance cherubinem, odzianym w biele i róże, uśmiechniętym od ucha do ucha, zadowolonym z tego, że może siedzieć w nogach matki, kiedy ta grała na harfie. Co do Aubreya, był zbyt mały, kiedy Nicholas widział go ostatni raz – chłopczyk, który niczego tak nie uwielbiał, jak turlania kulki oraz biegania tam i z powrotem po korytarzu i wydzierania się na całe gardło. Nicholas przypominał sobie, jak malec o mały włos nie spadł z frontowych schodów. Wtedy to on zdołał chwycić go w ostatniej chwili. Pamiętał też, jak Miranda krzyczała na niego, oskarżając go o próbę zabicia jej syna; Aubrey stał pomiędzy nimi, zapłakany i przestraszony. Jego ojciec dał temu wiarę i smagnął go biczem, zelżył go i nazwał morderczym małym łajdakiem. Dziadek Nicholasa był wtedy zbyt chory, by temu przeszkodzić, lecz uczyniłby to, gdyby wiedział, że jego własny syn przyjechał z rodziną, żeby być świadkiem jego śmierci. Do diabła, któż wiedział, dlaczego takie wspomnienia zakopywały się głęboko w zakamarkach ludzkiego umysłu.

Po obu stronach ulicy stało zaparkowanych co najmniej dwadzieścia kilka powozów. Konie i stangreci sprawiali wrażenie pogrążonych we śnie. Do hotelu Grillon miał dość długą drogę. Na jego ścieżce nie stanął jednak choćby jeden szubrawiec.

Rozdział 4

Następnego ranka przy nakrytym do śniadania stole Sherbrooke'ów Rosalinda zwróciła się z pytaniem do Rydera, trzymając widelec z nadzianym na niego wędzonym śledziem.

– *Sir*, kim był ten młody dżentelmen o ciemnej karnacji, który chciał zatańczyć ze mną ostatniego wieczoru? Ten młodzieniec z długimi włosami, czarnymi jak wigilia Wszystkich Świętych?

Ryder okazał się głupcem, skoro wierzył, iż Nicholas Vail nie wywarł na niej wrażenia, mimo to nie powiedział wczoraj nawet słowa na jego temat w drodze powrotnej do domu.

– Ten młody człowiek to hrabia Mountjoy, dopiero co przybyły do ojczystej ziemi, jak twierdzą niektórzy – z dalekich Chin.

– Chiny – rzekła Rosalinda, przeciągając to słowo, jakby się nim rozkoszowała. – Jakże romantycznie brzmi.

Grayson Sherbrooke chrząknął z dezaprobatą.

– Wy, dziewczęta... twierdzicie, że przejażdżka dwukołowym wozem na gilotynę, ze spętanymi rękoma, też jest romantyczna.

Rosalinda obdarzyła Graysona promiennym uśmiechem i wykonała nieokreślony ruch dłonią.

– Z pewnością jesteś pozbawiony duszy, Graysonie.

Zbył to machnięciem ręki.

– Jest na ustach wszystkich. Słyszałem, że pojawił się w mieście, by znaleźć dziedziczkę fortuny. Oznacza to przynajmniej, że jesteś bezpieczna, Rosalindo.

– Oczywiście, że jestem bezpieczna. Jestem przecież biedna jak mysz kościelna.

– Bez względu na wszystko – głos zabrał Ryder – zapytał mnie, czy może złożyć nam wizytę dzisiejszego ranka.

Rosalinda wyprostowała się na krześle, zapominając o maślanej bułeczce z orzechami, trzymanej w dłoni. Jej oczy zaiskrzyły.

– Słucham? Chce złożyć mi wizytę?

– Albo ciotce Sophie – odparł Ryder. – Kto wie? Być może zainteresował go Grayson i pragnie wysłuchać ciekawej opowieści o duchach. – Ryder zmarszczył brwi. – Może błędem z mojej strony było wyjawienie mu, że znajdujesz się pod moją kuratelą.

– Ależ dlaczego, *sir*. Och, rozumiem. Skoro jestem członkiem rodziny Sherbrooke'ów, obojętne pod kuratelą czy nie, muszę jego zdaniem posiadać wypchaną kiesę.

Rosalinda nie miała zamiaru powiedzieć wujowi Ryderowi ani Graysonowi, iż była bardziej rozczarowana, niż to zasadne, tą nieprzyjemną nowiną.

– Dysponujesz skromnym posagiem – zgodził się Ryder.

– Z drugiej strony, z tego co słyszałem o tajemniczym hrabim, on nigdy nie podejmuje działania, dopóki nie wie dokładnie, czego pragnie – skomentował Grayson.

– Chcesz powiedzieć, że on mnie pragnie, chociaż nie dziedziczę fortuny? To śmieszne, Graysonie. Nikt mnie nie chce. Poza tym, nie może mnie mieć.

Grayson stuknął nożem o nakryty obrusem blat stołu.

– Będę przy tobie, kiedy złoży nam wizytę tego ranka. Musimy dowiedzieć się, czego chce od ciebie. Jeśli doszedł do błędnego przekonania, że jesteś dziedziczką, natychmiast pozbawię go tych złudzeń.

– On jest naprawdę niesamowity – przyznała Rosalinda.

– Tak – zgodził się Ryder. – Rzeczywiście. Wysłałem list do Horace'a Bingleya, notariusza Sherbrooke'ów tu w Londynie, żeby powiadomił nas, co wie na temat hrabiego. Przekonamy się, co będzie miał do powiedzenia o charakterze tego młodzieńca.

– Doskonały pomysł, ojcze – pochwalił Grayson. – Ponieważ nikt tak naprawdę nie wie o nim zbyt wiele. Atoli wydaje się, że panuje zgoda co do tego, iż jest nędzarzem i rozpaczliwie potrzebuje związku z posażną dziedziczką.

Ryder przytaknął.

– Słyszałem również, że stary hrabia nie zostawił swemu dziedzicowi niczego poza tym, do czego przymuszało go ustanowienie ordynacji. Z czystej złośliwości uczynił swego syna żebrakiem. Nikt jednak chyba nie zna przyczyn tego dziwacznego zachowania. Poproszę Horace'a, żeby się dowiedział, o ile, rzecz jasna, Nicholas Vail spodoba się Rosalindzie.

Rzeczywiście podobał się jej, pomyślała Rosalinda, lecz nie powiedziała tego na głos. Nie chciała niepokoić wuja Rydera, dopóki ten się nie upewni, że Nicholas Vail nie jest złym człowiekiem.

– Nie rozpowiadaliśmy nikomu o twoich młodych latach, Rosalindo – rzekł Grayson.

– Cóż tu jest do rozpowiadania? Nic nie znaczę.

– Posłuchaj mnie, Rosalindo. – Z głosu Rydera przebijało rozdrażnienie. – Nie jesteś aż tak dorosła, bym nie mógł sprawić ci lania.

– Ale to prawda, wuju Ryderze. Wiem, że zawsze ceniłeś prawdę.

– Rosalinda robi się impertynencka, Sophie. Co, twoim zdaniem, powinniśmy z tym zrobić?

– Ukarz ją, ojcze – podsunął Grayson.

Sophie roześmiała się.

– Nie pozwólmy jej spałaszować kolejnej maślanej bułeczki z orzechami, dzieła naszej kucharki. Tym sposobem dla mnie zostanie więcej, ona zaś otrzyma cenną lekcję.

– Zostały jeszcze trzy, ciociu Sophie – odparła Rosalinda. – Przysięgam, że zjem tylko jedną; to twój syn jest obżartuchem.

Grayson wypił łyk herbaty za jej zdrowie.

– Hrabia Mountjoy przedstawia twarz człowieka pełnego sekretów, mrocznych sekretów – wyraziła swą opinię Sophie, wybierając maślaną bułeczkę. – Zawsze byłam zdania, że mężczyzna owiany tajemnicą rozbudza kobiecą ciekawość; płeć piękna nie potrafi temu zaradzić. Taka jest natura rzeczy.

Rosalinda przytaknęła.

– On jest tajemniczy, lecz sprawiał wrażenie, jakby trzymał się z dala od wszystkich na balu. Jak gdyby musiał tam być, chociaż wcale sobie tego nie życzył.

– To jest nazywane arogancją – orzekła Sophie i ugryzła kęs jednej z trzech pozostałych orzechowych bułeczek o wręcz niebiańskim smaku; przeżuwała powoli, zamknąwszy oczy. – Ach, nirwana jest tuż-tuż.

– Nie sądzę, żeby niewiasty miały dostęp do nirwany, matko – odparł Grayson.

Sophie zbyła gestem jego słowa, potem wsunęła do ust ostatni kęs bułeczki i znów zamknęła oczy.

– Ach, jesteś w błędzie, mój drogi. Właśnie jej doświadczyłam.

– Nicholas Vail przypomina wuja Douglasa – Grayson zmienił temat. – Patrzy na salę pełną ludzi w taki sposób, jak gdyby oni istnieli jedynie po to, by go rozbawiać.

– Ma nawet wygląd Douglasa z jego młodych lat – dodał Ryder w zamyśleniu.

– Przychodzi z wizytą, a ja nigdy nawet z nim nie rozmawiałam – głos zabrała Rosalinda. – Być może zrozumiałabym jego chęć odwiedzenia mnie, gdyby zatańczył ze mną walca, ponieważ jestem wyśmienitą tancerką, lecz on nie zatańczył. Nigdy też nie miał sposobności rozkoszować się moim dowcipem, albowiem nie miałam okazji z nim porozmawiać. Hm, być może inni powiedzieli mu o moim niezwykłym sposobie mówienia, o niespotykanej gracji, nie sądzicie?

Zaśmiała się sama do siebie.

– Bez względu na pobudki, jakimi się kieruje – rzekła Sophie – skoro pragnął zobaczyć się z tobą, Rosalindo, powiedziałabym, że jest mężczyzną, który lubi panować na biegiem spraw. A to jest możliwe, jeśli wie się o wszystkim.

– Być może, moja droga – powiedział Ryder. – Być może masz po prostu rację. Hrabia sprawia wrażenie, jakby wiedział, do czego zmierza, i jeśli to rzeczywiście prawda, to musi wiedzieć, że nie jesteś dziedziczką. Zatem mamy do czynienia z tajemnicą.

– Przecież nie zawsze chodzi o dziewczęce wiano, prawda, wuju?

– Tak – zgodził się Ryder.

– Ha – podjęła Sophie. – Przygarnąłeś mnie bez grosza przy duszy, w jednej koszuli.

Niebieskie oczy Rydera Sherbrooke'a rozszerzyły się. Było to coś, czego ani jego syn, ani też jego podopieczna nie pragnęli zgłębiać. Coś, co sprawiło, że oboje poczuli się nad wyraz nieswojo. Rosalinda upiła kolejny łyk herbaty. Grayson bawił się widelcem.

– Nie wygląda na człowieka o lekkim charakterze – wyraziła opinię Sophie. – Wszystkie te tajemnice... Sprawia wrażenie, jakby widział już wiele rzeczy, uczynił wiele rzeczy, być może po to, by przeżyć. – Westchnęła. – Jest taki młody.

– Wcale nie taki młody, matko – zaoponował Grayson. – Jest mniej więcej w moim wieku. Być może ja również wyglądam tajemniczo?

– Oczywiście, że wyglądasz, najdroższy – odparła natychmiast jego matka, nie dając się wyprowadzić na manowce. – A twoje powieści... Boże drogi, jest w nich tyle niesamowitych wydarzeń, tyle sekretów, że moje biedne serce o mało nie wyskoczy z piersi. Można się tylko zastanawiać, skąd biorą się te mroczne tajemnice, przesycone grozą. Wypada się zgodzić, że rodzą się w umyśle, jakiego nie da się zrozumieć; można go jedynie podziwiać i zachwycać się nim.

Rosalinda słuchała, czując, jak jej własne serce rozbrzmiewa powolnymi, mocnymi uderzeniami. Zobaczyła Nicholasa Vaila, jak stanął przed wujem Ryderem, ponury niczym książę piratów ze śródziemnomorskiego wybrzeża Afryki, który właśnie powrócił do swego wspaniałego namiotu; leżał odprężony na jedwabnych poduszkach i spoglądał na tańczące zawoalowane odaliski. Co do jego postury, cóż, przewyższał wzrostem wuja Douglasa, tego była pewna. I prezentował się imponująco; był mężczyzną bardzo zdyscyplinowanym, zarówno duchem, jak i ciałem.

Nicholas Vail – uświadomiła sobie, że jego nazwisko pobrzmiewało w jej umyśle jakoś osobliwie znajomo, i czyż nie było to dziwne? Wiedziała jednak, iż nigdy nie słyszała o jego rodzinie. Poza tym nosił tytuł hrabiego – lorda Mountjoy. Tego tytułu również nie słyszała nigdy wcześniej. Zastanawiała się, czego od niej chciał. Miała osiemnaście lat i nie była wcale naiwna. Pragnęła mocno, by Ryder Sherbrooke, człowiek, w którego żyłach płynęła krew, jaką ona chciała mieć w swoich, pozwolił jej spotkać się z Nicholasem Vailem sam na sam, tylko w cztery oczy. Niestety, pomyślała ze smutkiem, to się nie zdarzy. Z pewnością nie był to walor bycia osiemnastoletnią, niezamężną panną.

Rozdział 5

Punktualnie o godzinie jedenastej Willicombe, którego łysa głowa lśniła żywym blaskiem dzięki nowej miksturze, jaką zastosował tego ranka – z nasion anyżu – przemówił pełnym uroku muzykalnym głosem, stojąc w progu salonu na parterze.

– Hrabia Mountjoy, proszę pani.

– Wprowadź hrabiego, Willicombe – poleciła Sophie.

Nicholas Vail zatrzymał się na chwilę w progu. Jego wzrok natychmiast pobiegł ku niej, jak gdyby w salonie nie było nikogo innego.

Ryder, który stał obok kominka, odsunął się od gzymsu i podszedł do młodego mężczyzny, odwracając jego uwagę od Rosalindy.

– Proszę wejść, milordzie, i poznać moją podopieczną oraz mego syna Graysona.

Nicholas ukłonił się, całując dłoń pani Sherbrooke, potem dłoń Rosalindy, przy której pozostał dłużej. Zdawał sobie sprawę, że Grayson Sherbrooke bacznie go obserwował.

– Jest pan autorem powieści pełnych tajemnic, panie Sherbrooke – zwrócił się do niego.

Grayson się roześmiał.

– Tak, jestem, lecz w głównej mierze strony moich książek zapełniają tajemnicze duchy oraz istoty nie z tego świata, milordzie, które czerpią radość z ingerowania w sprawy mężczyzn. I kobiet.

– Czytałem *Zjawę z Drury Lane*. Z niekłamaną przyjemnością. Zaiste mroziła mi krew w żyłach.

Rosalinda roześmiała się, zauroczona po uszy, podobnie zresztą jak wuj Ryder i ciotka Sophie, ponieważ to oni byli dumnymi rodzicielami Graysona. Ten ostatni promieniał.

– Rzeczywiście, milordzie. Ta lektura mrozi krew w żyłach wielu czytelnikom, również mnie. Rad jestem, że się panu podobała.

Sophie zastanawiała się, co powinna uczynić matka, gdy na jej oczach ktoś prawi takie komplementy jej ukochanemu synowi. Matka oczywiście stałaby się uprzejma, zatem Sophie postanowiła być uprzejma.

– Jest pan niewątpliwie dżentelmenem o wybornym guście literackim, milordzie. Być może nawet zasłużył pan na jedną z tych doskonałych maślanych bułeczek z orzechami. Ubłagałam kucharkę, żeby upiekła ich więcej, ona zaś postanowiła mi dogodzić. Willicombe, przynieś herbatę oraz wszystkie orzechowe bułeczki, jakie jeszcze zostały.

Willicombe spojrzał na rosłego młodzieńca, który wykazał spryt, komplementując panicza Graysona i sam postanowił być miły.

– Tak, proszę pani – rzekł i ukłonił się na tyle nisko, żeby hrabia mógł podziwiać blask jego łysiny.

– Jego głowa niemal mnie oślepiła – Nicholas zwrócił się do Sophie, kiedy Willicombe wyszedł.

– Miał szczęście, że promień światła padł na jego glacę dokładnie w momencie, kiedy się ukłonił – włączył się do rozmowy Ryder. – Widzi pan, milordzie, Willicombe podchodzi z dumą do wysokiego połysku. Nie jest jednak łysy, lecz goli głowę dwa razy na tydzień. Poinformował mnie, że tego ranka zastosował nową miksturę.

Nicholas roześmiał się, wciąż nie zwracając szczególnej uwagi na Rosalindę. Lecz był świadom jej obecności. O tak, w szczególności jej gęstych, ognistych włosów, tego ranka tak naturalnie upiętych na szczycie głowy leniwych loków sięgających do ramion. Imię Rosalinda było egzotyczne, cieszył się nim, lecz mimo to, z jakiegoś powodu, nie wydawało się właściwe. Musiał uzbroić się w cierpliwość; już niebawem dowie się o niej wszystkiego.

Jak nakazywała ogłada, ugryzł tylko jeden kęs maślanej bułeczki. Kiedy skończył go żuć, zapragnął rozpaczliwie wsunąć do ust całą resztę smakołyku.

– Gdzie się pan podziewał przez minionych czternaście lat, milordzie? – zapytał Ryder Sherbrooke.

– Bywałem w wielu miejscach, *sir* – odparł bez wahania. – W ciągu ostatnich pięciu lat, wszelako, zamieszkiwałem w Makau.

Grayson wyprostował się na krześle.

– Znajduje się w posiadaniu Chińczyków, lecz zarządzają nim Portugalczycy, nieprawdaż?

Nicholas przytaknął.

– Portugalczycy wylądowali tam na początku szesnastego stulecia i zajęli półwysep, chociaż graniczy on z Chinami. Przez kilkaset lat był to wielki ośrodek portugalskiej żeglugi, handlu oraz religijnej aktywności na Dalekim Wschodzie – wyjaśnił, potem wzruszył ramionami. – Lecz losy kraju zmieniają się wraz z sojuszami, rynki handlu i wymiany przesuwają się. Makau jest teraz jedynie wysuniętym przyczółkiem o niewielkim znaczeniu.

– Cóż pan tam porabiał, milordzie? – spytała Rosalinda.

Wreszcie – pomyślał Nicholas i obrócił się, by spojrzeć jej w twarz.

– Param się handlem, panno... – przerwał, celowo, w nadziei, iż poda mu swoje nazwisko.

Tak też uczyniła.

– Jestem Rosalinda de La Fontaine.

– Czy przypadkiem nie jest pani bajkopisarką?

Obdarzyła go promiennym uśmiechem.

– Zatem czytał pan bajki pióra Jeana de La Fontaine'a, *sir*?

– Mój dziadek czytał mi ich wiele, kiedy byłem bardzo małym chłopcem.

– Czy ma pan jakieś ulubione?

– Tak, *Zając i żółw*.

– Ach, o cierpliwym człowieku.

Odwzajemnił jej uśmiech.

– A pani ulubioną jest...?

– *Cykada i mrówka*.

– Którą z nich, pani, jesteś?

– Jestem mrówką, *sir*. Zima zawsze nadchodzi. Zatem najrozsądniej jest przygotować się na jej przyjście, ponieważ nigdy się nie wie, kiedy może uderzyć burza.

– To przecież nie ma żadnego sensu – wtrącił Grayson.

– Obawiam się, że jednak ma – rzekł Ryder.

Sophie przytaknęła, zaś w jej oczach pojawił się jakiś cień.

– Nie miałam pojęcia, najdroższa, że ty...

Wiedzieli tak dużo, pomyślała Rosalinda, zbyt dużo. Choć oczywiście nie oznaczało to, że wyjawiła im właśnie swój największy lęk.

Roześmiała się.

– To tylko bajka, ciociu Sophie. Szczerze mówiąc, wolałabym być podobna do cykady, lecz wydaje mi się, że w moich żyłach płynie zbyt wiele purytańskiej krwi.

– Cnotą Rosalindy jest roztropność, moją zaś cierpliwość – ocenił rzeczowo Nicholas. – Jaką ty możesz się pochwalić, Graysonie?

– Nie cierpię pochlebstw – odpowiedział. – Zatem lubię *Kruka i lisa*.

– Ach – rzekła Rosalinda i szturchnęła Graysona w rękę. – Lis schlebia krukowi, a kruk wypuszcza z dzioba smakowity kąsek, chcąc pomuskać się po piórkach.

– Właśnie tak.

Rosalinda wysunęła talerzyk, domagając się następnej bułeczki.

Nicholas spojrzał na ten słodki wypiek, westchnął i przełożył jedną z dwóch ostatnich bułeczek z tacy na jej talerzyk.

– Zawsze tak jest – powiedziała Sophie, uśmiechając się do niego jedynie z niewielką dozą sympatii, bowiem sama miała chętkę na ostatnią bułeczkę. – Maślane bułeczki z orzechami są wysoce cenione w tym domostwie. Przepis pochodzi od pewnej kucharki z Northcliffe Hall. Ponieważ mój małżonek we własnej osobie leżał plackiem u jej stóp i przysięgał śpiewać arie pod jej oknem, raczyła łaskawie zdradzić ten przepis naszej kucharce.

– Jeśli zaprowadzi mnie pani do kuchni, *madame*, również ja padnę plackiem na ziemię. Wszelako nie znam żadnych operowych arii.

– Podobnie jak mój małżonek. Jest jednakowoż na tyle czarujący, iż wydaje się to nie mieć znaczenia.

Rozległ się śmiech. Jest mi tu dobrze – pomyślał Nicholas zaskoczony. Nie przypominał sobie, by kiedykolwiek tyle się uśmiał.

– To uroczy poranek – rzekł. – O ile przypominam sobie z dzieciństwa, to cudowny spektakl, jakiego nie powinno się zaprzepaścić. Czy wolno mi poprosić, by panna La Fontaine towarzyszyła mi na spacerze w parku?

– Którym parku? – zapytał Ryder.

– Hyde Parku, *sir*. Na zewnątrz czeka powóz. Wynająłem go, ponieważ te, które pozostały w Wyverly Chase, pochodzą jeszcze z ubiegłego stulecia.

Grayson pochylił się do przodu.

– Wyverly Chase? Cóż za fenomenalna nazwa! Z chęcią posłucham historii, jaka się za tym kryje. Czy to siedziba pańskiego rodu?

Nicholas skinął głową.

Rosalinda wiedziała, że umysł Graysona już tkał opowieść o Wyverly Chase, zabrała więc głos:

– Z tego, co wiem, dzisiejszego ranka odbywa się tam niewielki jarmark z udziałem artystów i kuglarzy. Być może jego lordowska mość i ja moglibyśmy zobaczyć, co się tam dzieje.

Grayson przytaknął i wstał.

– Dotrzymam wam towarzystwa.

Rosalinda zapragnęła szturchnąć Graysona łokciem, ale ponieważ młodzieniec stanowił lepszą wersję przyzwoitki niż ciotka Sophie czy wuj Ryder, skinęła głową. I także wstała z miejsca.

– Bardzo będę z tego rada – oznajmiła.

Ryder Sherbrooke powoli przytaknął, nie widząc znikąd nadziei.

Był to niezwykły jak na Anglię wiosenny dzień – błękitne niebo tak jaskrawe, wietrzyk tak lekki i przesycony wonią wiosennych kwiatów, że w znużonym angielskim oku mogła zakręcić się łza.

Po chwili przekonali się, że ów nieduży jarmark odbywał się w jednym z narożników Hyde Parku, gdzie stanowił prawdziwą atrakcję.

Setki ludzi zatrzymywały się przy kramach z jedzeniem i piciem oraz przy stoiskach artystów. Wielu siedziało na udeptanej trawie, oglądając popisy kuglarzy i mimów, którzy zjawili się tu, by dać gapiom nieco radości i zasilić kiesę. Śmiechu było co niemiara, gdzieniegdzie dochodziło do przyjacielskich pojedynków na pięści, i być może zbyt wiele było piwa *ale* oraz kieszonkowców.

– Jest tu więcej jedzenia niż kuglarzy – ocenił Nicholas.

Zarówno on, jak i Grayson trzymali Rosalindę pod rękę.

– I picia – dodał Grayson, po czym zatrzymał się nagle, spoglądając daleko przed siebie.

– Och, rozumiem – pojęła w lot Rosalinda i klepnęła go w ramię. – Stragany z książkami…

Grayson wpatrywał się w stoiska niczym wygłodniały kundel. Rosalinda, dostrzegłszy perspektywę choć chwili wolności, stanęła na czubkach palców i cmoknęła go w policzek.

– Możesz iść. Będę całkowicie bezpieczna z lordem Mountjoyem. Idź, Graysonie. Poradzimy sobie.

Szerokiemu uśmiechowi Nicholasa towarzyszyło niezwykle poważne skinienie głową.

– Przysięgam, że zadbam o jej bezpieczeństwo.

Po chwili niezdecydowania Grayson oddalił się z prędkością komety.

– Potrafi poruszać się bardzo żwawo, o ile jest odpowiednio zmotywowany – zakpiła Rosalinda.

Nicholas spojrzał w dół na jej twarz.

– Cóż sprawia, iż sądzi pan, że jest bezpieczna przy moim boku?

Uśmiechnęła się do jego czarnych oczu.

– Jak sądzę, byłabym całkowicie bezpieczna w pojedynkę, podobnie jak pan. – Zmierzyła go wzrokiem od stóp do głów. – Gdyby ośmielił się pan na zbytnią poufałość wobec mojej osoby, boleśnie by pan to odczuł. Musi pan wiedzieć, że jestem bardzo silna. I przebiegła.

– A gdyby to pani ośmieliła się na zbytnią poufałość wobec mnie, to co miałbym zrobić?

– Być może powinien pan poprosić, bym zaśpiewała, to zaś odwiodłoby mnie od niecnych zamiarów.

Nie był w stanie się powstrzymać i parsknął śmiechem. Kilka osób obejrzało się w jego stronę i uśmiechnęło. Jedna z nich, jak podejrzewał Nicholas, zajmowała się drobnymi kradzieżami, druga była pokojówką o pięknych, gęstych i czarnych włosach, trzecia natomiast matroną o wyglądzie żony piekarza, z trójką dzieci uczepionych spódnicy.

– To jego pasja – wyjaśniła Rosalinda, obserwując, jak Grayson z wprawą stoi w grupie żołnierzy wyśpiewujących na całe gardło jakieś przyśpiewki; ich głosy sowicie już były opłukane piwem *ale*. – Grayson jest niezwykle utalentowany. Zaczął opowiadać historie o duchach, gdy był małym chłopcem. Nigdy nie mógł przestać.

– Dlaczego obdarowała go pani całusem?

Na to pytanie zatrzymała się, spoglądając na niego.

– Jest moim kuzynem. Jest dla mnie niczym brat. Kocham go. Znam go od zawsze.

– Nie łączą pani z nim więzy krwi – oświadczył Nicholas twardym, niebezpiecznym głosem.

Uniosła brwi, lecz nie odezwała się słowem. Pragnęła zastrzelić go, czy jednak pocałować? Nie była pewna, co z nim począć. Czy był to przykład męskiej zaborczości?

Pohamuj się, pohamuj się.

– Chciałem powiedzieć, że słyszałem, jak Ryder Sherbrooke nazwał panią swoją podopieczną.

– To także. To wszystko jest raczej skomplikowane i na dobrą sprawę to nie pański interes, milordzie.

– Nie, przypuszczam, że nie. Przynajmniej jeszcze nie.

Cóż chcesz przez to powiedzieć? – zastanawiała się. – Rozkoszujesz się tajemnicami i sekretami, czyż nie?

Zrobiła unik przed małym chłopcem, który pędził co tchu w stronę kramu z pasztecikami.

– Cieszę się bardzo, że moja ciotka i mój wuj nie wpadli na pomysł, iż ta piękna pogoda ściągnie do parku tłumy mieszkańców Londynu. Zrobiło się naprawdę tłoczno. Och, niech pan spojrzy, tam jacyś chłopcy wykonują układy akrobatyczne. Chodźmy ich obejrzeć.

Chwyciła go za rękę i pociągnęła w stronę kręgu widzów, by popatrzyć na trójkę chłopców.

– Och, jeden z ich to w rzeczy samej mała dziewczynka. Niech pan popatrzy, jak wykonuje salta na barkach tego chłopca. Z taką wprawą i gracją; stoi tak prosto na jego ramionach. Wydaje się to łatwe, nieprawdaż?

Jak należało, rzucił kilka pensów do dużego cylindra, po czym kupił jej lemoniadę, która miała niezwykle kwaśny smak, oraz gorący piróg z wołowiną. Oddalili się od tłumu, idąc ku drugiej stronie Hyde Parku, i usiedli na małej kamiennej ławeczce ustawionej na wprost wąskiego, spokojnego stawu.

– Nie ma kaczek – spostrzegła Rosalinda.

– Prawdopodobnie przestraszył je cały ten zgiełk i ukryły się w tamtych zaroślach.

– Przypuszczalnie ma pan rację. Ale mówię panu, te kaczki dają wspaniały spektakl. Kwaczą i skaczą jedna przez drugą, wiedząc, że dostaną chleb i ciastka. Hm, mam nadzieję, że nie trafiły do tych pierogów na straganach.

– Założę się, że są również szybkie.

Rosalinda ugryzła kęs pieroga, przeżuła go i ugryzła kolejny kęs.

– Proszę, niech pan skosztuje.

Pozwoliła mu zjeść kawałek swojego pieroga.

Jej włosy potargały się w bezładzie, cera nabrała kolorów. Dziewczyna uśmiechała się i wyglądała na całkowicie zadowoloną z siebie i swego położenia.

Nagle spomiędzy drzew wyskoczyło czterech młodych mężczyzn, odzianych na czerwono, tworząc wokół nich krąg. Nicholas już był gotów sięgnąć po kieszonkowy pistolet, kiedy młodzieńcy zaczęli śpiewać, uroczo i harmonijnie.

Zasłuchał się. Dość szybko uświadomił sobie, że śpiewają dla Rosalindy. Znali ją, ona zaś znała ich. To zaczynało być interesujące. Nie podobało mu się to, lecz – kiedy skończyli melodyjną szkocką balladę o powabnej dziewczynie, która kochała jednorękiego rozbójnika nazwiskiem Rabbie McPherson, Rosalinda zaklaskała.

– To było cudowne, panowie. Zaśpiewajcie inną lordowi Mountjoy.

Kolejna pieśń wypełniła słodkie powietrze, tym razem melodia przypominała tragiczną pieśń z włoskiej opery. Zatem ich znała, a jakże? Nie wiedział, czy było to dziwne, czy nie. Prawdopodobnie było.

Kiedy skończyli, każdy z nich ukłonił się nisko, a niski, korpulentny młodzieniec o uroczych niebieskich oczach przemówił:

– Rosalindo, zaśpiewaliśmy dla ciebie. Zaśpiewaliśmy też dla twego towarzysza. Teraz twoja kolej. Śmiało, dostroimy nasze głosy do twojego.

Jej kolej?

Roześmiała się, podała Nicholasowi resztę pieroga z wołowiną – nakazując mu popilnowanie go i powstrzymanie się od jedzenia – potem stanęła obok młodzieńców. Odchrząknęła, spojrzała wprost na niego i zaczęła śpiewać. W tle dołączyły do niej męskie głosy, tworząc piękną harmonię.

Zobacz, jak księżyc sunie przez
Bezmiar mrocznego nieba, a ziemia
Kąpie się w jego promiennej poświacie.
Wszyscy zakochani, podnosząc wzrok ku niebu
Nie lękają się zgonu ostatniego tchnienia nocy.

Kiedy wyśpiewała ostatnie, zapadające w pamięć słowa, opuściła na moment głowę, potem podniosła wzrok na jego twarz. Był to głos, który budził szloch gdzieś w głębi duszy, tam, gdzie człowiek nie przeczuwał nawet, że kryją się łzy. Mężczyźni bili jej brawo, nawet gdy już usiadła na ławce, odurzona, oniemiała, niezdolna się ruszyć. Chociaż wiedział, kim ona jest, wciąż drżał na myśl o tym.

– I co, podobało się panu? – zapytała po chwili.

Przytaknął, wciąż nie mogąc wydusić z siebie słowa.

Patrzył, jak młodzi mężczyźni się oddalają; nadal ściskał w dłoni resztkę pieroga z wołowiną.

– Wspominała pani o talencie Graysona – powiedział wreszcie, spoglądając na nią. – Pani głos zapada głęboko w duszę.

Nie zdawał sobie jednak sprawy jak głęboko.

– Dobrze, istnieje pewien poemat w tym języku, który jeden z moich przyjaciół przerobił na pieśń. Zawsze wydawała mi się bardzo piękna.

Zarecytował:

Nhonha na jinela
Co fula mogarin
Sua mae tancarera
Seu pai canarim.

Pokręcił przecząco głową.

– Nie, nie podejmę się próby jej zaśpiewania. Uciekłaby pani daleko, zatykając uszy.

– Nie ja. Mam w sobie wiele hartu ducha. Cóż, nie wiem, co pan powiedział, lecz to brzmi przyjemnie, jak cicha muzyka.

– Przetłumaczę to dla pani: *Młoda dama w oknie /Z kwiatami jaśminu/ Matką jej jest rybaczka z Chin /Ojcem portugalski Hindus.* Niech pani sobie wyobrazi, że opuszcza pani Anglię, kiedy jest jeszcze dzieckiem, i przybywa pani do tego miejsca, które zamieszkują chińskie rybaczki oraz portugalscy Hindusi. Miejsca tak bardzo różnego od Anglii. Czy byłaby tam pani dobrze traktowana – obcy przybysz? Ja miałem na tyle szczęścia, że w Lizbonie spełniłem dobry uczynek wobec pewnego bogatego portugalskiego kupca. Dał mi pochlebne listy polecające do gubernatora Makau, który, jak się okazało, był jego szwagrem. Dzięki niemu byłem dobrze traktowany, nawet mimo angielskiego pochodzenia.

– Cóż to był za dobry uczynek?

Roześmiał się.

– Wybawiłem jego jedyną córkę z rąk młodego pochlebcy, który raczył ją szampanem na balkonie w romantycznej poświacie księżyca. Była naiwna, lecz wtedy jej ojciec nie zdawał sobie z tego sprawy. Bardzo się na mnie zezłościła za to wybawienie, jak sobie przypominam.

– Jak porozumiewał się pan ze wszystkimi w Makau?

Wzruszył ramionami.

– Mam talent do języków. Mówiłem już po portugalsku i bardzo szybko nauczyłem się mandaryńskiego dialektu języka chińskiego oraz języka *patuá*.

– Ja mówię po włosku – oznajmiła, pusząc się jak paw.

Uśmiechnął się do niej.

– Tu mnie pani prześcignęła – rzekł, chociaż władał perfekcyjnie włoskim.

– Czy tęsknił pan za Anglią, milordzie?

– Być może. W chwilach osobliwych, jak ta dzisiaj, lecz z drugiej strony trudno jest pamiętać takie dni.

Podniósł głowę i wciągnął zapach jaśminu, który rósł o niecałe pół metra od nich.

– Niech mi pani opowie o swoich rodzicach – poprosił.

Zerwała się na równe nogi, otrzepując dłońmi suknię.

– Chyba jednak wolałabym obejrzeć występ tego młodego żonglera, którego minęliśmy wcześniej.

Nicholas wstał i podał jej ramię.

– Jak sobie życzysz, pani.

Grayson odnalazł ich, klaszczących w dłonie wraz z tłumem ludzi stojących w kręgu wokół ogromnego mężczyzny, który żonglował pięcioma butelkami z piwem *ale*. Co kilka minut wyciągał jedną butelkę z puli krążących i wypijał ją, nie przerywając żonglerki. Do czasu, kiedy opróżnił wszystkie, porządnie już się zataczał. Mimo to nie upuścił nawet jednej flaszki.

Tym razem to Grayson musiał pozbyć się reszty monet i włożyć je do kolosalnego buta olbrzyma. Rosalinda dostrzegła blask w oczach Graysona, kiedy ten odciągał ich na bok.

– Tylko zobaczcie, co znalazłem na tamtym straganie opartym o stary dąb, oddalonym od reszty stoisk z książkami. Nie wiem dlaczego, ale ruszyłem tam jak gołąb pocztowy. – Opowiadał, potem wyciągnął starą i mocno już obszarpaną księgę w skórzanej oprawie koloru krwistoczerwonego, lecz nie pozwolił im jej dotknąć. – Na rozchybotanym stołku siedział pewien starzec, otoczony stertami woluminów i pogwizdywał. Podał mi to i się uśmiechnął... – Po chwili dodał głosem bardziej uroczystym niż pastor: – Nie mogę w to uwierzyć. To bardzo stara kopia dzieła Sarimunda *Reguły Krainy za Ostrokołem*. Nie wierzyłem, że jakakolwiek dotrwała do naszych czasów.

– Kim jest Sarimund? Czym jest Kraina za Ostrokołem? – Rosalinda wyciągnęła rękę, lecz Grayson po prostu przytknął księgę do torsu, tuląc ją do siebie.

– Nie. Jest zbyt krucha. Kraina za Ostrokołem, Rosalindo, to miejsce, które znajduje się poza nami, po drugiej stronie, być może w innym czasie. Zaświaty, jak mogłabyś to nazwać, jak mniemam. Tam właśnie mieszkają wszelkiego rodzaju dziwne stwory i tam mają miejsce dziwne rzeczy, straszne rzeczy. Rzeczy, których my, śmiertelnicy, nie rozumiemy. Przynajmniej tyle dowiedziałem się na ten temat od pewnego leciwego nauczyciela akademickiego w Oksfordzie. Pan Oakby nie wierzył, by istniały jeszcze jakieś inne kopie, lecz oto jedna z nich. Odnalazłem ją. – Grayson drżał z emocji. – To niewiarygodne. Nie potrafię dać wiary, że ten pogwizdujący starzec był w posiadaniu kopii dzieła i że rzeczywiście wręczył je mi, jak gdyby wiedział, że oddałbym niemal wszystko, żeby je mieć. Wiecie co? Odmówił wzięcia wyższej zapłaty niż jeden suweren. Milordzie, ma pan osobliwą minę. Czy przypadkiem wie pan coś o Sarimundzie?

Nicholas przytaknął.

– Wiem, że *Reguły Krainy za Ostrokołem* są dziełem o dokonaniach czarodzieja, który zwiedził krainę Bulgar i jakimś cudem zdołał dotrzeć do Krainy za Ostrokołem, do zaświatów, oraz opisał zasady, które pozwoliły mu tam przetrwać. Odnalazł drogę powrotną i w tym miejscu jego dzieło się kończy. Co dotyczy Magnusa Sarimunda, o ile wiem, jego dom znajdował się niedaleko Jorku. Był potomkiem wikingów, utrzymywał też, iż jeden z jego przodków władał ziemiami Danelaw. Fantastyczne wymysły.

– Wymysły? Ależ nie – zaprotestował Grayson. – Z pewnością nie.

Nicholas nic na to nie powiedział

– Nie znałem losów Sarimunda – podjął Grayson. – Potomek wikingów? Musi mi pan powiedzieć wszystko, co pan wie, milordzie. Trzeba, żebym napisał do pana Oakby w Oksfordzie. Będzie niezwykle podekscytowany.

Rosalinda chwyciła go za rękę.

– Poczekaj chwilę, Graysonie. Teraz sobie przypominam. Kraina za Ostrokołem nie jest wcale jakimś miejscem nie z tego świata, nie jest niczym innym jak tylko zwykłą palisadą, swego rodzaju ochronną barierą. Przypominam sobie, jak czytałam o angielskich ostrokołach, które otaczały Dublin na linii długości blisko dwudziestu mil – dawno temu, zbudowanych jako obrona przed grasującymi plemionami. Kto chciał być bezpieczny, pozostawał wewnątrz palisady, czyli ostrokołu. Jeśli ktoś wyszedł na zewnątrz, oznaczało to, że znalazł się w niebezpieczeństwie.

Nicholas przytaknął.

– Przypominam sobie – dodał – że także Katarzyna Wielka kazała zbudować palisadę, by chronić Żydów. Lecz to miejsce opisane przez Sarimunda to zupełnie co innego.

– Graysonie, chodźmy do tego stoiska z książkami – podsunęła mu myśl Rosalinda. – Zaprowadzisz nas tam?

– Cóż, dobrze, ale wiecie, była tylko jedna kopia. Więcej ich tam nie ma. Pytałem tego starca. Pokręcił przecząco głową, nie przestając pogwizdywać.

Nicholas skinął głową. Rosalinda nie wahała się ani chwili. Wzięła go pod ramię i trzymała się blisko jego boku, kiedy przeciskali się przez tłum. Kiedy Grayson dostrzegł rozpadające się stoisko oparte o pień dębu, ustawione w sporej odległości od innych kramów z książkami, ruszył truchtem.

– Nie przypominam sobie – zawołał przez ramię – żeby stoisko tak się rozpadało, kiedy byłem tu zaledwie dziesięć minut temu. Coś musi być nie tak.

Podeszli bliżej. Nie dostrzegli już stert książek i woluminów na blacie z nieheblowanych desek ani pogwizdującego starca. Poza zestawem bardzo starych, zmurszałych desek, które wyglądały, jakby za chwilę miały się zawalić, nie było tu niczego.

– Dokąd mógł pójść? – zastanawiał się na głos Grayson. – I gdzie podziały się książki? Nie została nawet jedna. Uważacie, że sprzedał wszystkie i po prostu sobie poszedł?

Nicholas milczał.

– Jesteś pewien, że to właściwe stoisko, Graysonie? – upewniała się Rosalinda.

– Ależ tak – odparł. – Zapytajmy innych kramarzy.

Nicholas i Rosalinda pomogli mu zasięgnąć języka na najbliższych stoiskach. Dwóch sprzedawców książek przypominało sobie, choć mgliście, starca:

– Tak, tak. Gwizdał bez ustanku, stary biedak... Odseparował się od całej reszty nas, i dlaczego to zrobił. Potem pojawił się ten obskurny, stary stragan ze stertami starych, zakurzonych ksiąg.

Inni sprzedawcy w ogóle nie przypominali sobie rozklekotanego stoiska opartego o pień dębu ani starca. Na sugestię Nicholasa raz jeszcze wypytali pierwszą dwójkę sprzedawców, tych którzy go widzieli. Teraz jednak byli w stanie sobie przypomnieć jedynie zmurszałe, zbite ze sobą deski, lecz już nie książki. Nic poza zmurszałymi deskami.

– Założę się, że gdybyśmy porozmawiali z nimi za godzinę, nie przypominaliby sobie już niczego – skomentował Nicholas.

– Ale...

Nicholas tylko pokręcił przecząco głową.

– Nie rozumiem tego, lecz przecież masz tę księgę, Graysonie, i to wystarczy.

– Ale to jest pozbawione sensu – wtrąciła Rosalinda. – Dlaczego sprzedawcy przypominali sobie starca, a dziesięć minut później zupełnie o nim nie pamiętali?

Nie odpowiedział na to ani Grayson, ani Nicholas.

– Dlaczego ty, Graysonie, pamiętasz starca i stragan, skoro inni nie?

– Nie wiem, Rosalindo, nie wiem.

Kiedy wrócili do rozpadającego się kramu, kilka desek leżało już na ziemi.

Grayson poczuł w głębi duszy dreszcz; coś wzbudziło w nim strach.

– To się robi dziwne – zdobył się na nieszczery uśmiech. – Nicholas ma rację. Mam w garści *Reguły Krainy za Ostrokołem*. I tylko to jest ważne. Być może księga wyrwała się z Krainy za Ostrokołem, by dotrzeć do mnie za pośrednictwem starego człowieka. Być może starzec to czarodziej z zamierzchłych czasów. Przypominam sobie, jak pan Oakby mówił, że słyszał przed wieloma laty od własnego mentora, że Sarimund opisywał swoje rozmowy z duchami. Być może dlatego właśnie stary sprzedawca chciał, żebym znalazł się w posiadaniu księgi.

Roześmiał się; a był to śmiech, za którym kryły się pytania oraz trwoga przed czymś, czego nie da się wytłumaczyć. Spojrzał na wolumin, który z czcią i nabożeństwem trzymał w dłoniach.

– Muszę przemyśleć to wszystko. Zobaczymy się w domu, Rosalindo.

Pozdrowił Nicholasa skinieniem głowy i szybko odszedł.

Nicholas pragnął posiąść tę księgę, pragnął żarliwie, lecz nie był w stanie nic w tej chwili zrobić. Kiedy odprowadzał Rosalindę z powrotem do powozu, młoda dama zadała pytanie:

– Skąd ma pan taką wiedzę na temat Magnusa Sarimunda, milordzie?

– Oglądaliśmy razem popisy podchmielonego żonglera, słuchaliśmy występu grupy młodych mężczyzn, którzy śpiewali dla pani, a ja nawet spożyłem kawałek pani pieroga. Powinna więc pani zwracać się do mnie per Nicholasie, jeśli łaska. A skąd wiem o Sarimundzie? Cóż, mój dziadek również odwiedził krainę Bulgar. Opowiadał mi o biesiadach z Tytularnym Czarnoksiężnikiem Wschodu, jak go nazywano, postacią z zamierzchłych czasów, którego czubek brody omiatał mu sandały. Ów Tytularny Czarnoksiężnik Wschodu wyjawił dziadkowi, że Sarimund żył przez pięć lat w jaskiniach Labiryntu Charona, razem z innymi świętymi mężami i czarownikami. Jaskinie te były bardziej niebezpieczne od innych grot w krainie Bulgar, zważywszy na ich przepastną głębokość oraz ostre jak sztylety stalagmity, na które nadziewali się nierozważni intruzi. Bardziej były niebezpieczne nawet niż szalone sirocco, jak utrzymywał. Tytularny Czarnoksiężnik Wschodu powiedział mu, że w ciągu pięciu lat pobytu Sarimunda podróżnicy, którzy przypadkiem podeszli zbyt blisko jaskiń, doznawali dziwacznych i budzących lęk wizji i byli nękani przez zjawy i demony ze snów. Dziadek zapytał go, czy czarnoksiężnicy wciąż zamieszkiwali w jaskiniach, na co czarownik odpowiedział mu uśmiechem, jaki wieścił wiele spraw, których mój dziadek nie potrafił w ogóle pojąć. Ani on, ani żadna inna ludzka istota. „Oczywiście", odpowiedział tylko czarnoksiężnik, nie dodając nic więcej.

– Czy ten Sarimund rzeczywiście opowiada o zjawach?

– Mój dziadek wierzył, że tak było.

Nicholas odprowadził ją do powozu. Skinął w kierunku mężczyzny zajmującego miejsce stangreta.

– Z powrotem na Putnam Square, Lee.

– Oczywiście, milordzie.

– Przemawia jak dżentelmen – zauważyła Rosalinda.

– Bo nim jest – odparł lakonicznie Nicholas.

– Dlaczego ma na głowie tę uroczą skórzaną czapkę, zsuniętą niemal na nos? Dlaczego dżentelmen jest pana służącym?

Obdarzył ją szarmanckim uśmiechem.

– To nie twoja sprawa, Rosalindo.

Kiedy Nicholas siadał naprzeciwko niej, Rosalinda przekrzywiła głowę.

– W porządku, to nie moja sprawa. Ale czy może mi pan przysiąc, że Sarimund rzeczywiście istniał?

– Ależ tak. Sarimund istniał rzeczywiście, wedle opinii mojego dziadka. Żył w szesnastym stuleciu, przeważnie w Yorku, ale spędził też dużo czasu w basenie Morza Śródziemnego. Na wyspach, jak sądzę, chociaż nikt nie wie, gdzie dokładnie. Chodzą pogłoski, że miał tam ukrytą pustelnię, gdzie przeprowadzał magiczne eksperymenty. Potem udał się na wyprawę do krainy Bulgar. Kiedy powrócił, pojechał do Konstantynopola, gdzie powitał go Sulejman Wspaniały. Tam napisał *Reguły Krainy za Ostrokołem*. Jestem przekonany, że sporządzono około dwudziestu kopii jego manuskryptu. Rzeczywiście jest coś magicznego w tym, że jedna z kopii została tu odnaleziona. I że to Grayson ją odnalazł.

– Najwyraźniej stary sprzedawca książek dopilnował, żeby trafiła w ręce Graysona. Teraz też mogłoby się wydawać, że stary handlarz książkami po prostu zniknął – to bardzo dziwne, Nicholasie.

Nic na to nie powiedział.

– Jakie to dziwne, że wy obaj, ty i Grayson, wiecie o *Regułach Krainy za Ostrokołem* oraz o Sarimundzie.

Ograniczył się do skinienia głową.

– Bardzo dobrze, zachowaj dla siebie swoje tajemnice. Czy ten Sarimund napisał inne księgi?

– Nic o tym nie wiem, a przynajmniej dziadek nic mi o nich nie mówił.

– A teraz sprzedawca książek zniknął. – Rosalindą targnął dreszcz. – Jak gdyby nigdy nie istniał. Czytałeś to dzieło, nieprawdaż, Nicholasie? Widziałeś już w życiu inny egzemplarz *Reguł...*?

– Tak, widziałem. Dziadek wyjawił mi, że znalazł jedną kopię w pokrytej kurzem, starej księgarni w mieście Jork, w którym żył Sarimund.

– Czy dziadek czytał ci fragmenty *Reguł Krainy za Ostrokołem*? Dyskutował z tobą na ich temat? Czy pamiętasz, o czym mówiły?

– Nie, nigdy nie czytał mi fragmentów z samej księgi, jedynie wcześniej opowiadał historie z życia Sarimunda... Cóż, mniejsza o to.

– Czy twój dziadek był czarodziejem, Nicholasie? Powiedziałeś, że odwiedził krainę Bulgar, spotkał się tam ze starym człowiekiem, którego zwano Tytularnym Czarnoksiężnikiem Wschodu...

– Nie potrafię na to odpowiedzieć – rzekł powoli Nicholas, wyglądając przez okno powozu. – Pamiętam, że znał rzeczy, o których większość ludzi nie miała pojęcia. Umiał mówić o myślach i uczuciach ludzi, ale czy nie zmyślił sobie tego wszystkiego? Tego nie wiem.

– Mieszkałeś ze swoim dziadkiem?

– Tak, po tym jak umarła moja matka. Widzisz, ojciec ożenił się po raz drugi, a jego nowa żona nie darzyła mnie sympatią, w szczególności od czasu, kiedy urodziła własnego syna. Miałem pięć lat, kiedy mój dziadek powitał mnie w Wyverly Chase, od szesnastego stulecia wiejskiej posiadłości rodziny Vailów. Był hrabią Mountjoy, zatem mój ojciec nie mógł nic przeciw temu zaradzić, nawet jeśli nie chciał, bym żył.

– A ty miałeś wtedy zaledwie pięć lat.

– Tak. W następnych latach ojciec wraz z nową rodziną rzadko odwiedzał Wyverly Chase. Pamiętam, że był zły, gdyż musiał czekać, aż posiądzie tytuł oraz majątek mego dziadka, chociaż wiedziałem, że był bardzo bogaty dzięki własnym przywilejom.

– Ale to ty byłeś dziedzicem swego ojca. To było z pewnością ważniejsze niż jakakolwiek niechęć ze strony twojej macochy. Byłeś zaledwie małym chłopcem, dlaczego...

Nicholas tylko pokręcił sceptycznie głową i uśmiechnął się.

– Przypominasz sobie naszego kolosalnego, pijanego żonglera? Zanim opuściliśmy park, dostrzegłem go, jak chrapie pod ławką nad stawem Serpentine.

– Bardzo dobrze, Nicholasie, zachowaj swoje sekrety. Lecz ja przetrzepię ci skórę, jeśli w przyszłości nie staniesz się bardziej rozmowny. W niedalekiej przeszłości.

Wyciągnął rękę i lekko uścisnął jej dłoń w swojej. Uśmiechnął się do niej; był to serdeczny uśmiech.

* * *

Jakież to dziwne i osobliwe, pomyślała później, kiedy przeczuła do szpiku kości, że ma jednak przed sobą przyszłość. On był teraz częścią jej egzystencji i pozostanie w jej życiu na zawsze.

Rozdział 7

Starzec szedł ku niej; jego długa biała szata muskała mu sandały. Gruby, skręcony kordonek służył do przepasania szaty, jego postrzępione końce sięgały mu do kolan. Broda była tak długa, że niemal dotykała rąbka odzienia. Dostrzegła duże białe palce stóp.

Uśmiechnął się do niej; zęby błysnęły bielą podobną do bieli palców. Choć to dziwne, nie odczuwała najmniejszego strachu, nawet mimo tego, że leżała na wznak na swoim łożu, a w jej sypialni było niemal ciemno. Skórę miał delikatną i bladą, jak gdyby w ogóle nie wychodził na słońce. Wygląda jak prorok, pomyślała, przybył tu, by zobaczyć się z nią. Pochylił się obok jej łoża i przybliżył usta do jej ucha. Usłyszała jego głos, łagodny niczym cichy poświst ciepłej bryzy. *Jestem Rennat, Tytularny Czarnoksiężnik Wschodu. Wszyscy wiedzą, że kiedyś staniesz na własnych nogach… Ty…* Obrócił się, by spojrzeć ku drzwiom, przekrzywiając głowę na jedną stronę, jak gdyby nasłuchiwał czegoś, czego nie był w stanie dosłyszeć. Odwrócił się ku niej z powrotem, jego broda otarła się o jej ramiona; ponownie pochylił się nad nią nisko. Słyszała, jak szepce jej do ucha: *Przestrzegaj reguł, przestrzegaj reguł, przestrzegaj…*

Rosalinda ocknęła się raptownie ze snu, z głośno bijącym sercem, w nocnej koszuli mokrej od potu. Zerwała się z łóżka, przyciskając dłonie do piersi, usiłując złapać dech, usiłując wyprowadzić siebie z sennej mary. Dziwaczny starzec stał pochylony nad nią... nie, nie było go tutaj, nie stał obok jej łoża, jego broda nie ocierała się o jej ramiona. Nie było tu w ogóle niczego.

Spojrzała w stronę mrocznego cienia po drugiej stronie sypialni, w której z łatwością mogło ukryć się coś, co budziło przestrach – wciągnęła głęboko powietrze – nie, chyba traciła zmysły. To był sen, tylko sen o *Regułach Krainy za Ostrokołem* oraz o czarnoksiężniku, o którym opowiadał jej Nicholas, a jej umysł utkał z tego osobliwą senną wizję. Jakie to dziwne, że widziała czarnoksiężnika w najdrobniejszych szczegółach. Rennat – tak miał na imię, osobliwe imię, które pobudzało coś ukryte głęboko w jej duszy. Czy Nicholas wypowiedział to imię? Być może tak, lecz nie była tego pewna.

Przestrzegaj reguł, przestrzegaj reguł. Dostała gęsiej skórki. Z pewnością już nie zaśnie. Tym bardziej nie, skoro w zakamarkach jej umysłu czaił się ten sen, gotów pojawić się ponownie.

Wszyscy wiedzą, że kiedyś staniesz na własnych nogach. To właśnie wyjawił jej starzec. Był tak blisko, iż wyobraziła sobie, że wciąż czuje na płatku ucha jego ciepły oddech, a ten oddech... przysięgłaby, że ciągle unosi się tu delikatny zapach cytryny. Stanie na własnych nogach, ale co z tego wyniknie?

Rosalinda siedziała nieruchomo, uspokajając się, oddychając coraz wolniej. Jej oszalały umysł wracał do przytomności.

Nie czuła lęku, tak naprawdę bowiem znała zjawy – przynajmniej te, które nazywała głosami, z braku lepszego określenia. Żyła razem z nimi przez całe lata. Czasami słyszała je, jak pomrukują w mrocznych narożnikach, lecz częściej pojawiały się w jej snach niczym gęsta mgła, przemawiające szeptem, zawsze szeptem, lecz niestety nigdy nie była w stanie zrozumieć ich słów. Desperacko pragnęła je zobaczyć, nigdy jednak nie mogła. Rosalinda pragnęła, by jej zjawy przemawiały rzeczywistymi słowami, jak uczynił to Rennat.

Wtedy mogłaby zadać im pytanie, jakie jest jej prawdziwe imię.

Dość już szalonych, leciwych starców, których oddech pachniał cytryną, starców z przerzedzonymi siwymi brodami, przebierających białymi palcami u stóp. Czuła zdenerwowanie, niepokój oraz osobliwy chłód. Rosalinda założyła peniuar i domowe pantofle, zapaliła zapałkę i przyłożyła płomyk do świecy postawionej na nocnym stoliku. Potem ruszyła ku szerokim schodom, chroniąc dłonią płomień. Zamierzała wykraść odrobinę brandy wuja Rydera. Sięgała dłonią do klamki, kiedy dostrzegła migające światło w szczelinie pod drzwiami biblioteki. Co to miało znaczyć?

Uniosła dłoń, żeby zapukać, lecz opuściła ją i cicho otworzyła drzwi. Zobaczyła Graysona, który siedział po drugiej stronie przy wielkim biurku z mahoniu, z pojedynczą świecą obok łokcia, rzucającą blade światło na coś, co, jak wiedziała, było księgą o tytule *Reguły Krainy za Ostrokołem*.

Ze świecy pozostał niemal tylko ogarek.

Nie widziała go od chwili, kiedy rozstał się z nią i Nicholasem w Hyde Parku. Nie pojawił się przy obiedzie, nie zszedł też ani razu do salonu na herbatę. Ponieważ godziny, w których pisał powieści, nie były regularne, nikt inny nie zawracał sobie głowy jego nieobecnością – oprócz niej.

Włosy miał w nieładzie, koszulę rozpiętą pod szyją.

Dotknęła dłonią jego ramienia.

– Graysonie?

O mało nie wyskoczył z krzesła.

– Och, Rosalindo, naprawdę mnie wystraszyłaś. Jest środek nocy. Co tu robisz o tej godzinie?

– Miałam dziwny sen – odparła. – Wciąż jeszcze czytasz *Reguły Krainy za Ostrokołem*?

– Nie potrafię tego czytać, przynajmniej jeszcze nie. To jest napisane jakimś szyfrem, którego nie zdołałem rozgryźć. Sarimund rozpoczyna starą, formalną angielszczyzną. Później powiadamia czytelnika, że napisał *Reguły* własnym szyfrem i powątpiewa, by czytelnik był zdolny go złamać. Można niemal odnieść wrażenie, że napawa się własną przebiegłością, łotr jeden. Zastrzeliłbym go z chęcią, gdyby nie był już martwy.

Księga leżała otwarta na blacie biurka. Wskazała na nią dłonią.

– Dlaczego nie powiedziałeś o niej rodzicom?

– Moi rodzice są wygodnie osadzeni w nowoczesnej epoce, wiesz o tym, Rosalindo.

– Akceptują Dziewicę Oblubienicę. Chociaż wuj Ryder czepia się, że to wszystko jest tylko krwawym mitem, opowiadanym przez damy z naszej rodziny. Wiesz równie dobrze jak ja, że oni oboje w nią wierzą.

Grayson wzruszył ramionami.

– Ach, tak. Ja również w nią wierzę, w tę nieszczęsną młodą damę, która zamieszkuje w Northcliffe Hall od czasów świetności królowej Elżbiety... lecz ona jest inna. Ona jest duchem osoby dawno zmarłej, zgoda, lecz nie jest przecież upiorem, który wlecze za sobą łańcuchy, by straszyć. Stanowi część przeklętej rodziny Sherbrooke'ów. Corrie mówiła mi, że Dziewica Oblubienica odwiedzała bliźniaków wiele razy, oni zaś akceptowali ją tak samo, jak swoją nianię, Beth.

Spośród wszystkich zjaw, które krążyły wokół Rosalindy, Dziewica Oblubienica nie była tą, która ją nawiedzała. Z drugiej natomiast strony powątpiewała, by duch Sherbrooke'ów kiedykolwiek ją jeszcze nawiedził – nie zamierzała poślubić nikogo z tego rodu, to zaś był warunek konieczny, skoro w jej żyłach nie płynęła ich krew.

Grayson odłożył pióro.

– Kiedy czytałem zabawną tezę Sarimunda, powiadam ci, że się uśmiałem. Naprawdę byłem przekonany, że zdołam złamać jego szyfr. Jest to napisane tak, jakby litery były dobierane przypadkowo, oddzielone od siebie w wyrazy. Lecz to nie są słowa, ja zaś nie potrafię znaleźć sposobu, by zamienić je w słowa. – Spojrzał na zegar z pozłacanego brązu ustawiony na kominku. – No proszę, od popołudnia usiłuję to rozszyfrować i, jak dotąd, nie udało mi się. Chyba mózg mi eksploduje.

Rosalinda zmarszczyła brwi.

– To mnie zdumiewa, ponieważ zawsze byłeś dobry w rozwiązywaniu łamigłówek i łamaniu takich szyfrów, jak ten.

– Tak, do teraz. Naprawdę, to doprowadza mnie do granic wytrzymałości.

– Czy Sarimund podaje w zaszyfrowanym tekście jakieś nazwy własne lub inne nazwy?

– Cóż, podał jedno imię – Rennat.

Jej serce znów zaczęło łomotać, jak silne uderzenia w bęben.

– Rennat?

Przytaknął.

– Tak, osobliwe imię, nieprawdaż?

Rosalinda była przekonana, że za chwilę wyzionie ducha.

– Rennat – powtórzyła głosem, który niemal uwiązł jej w gardle.

– To mógłby być pies, w rzeczy samej, lecz moim zdaniem sensowne jest, że skoro Sarimund nie fatygował się odszyfrowaniem tego imienia, musi to być człowiek, ważny człowiek.

– Graysonie, mój sen – zaczęła Rosalinda, potem przełknęła ślinę. – To jest imię starca, który odwiedził mnie w moim śnie. Rennat, Tytularny Czarnoksiężnik Wschodu, tak przynajmniej się przedstawił.

Grayson wbił w nią wzrok, potem rzucił w nią piórem ze stalówką. Chwyciła je w locie prawą dłonią. Zawsze tak robiła. To była gra między nimi, ta sama od lat.

– Zazwyczaj mogę liczyć na wyższy poziom twoich dowcipów, Rosalindo – oświadczył Grayson. – Rennat przyszedł do ciebie we śnie? To poniżej twego poziomu. Przestań już i nie mąć mi jeszcze bardziej w głowie, mam już wystarczający mętlik.

Otworzyła usta, by mu wyjaśnić, że to wcale nie był żart, lecz on już się odwrócił, ponownie kierując wzrok na książkę.

– Mogę na nią spojrzeć?

Przesunął wolumin w jej stronę.

– Jestem do tego stopnia zmęczony, że mój umysł doszedł do przekonania, iż jesteś moją matką.

– W takim przypadku mogłabym dać ci klapsa.

Grayson wstał i przeciągnął się, po czym wskazał jej swoje krzesło. Rosalinda usiadła i powoli przysunęła do siebie księgę. Popatrzyła na drobne, odręczne pismo z zawijasami. Wyblakły czarny atrament wciąż był jeszcze całkiem czytelny. Delikatnie dotknęła kart księgi.

– Sarimund nigdy nie oddał jej do druku. Zatem dwadzieścia kopii zostało po prostu przepisanych?

– Tak właśnie powiedział Nicholas. Nie wiem. Pan Oakby w Oksfordzie nigdy o tym nie wspominał. Nie sądzę, żeby coś na ten temat wiedział.

Rosalinda spojrzała w dół na stronicę, a jej serce zamarło. Grayson był w błędzie. To wcale nie był trudny szyfr. Dotknęła dłonią jego ramienia.

– Graysonie, to jest łatwe. Potrafię to przeczytać.

Rozdział 8

Grayson był do tego stopnia zdumiony, że prychnął, a ponieważ właśnie przełykał herbatę, zakrztusił się.

– To niemożliwe. Przestań, Rosalindo – wychrypiał.

– Posłuchaj, potrafię to przeczytać. I rzeczywiście widziałam we śnie starca imieniem Rennat, to wcale nie był żart. Mogę nawet opisać ci jego wygląd. Przemówił do mnie. Nie wiem, być może to za jego sprawą czytam tekst z taką łatwością. To nie jest napisane koturnowym staroangielskim, nie – to współczesny język.

Grayson ostrożnie odstawił filiżankę z herbatą. Wyglądał na oszołomionego.

– Nie, to niemożliwe, Rosalindo.

– To jest proste, wytłumaczę ci. Trzeba tylko przenieść trzecią literą każdego wyrazu na jego przód albo, jeśli trzecia litera okaże się samogłoską, wtedy musi zawędrować na koniec bądź też blisko końca wyrazu. Wszystkie samogłoski reprezentują kolejno siódmą, trzynastą, dziewiętnastą, dwudziestą oraz dwudziestą piątą literą alfabetu. Wszystkie „U" to wskaźniki słów, które pełnią rolę podmiotu – to jest napisane, Graysonie, idealnie czystą, pełną uroku i zrozumiałą angielszczyzną, w której nie ma słów z szesnastego stulecia.

– Tak, tak, przesuwasz spółgłoski, a samogłoski wchodzą w odpowiednie miejsce i... – Spoglądał na nią i kręcił z powątpiewaniem głową. – Cholera jasna, to, co mówisz, nie trzyma się kupy, to wszystko nonsens. Poza tym, gdyby to miało sens, gdyby to był klucz, całe godziny pochłonęłoby przestawianie wszystkich tych przeklętych liter.

Wziął od niej księgę i zobaczył, że drżą mu dłonie. Wielki Boże, jak tego nie cierpiał. Skierował wzrok na kaligrafowane litery i głęboko westchnął. O czym ona mówiła? Spółgłoski zamieniają się w samogłoski... i czym są „u"? Wskaźnikami?

– Nie, ty również musisz być nadmiernie zmęczona, Rosalindo. Z tego nie da się ułożyć nic sensownego.

– Ty uparty ośle, to przecież proste! Ucisz się teraz i posłuchaj.

Zaczęła czytać bez pośpiechu.

– *Rzeka, niczym ostra klinga, przecina Dolinę Augur, wąska i głęboka, i zdradliwa...*

Grayson wyszarpnął wolumin z jej rąk i przebiegł wzrokiem po stronicy.

– Zmyśliłaś to. Nie lubię, kiedy drwi się ze mnie w żywe oczy. Ten sen o Rennacie, to, co niby czytasz. Nikt nie potrafiłby tak szybko złamać tego szyfru. To ty powinnaś pisywać opowieści o duchach, nie ja.

Położyła dłoń na jego ramieniu.

– Graysonie, ja naprawdę potrafię w jednej chwili odczytać ten zakodowany tekst. Nie jestem w stanie tego wytłumaczyć, ale to prawda.

Raz jeszcze spojrzał na księgę.

– Nie ma sposobu, żebyś składała to w sensowną całość, chyba że... – Pokręcił z powątpiewaniem głową i znów pchnął księgę w jej stronę. – Dobrze zatem, będę zapisywał to, co przeczytasz.

Zaczął pisać, a ona czytała.

– Gładkie czarne płyty z kamienia spinały brzegi rzek, jak przypalone bochny chleba, lecz kamienie te odpychały stopę człowieka. Z tej przyczyny, że były przeznaczone dla kopyt Tiberów. Człowiek mógł poważyć się na przejście na drugą stronę rzeki po tych kamieniach tylko wtedy, kiedy trzy krwawe księżyce były w pełni i razem wzniosły się nad Górę Olyvan. Zważaj na tę regułę, inaczej umrzesz.

Podniosła głowę.

– Graysonie, co to za miejsce? – zapytała cichym, ledwo słyszalnym głosem. – Trzy krwawe księżyce, które wzniosą się razem nad Górę Olyvan?

Targnęły nią dreszcze.

– Boję się – wyznała i rzeczywiście poczuła paraliżujący strach. – Nicholas wie o tej księdze. Jego dziadek posiadał własny egzemplarz.

Grayson podniósł się z krzesła i przytulił ją, delikatnie głaszcząc po plecach. Robił to, by ją ukoić, od czasów kiedy była przerażonym dzieckiem, które dopiero co przybyło do Brandon House.

– Ja też tego nie rozumiem. Czymkolwiek to wszelako jest, masz rację... Nicholas Vail jest w to zamieszany. Nie rozumiem jednak, dlaczego los wybrał mnie, żebym odnalazł tę konkretną księgę? Dlaczego stary człowiek przy stoisku z książkami przywołał mnie, nie zaś ciebie? W końcu to przecież ty potrafisz ją przeczytać, nie ja. Chętnie założę się z tobą o moje nowe siodło, że Nicholas również umie to przeczytać. I co stało się ze starcem, który gwizdał i z jego stoiskiem z książkami? Można odnieść wrażenie, iż czekał, aż się zjawię, a potem pstryk! – zniknął. W tej chwili w umyśle widzę wyłącznie liście powiewające na wietrze i kilka zmurszałych desek. Prawda jest taka, że ja również odczuwam lęk. – Objął jej plecy rękoma. – Tutaj dzieje się coś nadzwyczaj osobliwego, Rosalindo. A teraz chciałbym, żebyś znów czytała mi tę księgę, ja zaś będę zapisywał jej treść, zgoda?

Nieoczekiwanie odczuła podniecenie, przepełniła ją energia, nie strach.

– Tak, oczywiście, będę czytać. Wiesz co, Graysonie? Myślę, że ten starzec pokazał księgę właściwej osobie. – Spoglądała przez chwilę na niemrawy ogień, teraz niemal tylko żar. – Zanim zacznę czytać, pozwól, że opowiem ci mój sen. Powiedziałam ci już, że Rennat, Tytularny Czarnoksiężnik Wschodu, przemówił do mnie.

– Tak, ale...

– No cóż, chodzi o to, że nie pamiętam. – Usiłowała przypomnieć ze wszystkich sił, lecz nie była w stanie. – Graysonie, ja... – Spoglądała na niego, bezradna i niema. W jej pamięci była jedynie pustka. – Dlaczego nie jestem w stanie przypomnieć sobie? Zniknął sen o Rennacie, teraz wymazał się całkowicie z mej pamięci. A przecież był taki wyrazisty i sugestywny, pamiętałam, co powiedział, każde słowo...

– Cóż za czort tutaj miesza tutaj szyki?

– Nie wiem. – Odsunęła się od niego i uderzyła dłonią w głowę. – Mam przecież doskonałą pamięć. Przecież pamiętam nawet nazwisko tej dziewczyny, którą zaprowadziłeś do stodoły na siano w tamto lipcowe popołudnie. Susie Abercrombie.

Spojrzał na nią z podziwem w oczach.

– Nie powinnaś o tym wiedzieć. Byłem bardzo ostrożny, ponieważ moja matka zawsze o wszystkim wiedziała.

Przez chwilę oboje milczeli. Potem Grayson sięgnął po książkę.

– Być może powinienem spalić tę przeklętą rzecz.

Chwyciła go za dłoń.

– Nie, och, nie. Nie możesz. Coś jest na rzeczy, Graysonie. Coś dzieje się między tobą, mną i Nicholasem. Teraz jeszcze nie wiemy, czym jest to coś, lecz dowiemy się, zobaczysz. Musimy porozmawiać z Nicholasem.

Nie miała pojęcia, skąd się to brało, lecz nagle poczuła, że się uśmiecha. I nagle wypełniła ją pustka; do tego stopnia ogarnęło ją zmęczenie, że mogłaby zasnąć na dywanie przed kominkiem.

Usłyszała słowa Graysona; dobiegały gdzieś z oddali.

– Masz rację, powinniśmy porozmawiać z Nicholasem Vailem. Modlę się ze wszystkich sił o to, żeby wpadł na jakiś pomysł, co robić dalej. Pierwszą rzeczą, jaką uczynimy z rana, będzie przesłanie mu wieści. Wyglądasz na przemęczoną, Rosalindo. Wystarczy tego.

– Ty nie chcesz czekać, widzę to. Chcesz od razu pojechać do domu Nicholasa... Nie, on mieszka w hotelu Grillon. Chciałabym ci towarzyszyć, jednak jestem tak bardzo zmęczona, Graysonie.

Grayson dotknął opuszkami palców jej bladego policzka.

– Odkryjemy tę tajemnicę, zaufaj mi. Do jutra. Chodź, odprowadzę cię.

Rosalinda zatrzymała się na jednym ze stopni, spoglądając ponownie na kuzyna. W rękach ściskał księgę.

– Wczoraj martwiłam się wyłącznie balem w Pinchon House, nową suknią, jaką wuj Douglas kazał uszyć dla mnie, zatańczeniem z co najmniej trójką książąt, lecz teraz... wszystko wywróciło się do góry nogami. Czuję się tak, jakbyśmy weszli na stronice jednej z twoich powieści, Graysonie.

Tyłem do przodu i do góry nogami, takie rzeczy mówi się dzieciom w przedszkolu, pomyślał Grayson.

Rozstali się u szczytu schodów, Grayson udał się do swojej sypialni, przyciskając teraz mocno wolumin do serca. Rosalinda spoglądała za nim do chwili, kiedy zatrzymał się przy drzwiach swojej sypialni, spojrzał na nią i pozdrowił ją przyjaznym gestem.

Rosalinda wsunęła się do łóżka i natychmiast zasnęła. Nic więcej się jej nie przyśniło. Spała głęboko do momentu, kiedy Matylda, której obfity biust stanowił przedmiot zazdrości każdego członka służby płci żeńskiej w miejskiej rezydencji Sherbrooke'ów, zbudziła ją następnego ranka.

– Panienko Rosalindo, pora wstawać.

Rosalinda otworzyła oczy, nagle uświadamiając sobie, że do pokoju wpada silne słoneczne światło.

– O mój Boże. Która godzina, Matyldo?

– Dochodzi dziesiąta, panienko Rosalindo. Pani Sophie kazała mi sprawdzić, czy nie jest panienka chora. Odpowiedziałam jej, że panienka nigdy nie choruje i nawet nie wie, co to znaczy, kiedy jest się przeziębionym, co mnie dla odmiany spotyka bez końca. Powiedziałam jej...

Rosalinda odrzuciła kołdrę.

– Tak, tak, Matyldo. Rozumiem. Czy widziałaś panicza Graysona?

Matylda skrzyżowała ręce i tupnęła nogą.

– Wyszedł wcześnie, skoro tylko dał ostatni kawałek bekonu temu swemu wyścigowemu kotu. Nikomu nie powiedział, dokąd się wybiera, przynajmniej usłyszałam, jak pan Willicombe mówi to do pani Fernley.

Rosalinda przerwała tę tyradę.

– Zauważyłaś może, Matyldo, czy panicz coś ze sobą niósł?

Matylda, której ukrytą ambicją była scena, przybrała pozę, klepiąc się opuszkami palców po podbródku w tym samym rytmie, co palce u stóp stukały o podłogę, zwężając oczy w głębokim namyśle.

– Tak, pod pachą trzymał jakiś owinięty pakunek. Panicz Grayson był ostrożny i uważał na pakunek.

Była gotowa iść o zakład, że wymknął się ukradkiem. Niech go licho, nie zaczekał na nią, udał się w pojedynkę na spotkanie z Nicholasem.

– Słyszałam, jak pan Willicombe informował panią Fernley, że wczesnym rankiem panicz Grayson stukał co najmniej trzy razy do drzwi panienki, ale panienka była pogrążona głęboko w objęciach Morfeusza.

Cóż, to było coś, choć nie usprawiedliwiało go do końca. Wciąż zamierzała odpłacić mu pięknym za nadobne.

Rozdział 9

Godzinę później Rosalinda chodziła po salonie, na przemian to szczerząc zęby, to spoglądając na zegar ustawiony na gzymsie kominka. Gdzie, do diabła, podziewał się Grayson.

Reguły Krainy za Ostrokołem – pragnęła przeczytać tę księgę, zanim uczyni to Nicholas. Zdawała sobie sprawę, że to małostkowe z jej strony, lecz jakimś sposobem wiedziała w głębi duszy, że musiała być tą osobą, która przeczyta księgę i to jak najszybciej, inaczej... inaczej co? Nie wiedziała.

Kiedy Grayson wszedł do salonu po jakichś trzydziestu minutach, chwyciła go za ramiona i potrząsnęła nim.

– Wiem, co zrobiłeś. Zapukałeś lekko trzy razy do drzwi mojej sypialni, tak naprawdę prawdopodobnie tylko je muskając, a potem sobie poszedłeś. Zabrałeś ze sobą księgę, idąc do Nicholasa, prawda? Pozwoliłeś mu ją przeczytać, czyż nie? Och, zaraz rozkwaszę ci nos i powalę cię na ziemię. Ty wiarołomny tępaku. Założę się, że Nicholas, jeszcze jeden zdradziecki tępak, był szczerze wzruszony na twój widok, prawda?

Znów nim potrząsnęła, wymierzyła mu nawet policzek. Grayson nie wytrzymał i się roześmiał.

Przystawiła piąstkę pod jego nos.

– Ośmielasz się stroić z tego żarty, Graysonie Sherbrooke? Wątpisz, że potrafię skopać ci tyłek?

– Witaj, Rosalindo.

Obróciła się i zobaczyła Nicholasa Vaila, który stał w otwartych drzwiach salonu. Wyglądał tak, jakby miał się roześmiać.

– Ty! – krzyknęła.

– Tak sądzę. Czy naprawdę uważasz Graysona i mnie za wiarołomnych tępaków?

– Prawdopodobnie jesteście jeszcze dużo gorsi.

– Pukałem do twoich drzwi, Rosalindo – zapewnił Grayson. – Raczej mocno, lecz ty śniłaś o tańcach z trójką książąt, rozstrzygając, na którego z tych nieszczęsnych głupców zagiąć parol. Cóż miałem uczynić? Oczywiście poszedłem spotkać się z Nicholasem. I oczywiście pokazałem mu księgę. Na moim miejscu zrobiłabyś to samo. Nie bądź niemądra.

Nicholas nie odrywał wzroku od Rosalindy od momentu, kiedy wszedł do salonu. Wziął jej dłoń i podniósł do swych ust. Pełen gracji, staromodny gest, to prawda, lecz pasował do niego i do tej chwili. Poczuła na dłoni ciepło pocałunku. W jego oczach wciąż skrzyła się iskierka rozbawienia, co sprawiło, że lśniły. I jeszcze ten dotyk...

Rosalinda zamilkła całkowicie. Targnęło nią coś na podobieństwo wstrząsu. Lekkie muśnięcie dłoni wargami mężczyzny... Ta niemal bezgraniczna, gorąca rozkosz, jaką poczuła, wprawiła ją w osłupienie. Rozchyliła usta, wpatrując się w niego, nie kryjąc wcale zmieszania ani rozkoszy. Spojrzała na jego usta – sądziła, że będą twarde, być może okrutne – ale kiedy dotknęły jej dłoni, zapragnęła przytulić się do niego z całych sił i całować go bez końca. Jeśli chodziło o Nicholasa, ten niczego nieświadomy bałwan wydawał się nieporuszony, jakby nie miał pojęcia, że przed chwilą jej świat zatrząsł się w posadach. Zapragnęła wymierzyć mu kopniaka, krzyknąć do niego, żeby się ocknął, lecz w tym momencie Nicholas przemówił z rozbawieniem w głosie.

– Grayson przyszedł do mnie. Pokazał mi księgę, opowiedział, że potrafisz czytać *Reguły* równie płynnie, jak jedną z gotyckich powieści pani North. Przyznaję, że nie dałem mu wiary, ponieważ nie potrafiłem tego rozczytać. Jakże więc zdołałaś ty, zwykła kobieta? Czy teraz czujesz się lepiej?

Kłamiesz, Nicholasie?

Zanim zdążyła go przyszpilić, głos zabrał Grayson.

– Zatem tylko ty dysponujesz tą umiejętnością, Rosalindo. Sądzę, że mogłabyś nazwać to, ten dar, to...

– Tak, tak. Wiem, jestem inna.

– Zatem Nicholas nie przyda się nam w żaden sposób. Dlaczegóż więc spoglądasz na niego tak, jakbyś zamierzała wymierzyć mu kopniaka? Przecież on w ogóle niczego nie zrobił. Wciąż jesteś jedyną gwiazdą tego spektaklu, żaden z nas.

– Faktem jest, że chociaż mój dziadek pokazał mi księgę, nigdy nie wchodził w szczegóły na temat jej treści. Mówił mi jedynie o Sarimundzie. Czy on również złamał ten szyfr? Pamiętam, jak trudził się nad tym bez końca, lecz nie sądzę, żeby mu się powiodło.

Znów zastanawiała się, czy ją okłamuje.

Do salonu wkroczyli wuj Ryder i ciotka Sophie. Rozmowa zamarła.

– Willicombe powiadomił nas, że przybył pan razem z Graysonem – Ryder bez zająknienia zwrócił się do Nicholasa.

– To prawdziwa przyjemność widzieć państwa ponownie, *sir, madame* – odparł Nicholas, kłaniając się. – Pani suknia jest absolutnie urocza.

Sophie obdarzyła tego niebezpiecznego młodego mężczyznę promiennym uśmiechem.

– Nie bardziej urocza niż pan, milordzie.

Rosalinda prychnęła.

– Sądząc po wyrazach twarzy was trojga, najchętniej posłalibyście nas do diabła, ale, niestety, zostajemy. Dobrze więc, o co właściwie chodzi z tą księgą? To ten wolumin, który czytałeś wczoraj, Graysonie? – chciała wiedzieć Sophie.

Grayson skinął głową.

– Miałem kilka pytań na jej temat, mamo. Chciałem, żeby Nicholas zobaczył księgę.

– Dlaczegóż więc nie pokazałeś mu jej wczoraj? W końcu wszyscy troje byliście w parku, mam rację?

Grayson zamilkł. Nicholas wpatrywał się z uporem w figurkę uroczej pasterki na gzymsie kominka.

– Wiesz, jaki jest Grayson, ciociu Sophie – przemówiła Rosalinda, spoglądając na jednego i drugiego z wyrzutem. – Wpada na jakiś pomysł, a potem gdzieś się chowa. Zostawił nas w parku. Bez przyzwoitki. Hm, to znaczy, Grayson tak naprawdę nie opuścił nas. Dokładnie rzecz biorąc, zasugerował, żebyśmy natychmiast pojechali do domu, co też uczyniliśmy. Cóż, niemal od razu.

Ryder Sherbrooke podszedł powoli do miejsca, w którym stał jego syn.

– Ty i Rosalinda zawsze byliście nieudolni w zatajaniu prawdy. Jak widzę, jego lordowska mość nie wykazuje pod tym względem większej wprawy. Co się tutaj dzieje?

– Wczoraj na festynie Grayson natrafił na cenną starą księgę – odpowiedział Nicholas. – Jest napisana szyfrem. Czy jest pan biegły w łamaniu szyfrów, *sir*?

– Szyfrów? Ten stary wolumin jest napisanym zaszyfrowanym tekstem? Jakież to osobliwe. Pozwólcie, że spojrzę.

Ryder wyciągnął rękę. Nie mając innego wyjścia, Grayson wręczył ojcu *Reguły*, chociaż przez moment zapragnął wsunąć je za pazuchę i uciec.

Ryder, świadom faktu, że jego syn ma wątpliwości, obchodził się z woluminem z dużą ostrożnością.

– Rzeczywiście wydaje się bardzo stara. Natrafiłeś na nią na stoisku z książkami wczoraj podczas festynu?

– Tak, *sir*.

Wszyscy troje spoglądali, jak Ryder otwiera wolumin na przypadkowej stronie, obserwowali, jak na jego czole pojawiają się bruzdy. Czytał. W końcu podniósł głowę. Wszyscy jednocześnie odetchnęli z ulgą.

– To szyfr, jakiego nigdy wcześniej nie widziałem. Douglas jest bardzo biegły w tego typu sprawach. Możemy mu to pokazać.

Grayson bez słowa wziął księgę z rąk ojca.

– Douglas i Alexandra przybędą jutro – Sophie zwróciła się do Nicholasa. – On jest hrabią Northcliffe, ale pan to wie, prawda?

– Ktoś mi o tym wspomniał. Cieszę się z góry na spotkanie z jego lordowską mością.

Sophie wyciągnęła rękę do syna.

– Moja kolej.

Ku swemu rozczarowaniu również ona nie była w stanie złamać szyfru.

– Jakie to poniżające. Sądziłam, że mój drogi małżonek i ja wiemy o wszystkim, co istotne. To przygnębia moją duszę. Co do Douglasa, przybywa tu, by dodać splendoru towarzyskiemu debiutowi Rosalindy. W następny piątek wydajemy bal – oznajmiła Sophie, nie spuszczając wzroku z mrocznej twarzy Nicholasa Vaila.

– Lord Mountjoy przyszedł z Graysonem, ponieważ zgodziłam się na wspólną konną przejażdżkę po parku – włączyła się do rozmowy Rosalinda z miną prostolinijnej mniszki. – Zamierza opowiedzieć mi o Makau. Jak wiecie, interesuję się bardzo portugalskimi koloniami.

Oboje, Ryder i Sophie, mocno powątpiewali w to, czy Rosalinda kiedykolwiek wcześniej słyszała o Makau. Mimo to Sophie przyłapała się na tym, że przytakuje.

– Jak sądzę, wszystko będzie dobrze. Lecz nie zapomnij, moja droga, że dziś o czwartej masz ostatnią przymiarkę u madame Fouquet.

– Makau może zaczekać – wtrącił Grayson. – Księga, Rosalindo, musimy popracować razem nad tą księgą. Nicholas również.

Było to dziwne, lecz Rosalinda przestała odczuwać, że księga jest sprawą niecierpiącą zwłoki. Coś przeciwnego odczuwała w stosunku do Nicholasa.

– Uzyskam od Nicholasa więcej wiadomości na temat woluminu, Graysonie. To nam ułatwi pracę. Kiedy wrócimy, wszyscy razem będziemy nad nią pracować.

– Ale dlaczego…

– Boli mnie głowa. Muszę zaczerpnąć świeżego powietrza.

* * *

– Świetnie ci z tym poszło – ocenił Nicholas, gdy siedział w swym powozie naprzeciw Rosalindy. – Twój wuj się myli. Kłamiesz ze sporą wprawą.

Zastukał laską w dach pojazdu.

– Powiedz Grace i Leopoldowi, żeby udali się na przechadzkę do parku, Lee.

– Tak, milordzie.

Powóz ruszył z miejsca.

– Grace i Leopoldowi?

– Moje siwki. Są dumne i znają swoją wartość. Jeśli poczują, że ktoś je uraził, potrafią pokąsać. Wracając do rzeczy, naprawdę potrafisz przeczytać *Reguły Krainy za Ostrokołem*?

– Nie musisz dłużej prowadzić swojej gry, milordzie. Wiesz, że potrafię czytać z tej przeklętej księgi. Wiedziałeś od początku. Albo przynajmniej żywiłeś głęboką nadzieję, że tak będzie. Moje pytanie brzmi: dlaczego?

– Oczywiście jestem zdumiony – odpowiedział po chwili. – Skąd miałbym coś takiego wiedzieć? Co do planu, cóż, nie posiadam żadnego oprócz tego, że zapewnię tobie i Graysonowi wszelką pomoc, na jaką mnie stać. Czy kiedy dziś rano proponowałem konną przejażdżkę, podawałem jakąś konkretną porę?

– Gdzieś w środku dnia, o ile sobie dobrze przypominam. Nie zmieniaj tematu. I ty uważasz, że kłamię z wprawą. Gdzież mi do ciebie, milordzie. Wiem, że będziesz wisiał nad moim ramieniem, żeby usłyszeć każde słowo z *Reguł Krainy za Ostrokołem*. Chciałabym, żebyś wyjawił nam obojgu, Graysonowi i mnie, co o tym wiesz, Nicholasie.

Objął ją serdecznie mocarnymi ramionami, lecz ona nie miała zamiaru go adorować.

– Z pewnością księga budzi we mnie pewne zainteresowanie, ponieważ już nawet będąc małym chłopcem, wiedziałem, że jest to pasja mojego dziadka. Być może dowiem się z samej jej treści, dlaczego tak bardzo go to pasjonowało.

Jej palce w rękawiczkach stukały w ozdobną torebkę.

– Jesteś całkiem sprytny, prawda, milordzie?

– Mam na imię Nicholas. Sprytny? Tak właśnie tuszę, w przeciwnym razie wątpię, czy zdołałbym dożyć wieku dorosłego.

Kiedy znów spojrzała na jego usta, puściła w niepamięć *Reguły Krainy za Ostrokołem*, umknęło jej, że nie chciała go podziwiać. Nic z tego nie rozumiała, wiedziała jedynie, że pragnie, by znów jej dotknął, by znów mogła poczuć jego pocałunek na swej dłoni lub by pocałował ją przy łokciu albo nawet w ucho. Przebiegły ją dreszcze, kiedy w wyobraźni całował ją w usta, całował aż do chwili, gdy była zupełnie tym oszołomiona. Byłoby to grzeszne, z pewnością, lecz wyobrażała sobie, że życie bez grzechu nie mogło być fascynujące.

Spojrzała przez okno powozu i zobaczyła, że mijali wjazd do parku. Nie przejmowała się tym ani trochę. Dzisiaj było pochmurno, chłodno, lecz ona czuła przyjemne ciepło.

W parku spacerowało niewiele osób, zwłaszcza o tej nietypowej porze, było jedynie kilkoro dzieci toczących obręcze i wydzierających się na całe gardło pod okiem niemrawych piastunek oraz guwernantek. Dziewczyna z kwiatami i sprzedawca pasztecików chodzili tu i tam, szukając kupców.

– Zatem, żebym nie wyszła na skończoną kłamczuchę, proszę opowiedzieć mi o Makau – powiedziała, westchnąwszy.

– Powietrze pachnie tam inaczej.

– No cóż, tak. Oczywiście. To inny klimat.

Roześmiał się, kręcąc sceptycznie głową.

– A cóż ty możesz wiedzieć o odmiennych klimatach.

– Na dobrą sprawę jeszcze dwa tygodnie temu londyński klimat był dla mnie obcy. Przyznaję, że pochodzę z prowincji.

Znów przyłapała się na tym, że wpatruje się w jego usta; odchrząknęła. O czym to mówili? Ach, racja.

– Jestem pewna, że w Makau błękit nieba jest inny, podobnie jak zapach powietrza. Powiedz mi, jak tam żyłeś?

Popadł w konsternację. Jak dotąd nikt nie wykazał najmniejszego zainteresowania jego losami w Makau.

– Co masz na myśli?

– Przestań, Nicholasie, jestem pewna, że byłeś bardzo zamożny. Wszystkie te pozbawione sensu plotki, jakobyś nie miał grosza przy duszy, ponieważ ojciec celowo cię wydziedziczył... Nie dałam temu wiary ani przez chwilę.

– Ale to prawda – rzekł powoli. – Intencją ojca było doprowadzenie mnie do ruiny. Zapisał mi jedynie rodową ordynację w hrabstwie Sussex z trzema tysiącami akrów ziemi leżącej odłogiem.

– To, co uczynił, jest ci jednak obojętne. Dysponujesz funduszami, które pozwalają załatwiać wszystko. Na dobrą sprawę wyobrażam sobie, że zacząłeś już przywracać sprawom właściwy bieg. Jestem gotowa postawić w zakład moją następną pensję, że wcale nie jest ci potrzebna dziedziczka fortuny. Jestem równie pewna, że poruszałeś się gładko pośród portugalskich elit w Makau. Opowiedz mi o swoim życiu tam.

Spojrzał na nią.

– Twoje oczy mają niewiarygodny odcień błękitu. Pomyślałem o miękkim, błękitnym pledzie, jaki utkała dla mnie pewna portugalska kobieta.

– Pledzie? Tego rodzaju pochlebstwo może złamać dziewczynie serce. Jeśli zaś chodzi o twoje oczy, Nicholasie, są czarne jak najciemniejszy wykrot ze smoły, jaki zdarzyło się kiedykolwiek widzieć.

– Widziałaś kiedyś wykrot ze smoły?

Pokręciła głową z dezaprobatą, nie odrywając wzroku od jego twarzy.

– Są po prostu czarne i głębokie. Są w nich odpowiedzi, które z wprawą ukrywasz. Jesteś człowiekiem pełnym tajemnic, Nicholasie. Ja też mam sekrety, nie wiem jednak, czego dotyczą.

To bardzo osobliwe słowa – pomyślał.

– Czy mam ci powiedzieć, jak śliczne, moim zdaniem, są twoje włosy? Ich odcień – jak na płótnach Tycjana.

Pochylił się ku niej i opuszkami palców dotknął delikatnie jej loków za uszami.

– Muszę skorygować moją opinię. Ich kolor jest nawet pełniejszy niż jakakolwiek czerwień, którą Tycjan kiedykolwiek stworzył. Masz cudowne włosy, Rosalindo.

– Dlaczego prawisz mi tak wyszukane komplementy? Czy pragniesz odpokutować za niebieski pled?

– Kiedy zobaczyłem cię w czwartek wieczorem na balu, wiedziałem, po prostu wiedziałem, że jesteś...

– Kim?

Odezwał się po chwili wahania.

– Dobrze tańczysz.

– Dziękuję. Co do tego masz sporo racji. Wuj Ryder osobiście mnie nauczył. Przestań unikać tematu, Nicholasie. Chcę usłyszeć o tym, jak żyłeś w Makau. Pragnę wiedzieć, jak radziłeś sobie z codzienną egzystencją w tym dziwnym kraju.

– Ach – odparł z roztargnieniem. – Posłuchaj wszystkich tych hałasów za oknem powozu. I wszystkich tych ludzi, którzy się tu kręcą – urzędnicy w czarnych ubraniach, damy ze służącymi, dżentelmeni w wolnym czasie zmierzający spacerem do swoich klubów, wymachujący laseczkami, prawnicy mruczący coś do samych siebie, straganiarze sprzedający na ulicy paszteciki, kwiaciarki otoczone urokliwymi kolorami. Tak samo było w Makau, z tym że nie rozumiałem, co ludzie mówili.

– Jesteś nadzwyczaj elokwentny.

– Dziękuję. Teraz…

– Co porabiałeś, Nicholasie? Gdzie mieszkałeś? Jak żyłeś?

Czy kochałeś jakąś kobietę? Wiele kobiet?

– Powiem ci, kiedy ty zgodzisz się wyjść za mnie za mąż – wyrwało mu się niespodziewanie.

Wpatrywała się w niego przez moment, potem roześmiała się tak mocno, że aż czknęła.

I znów spojrzała na niego – był sztywny, milczący i nieufny. Cudowny i wspaniały. Poważny. Poczuła nagły przypływ podniecenia, uczucie tak gwałtowne, tak bardzo nieoczekiwane…

Znów się roześmiała, radośnie.

– Tak, wyjdę za ciebie za mąż, Nicholasie.

Wyglądał na spanikowanego.

– Ale ja…

Pochyliła się ku niemu i lekko dotknęła palcem jego ust. Potem go pocałowała.

Rozdział 10

Rosalinda czytała:

– Tiber jest bezwzględny. Potrzebuje jedynie niewielkiej siły, żeby swoim kopytem rozbić na miazgę twarz człowieka. Tiber posiada jedną słabość. Łaknie smaku czerwonego Lasisa. Czarny Lasis ani brązowy Lasis nie smakują mu, jedynie czerwony Lasis. Ale czerwony Lasis, w odróżnieniu od brązowego i czarnego Lassa, jest przebiegły i pokazuje się Tiberowi jedynie wtedy, kiedy może poprowadzić go do wilczego dołu. Czerwony Lasis bez trudu przeskakuje przez taki dół, natomiast Tiber nie. Wpada do niego, a wtedy Lasis razi go ognistymi włóczniami, aż ten będzie martwy. Człowiek musi zawrzeć przyjaźń z czerwonym Lasisem. W przeciwnym razie człowiek zginie za sprawą Tibera. Śpiewaj czerwonemu Lasisowi o swej lojalności, tak jak one śpiewają Smokom znad Jeziora Sallas, wtedy one będą ciebie chronić.

Rosalinda podniosła wzrok.

– Można odnieść wrażenie, że Sarimund pisze dla dzieci – prosto, elementarnie, nieudolnie, jeśli chcecie usłyszeć moje zdanie.

Nicholas siedział na sofie naprzeciwko, trzymając między dłońmi dużą, jedwabną poduszkę.

– Albo pisze instrukcję, jak należy postępować. I chce mieć pewność, że każdy go zrozumie. Tekst jest nieporadny, masz co do tego rację, Rosalindo, lecz niestety nie dostarcza nam żadnych informacji, które byłyby przydatne.

I zastanawiał się, jak czynił to za każdym razem, kiedy czytała kolejny fragment z księgi Sarimunda: Dlaczego to jest takie łatwe dla niej, a nie dla mnie?

Grayson pocierał dłoń zesztywniałą od szybkiego pisania.

– Albo Tiber i czerwony Lasis oznaczają po prostu coś innego, są metaforami – wysunął przypuszczenie.

– Metaforami czego? – zapytał Nicholas.

Grayson wzruszył ramionami.

– Być może jakiejś koncepcji życia pozagrobowego. Tiber reprezentuje piekło, natomiast Smoki znad Jeziora Pallas i czerwony Lasis... Cóż, niebo wydaje się... ostatecznością.

– Być może czerwone Lasisy to anioły – podsunęła myśl Rosalinda, unosząc brwi. – Chronią ludzi, pomagają im przetrwać. Nie wiem, Graysonie; chociaż Sarimund pisze prostym językiem, oczyma wyobraźni widzę, jak czerwony Lasis przeskakuje nad wilczym dołem, przeznaczonym dla Tibera. Wyobrażam sobie nawet ognistą włócznię.

– Zwróć wszelako uwagę, że nie ma tu ich opisu. Tekst mówi czytelnikowi jedynie o tym, że Tiber ma kopyta – zauważył Grayson. – Interesujące jest również to, że mamy takie słowa jak „Tiber" i „Lasis" – obce, dziwne słowa – ale są też wyrazy, które znamy, jak „księżyc" czy „włócznia". Czytaj dalej, Rosalindo. Mam przeczucie, że to się zmieni. Wiem, że to się zmieni.

Zanurzył pióro ze stalówką w kałamarzu i skinął do niej głową.

Rzuciła szybkie spojrzenie Nicholasowi i poczuła w sobie jeszcze większy żar. Całym sercem zamierzała poślubić tego człowieka – choć było to zdumiewające i całkowicie szalone. Zaledwie kilka dni temu nie wiedziała nawet o jego istnieniu. Był obcy, nie wiedziała o nim nic, lecz czuła, po prostu czuła w głębi duszy, że ten mężczyzna jest tym jedynym. Raz jeszcze pomyślała o wszystkim, co mu powiedziała.

– Mam nadzieję, że nikt nie będzie mnie uważał za przegraną.

– Przegraną?

– Cóż, prawda jest taka, milordzie, że nie jesteś księciem.

Spontaniczny i szczery śmiech sprawił, że zapragnęła rzucić się na niego.

Grayson pstryknął palcami pod jej nosem.

– Chodź już, Rosalindo. Wracaj tu, dokądkolwiek się udałaś. Dlaczego spłoniłaś się rumieńcem? Nie, nie mów mi. Czytaj.

Przez chwilę analizowała następne zdanie, potem podniosła głowę.

– To dziwne. Zaczyna się nowy rozdział, lecz nie ma odstępów, które zaznaczałyby koniec jednego wyrazu i początek następnego. Następuje też przejście z narracji w trzeciej osobie na relację w pierwszej.

Przystąpiła do czytania.

– Odkryłem, że Smoki znad Jeziora Sallas jadają zaledwie raz na trzy tygodnie; spożywają

tylko ogniste skały rozgrzewane w ciągu tych trzech tygodni do momentu, kiedy staną się miękkie i rozpalone. Nigdy nie zjadły człowieka. Kiedy ludzie odważyli się wejść do Krainy za Ostrokołem, kryli się przestraszeni w jaskiniach i wzniecali ogień, lecz szybko się przekonali, że skrzydlate stwory pikowały ku nim, by zabić płomienie. To przerażający obraz, ginące płomienie, stwory pochłaniające rozżarzone węgle, ludzie krzyczący w grozie, wszelako latające stwory nie czyniły ludziom krzywdy.

– Ludzie, którzy przetrwali, osiedlili się w Krainie za Ostrokołem. Tak jak ja to uczyniłem, obserwowali Smoki znad Jeziora Sallas i dostrzegli, że ich pyski były z mieniącego się bogato złota, a oczy z jasnych szmaragdów, zaś ich ogromne, trójkątne łuski, których ostre końce połyskiwały pod jaskrawym lodowym słońcem, są wysadzane brylantami.

– Wedle mojej najlepszej wiedzy, Smoki znad Jeziora Sallas nie umierają. Istnieją teraz i po wiekuiste czasy. Jeśli człowiek zachowa idealną ciszę, usłyszy, jak Smoki śpiewają sobie nawzajem, być może opowiadając, jakimi to osobliwymi istotami są ludzie – niemądrymi, zagubionymi i przestraszonymi. Jeśli człowiek wykaże cierpliwość i potrafi wyczekać, Smoki rozstrzygną, czy jest szlachetny, a jeśli jest, jak ja byłem, Smoki nauczą go reguł Krainy za Ostrokołem.

– Jeśli chodzi o mnie, ich miłosne pieśni wzruszały mnie niewypowiedzianie, bowiem Smoki znad Jeziora Sallas łączą się w pary na całą wieczność. Są twoim wybawieniem. Nigdy nie okłamuj Smoka znad Jeziora Sallas. To jest reguła Krainy za Ostrokołem.

Rosalinda przestała czytać, marszcząc brwi i po cichu raz jeszcze powtórzyła kilka ostatnich wierszy. Grayson zaczął pocierać zdrętwiałą dłoń. Nicholas rzucił poduszkę z jasnoniebieskiego jedwabiu na stojące naprzeciw krzesło obite brokatem.

– Smoki znad Jeziora Sallas – to brzmi jak opowieść zrodzona w czyjejś bardzo bujnej wyobraźni. Zastanawiam się, czym jest Jezioro Sallas?

– Świętym miejscem, być może jak nasze Delfy – powiedziała z namysłem Rosalinda. – A Góra Olyvan mogłaby być Górą Olimp, czyż nie? Zaschło mi w gardle. Czy nie macie ochoty na herbatę?

– Maślane bułeczki z orzechami? – podrzucił Nicholas, ożywiając się.

– Wstań, Nicholasie. Pozwól, że najpierw zobaczę twój brzuch.

Powstał uprzejmie i czekał, aż ona do niego podejdzie. W ostatniej chwili, zanim go dotknęła, dostrzegła Graysona, który gapił się na nią z rozdziawionymi ustami.

– Jestem chudy jak szczapa, Rosalindo – rzekł łagodnie Nicholas, chwytając jej dłoń. – Nie ma we mnie zbędnego grama sadła. Każdy mężczyzna, który pozwoli sobie na przybranie w pasie, jest skazany na potępienie i będzie opluwany z pogardą. To jest reguła Nicholasa.

Jego słowa, wypowiedziane z taką powagą, rozbroiły ją. Parsknęła salwą śmiechu. Grayson nie wiedział, czy ma się śmiać, czy raczej uderzyć tego mężczyznę, który był w tak poufałych stosunkach w Rosalindą. Ona zamierzała dotknąć jego brzucha, by przekonać się, czy jest płaski? Cóż tutaj się, do diabła, działo?

– Och, mój Boże – odparła. – Czy reguła Nicholasa dotyczy również dam?

– W rzeczy samej. I weź to pod rozwagę, bowiem mówię prawdę. Czy powinienem sprawdzić twój brzuch, Rosalindo? Ogłoszę wyjątek od tej reguły, kiedy w swoim łonie będziesz nosić moje... Kiedy będziesz nosić dziecko.

Grayson zerwał się na równe nogi i otworzył usta, jedynie po to, żeby je zamknąć, kiedy zobaczył twarz Rosalindy. Jej oczy emanowały grzeszną żądzą. Znał to spojrzenie.

Zadzwoniła na służbę.

– Czekałeś pod drzwiami? – zapytał Grayson, kiedy po zaledwie trzech sekundach w bibliotece pojawił się Willicombe. – Czy jakimś sposobem domyśliłeś się, że dogorywamy z głodu?

– Z głębokim smutkiem muszę oznajmić, że nie ma już więcej maślanych bułeczek z orzechami, paniczu Grayson. Słyszałem, jak kucharka mówiła o trzech ostatnich wykradzionych wprost z kuchni, co ją do tego stopnia wzburzyło, że nie była w stanie upiec następnych.

– Ojej, przysięgam, że jestem niewinna – zapewniła Rosalinda.

– Podejrzewam moją matkę – orzekł Grayson. – Orzechowe bułeczki to jej słabość. Poza tym ona jest przebiegła.

Rosalinda westchnęła.

– Czy nadeszła już pora obiadu, Willicombe?

– W rzeczy samej, panienko Rosalindo, byłem w drodze, żeby zabrać was troje. Kucharka przygotowała plastry szynki tak cienkie, że można przez nie patrzeć.

Kiedy Willicombe mówił, spoglądał na księgę Sarimunda. Rosalinda dostrzegła, jak przebierał palcami. Ukłonił się ponownie, pozostając w skłonie przez dłuższą chwilę, żeby mogli docenić w pełni blask jego ogolonej głowy.

Kiedy szli w ślad za kamerdynerem, Rosalinda widziała, jak Grayson ostrożnie wsuwa *Reguły* za połę surduta.

– Nie mogłem sprawdzić, czy masz płaski brzuch – rzekł Nicholas, pochylając się blisko jej ucha. – Grayson z pewnością przebiłby mnie na wylot tym ceremonialnym mieczem zawieszonym nad kominkiem.

– Być może, jeśli wśliźniemy się za tamte schody, pocałuję cię szybko, jednocześnie wciągając brzuch, byś mógł go sprawdzić – powiedziała i pędem pobiegła korytarzem.

Roześmiał się.

Rozdział 11

Podczas obiadu Grayson opowiedział rodzicom fabułę swej nowej powieści, chcąc odciągnąć ich uwagę od księgi *Reguły Krainy za Ostrokołem*. Zdawali sobie sprawę z tego wybiegu, lecz kochali go i powiedzieli mu, że podoba im się wątek z młodym studentem z Oksfordu, toczącym pojedynek z demonem przetrzymującym serce jego ukochanej wewnątrz magicznego klejnotu, który, jak niosła wieść, został wyrwany z korony szatana. Całkiem niezłe, pomyślała Rosalinda, zwłaszcza że Grayson wymyślał to wszystko w chwili, kiedy to opowiadał.

Wkrótce ciotka Sophie wstała od stołu, a Rosalinda zaciągnęła Nicholasa do małego pokoiku, który przed jakimiś dwoma dekadami hrabina Northcliffe przeznaczyła dla dam.

– Nie – rzekł Nicholas, lekko dotykając palcami jej policzka. – Nie wolno nam niczego powiedzieć nikomu, w szczególności twojej ciotce i twojemu wujowi. Znamy się przecież tak krótko. Daj im przynajmniej jeszcze jeden dzień, żeby na własne oczy mogli zobaczyć, jak bardzo jestem tobą olśniony. Jesteś taka delikatna, Rosalindo.

– Wprawdzie nie chcę tego przyznać, ale masz rację. Wuj Ryder doszedłby do przekonania, że oboje postradaliśmy rozum. Mógłby kazać porwać ciebie i odesłać statkiem z powrotem do Makau. Naprawdę sądzisz, że jestem delikatna?

Opuszkiem palca dotknął jej nosa.

– Twój wuj Ryder nie posądziłby nas o utratę rozumu; byłby przekonany, że górę wzięły w nas żądze. Natomiast w oczach twojej ciotki Sophie pokazałyby się skry na myśl o romansie, jaki się za tym kryje, lecz po krótkim namyśle zgodziłaby się z wujem Ryderem – nic oprócz rozpasanych żądzy, wyłącznie z mojej strony, ty bowiem jesteś taka niewinna. Jestem człowiekiem obytym w świecie, a zawsze trzeba wystrzegać się tego rodzaju człowieka, kiedy przychodzi do młodej dziewczyny, która wygląda tak jak ty. Jesteś bardziej delikatna niż skrzydła motyla.

– Jak mniemam, zdajesz sobie sprawę, że nie jestem taka niewinna. Prawda jest taka, Nicholasie, że wcale nie przypominam niewinnej panienki.

– Być może masz rację. Być może wcale nie jesteś niewinna.

Skrzyżowała ręce na piersiach.

Był oczarowany.

– Nie musiałeś posuwać się tak daleko – powiedziała przez zęby. – No cóż, ta kwestia żądzy...Cóż to za dziwaczne słowo. Nigdy wcześniej nawet nie pomyślałam o pożądaniu. Jeśli to żądza każe mi całować cię do chwili, gdy osuniesz się na podłogę, jest to zaiste potężna siła. Sądzę nawet, że mi się całkiem podoba. Czy to właśnie dlatego tak szybko poprosiłeś mnie o rękę, Nicholasie? Nie mogłeś zapanować nad żądzą?

Nie chciał dywagować nad pożądaniem, to przecież nie było ważne. Prawda była prawdą i należało się z nią zmierzyć.

– Pożądanie to cudowna rzecz, lecz nie jestem przekonany, że to żądze kierują nami.

Zmierzyła go zdumionym wzrokiem.

– Nigdy tak nie mów!

Powstrzymał śmiech. Kryło się za tym coś więcej.

– No cóż, nie kierują nami całkowicie. Nie oszalałem kompletnie z pożądania do ciebie. Jesteś tego świadoma, nieprawdaż?

– Mówiąc szczerze – odpowiedziała powoli, a jej oczy ponownie pobiegły ku jego ustom – nie wiem, czego jestem świadoma. Wiem tylko, że jest mi z tym dobrze. Że jesteś tym wybranym; nikt inny, wyłącznie ty. Kiedy dzisiejszego ranka pocałowałeś moją dłoń, coś głęboko w mej duszy rozpoznało, że jesteś mi przeznaczony.

Tak szybko i już wiedziała? On także wiedział, że był tym jedynym, oczywiście był wybrańcem, lecz nie mógł wyjawić jej tego, dopóki nie odbierze od niej przysięgi. Nie, dopóki nie będzie należała do niego z mocy prawa.

– I nawet żaden z trójki książąt?

– Niech ogień pochłonie książęta.

Znów się roześmiał. Był przekonany, że w ciągu minionych dwóch dni śmiał się więcej niż w ciągu pięciu ostatnich lat.

– Masz poczucie humoru, które mi odpowiada – oznajmił.

– Ale jest w tym jeszcze coś, Nicholasie – odrzekła po chwili, zbijając go z tropu. – I podejrzewam, że dobrze zdajesz sobie z tego sprawę. W moim przypadku są to te nieokiełznane uczucia, to rozpoznanie w tobie tego jedynego, sądzę wszelako… no cóż, to zabrzmi absurdalnie, wiem, lecz przeczuwam, że szukałeś mnie, tak jak ja, być może, szukałam ciebie.

– Szukałem? Świadomie? A ty szukałaś mnie? Chcesz powiedzieć, że przeznaczenie doprowadziło nasze łodzie na ten sam brzeg?

– Uważam, że nasze łodzie zacumowały obok siebie, zderzając się dziobami, i ma to większy sens niż ów kraj nazywany Krainą za Ostrokołem z jej Tiberami i Smokami.

– Być może Kraina za Ostrokołem nie jest realna... być może to metafora, jak stwierdził Grayson.

– Wierzysz, że jest realna, Nicholasie. Pytam, jak to możliwe, to z tą księgą? To Grayson ją odnalazł, lecz kto go poprowadził, by ją odnalazł? Czy było to przeznaczenie, czy może coś o jeszcze większej mocy? Ty zaś oświadczasz, że twój dziadek posiadał egzemplarz tej księgi. Ten wolumin miesza w głowach. Wiesz, że to zbyt wiele. A kiedy zaczynam zadawać tego rodzaju pytania, ogarnia mnie trwoga.

Cała ta sprawa ogarnęłaby trwogą również jego, gdyby od dawna do tego nie przywykł. Zapragnął ją przytulić, dodać jej otuchy, lecz wiedział, że okaże się głupcem, jeśli to uczyni. Nie wolno mu było teraz wszystkiego zrujnować. Nawet ta rozmowa, prowadzona w pokoiku z dala od jej opiekuna, była szaleństwem.

Nicholas westchnął. Wszystko to wydarzyło się zbyt szybko.

– Jeśli sobie życzysz – zaproponował – możemy wybrać się wieczorem do teatru. Mój notariusz powiedział mi, ubawiony, że mój ojciec zapomniał zastrzec, iż loża, którą kupił jakieś dziesięć lat temu, ma zostać zapisana w spadku moim przyrodnim braciom. Zatem w tej sytuacji z urzędu przypadła mnie. Mój notariusz jest mistrzem niedopowiedzeń. Oni najchętniej widzieliby mnie już pogrzebanego, tak szybko, jak się da.

– Twoi przyrodni bracia? Nic o nich nie wiem, Nicholasie.

Wbił w nią wzrok, przerażony własnym brakiem przezorności. Rozmawiał z nią tak swobodnie, nie uwzględniając potencjalnych konsekwencji. To było do niego niepodobne. No cóż, stało się. Nie miało to znaczenia, o ile nie spotka ich przypadkiem. Ona zostanie jego małżonką. Pozna ich, bez wątpliwości, i odkryje dostatecznie szybko, że cała ich trójka darzy go serdeczną nienawiścią. Lecz chociaż znał ją zaledwie od dwóch dni, był pewien, że bez wahania będzie wobec niego bezgranicznie lojalna, że przypuści szarżę na każdego, kto będzie na tyle głupi, by go obrazić. Uśmiechnął się bezmyślnie. Nikt nigdy nie próbował go chronić, lecz wiedział, że ona będzie to robić.

– Ale dlaczego twoi przyrodni bracia pałają do ciebie nienawiścią? Jesteś teraz głową rodziny Vailów. Są ci winni respekt i szacunek, ty zaś winien jesteś zapewnić im opiekę.

– Nienawidzą mnie, ponieważ mój ojciec wpajał w nich nienawiść do mnie, mój ojciec oraz ich matka, Miranda. Spotkałem dwójkę starszych, po raz pierwszy od mojego powrotu, w czwartkowy wieczór. Tego wieczoru, kiedy po raz pierwszy zobaczyłem ciebie. Czy okażą się utrapieniem? Nie wiem, ale to mnie nie nurtuje – wyznał, a w jego oczach połyskiwała niepohamowana gwałtowność. – I okażą się głupcami, jeśli zechcą cię nachodzić. Zmieniając temat, czy zechciałabyś wyjść ze mną tego wieczoru? W towarzystwie ciotki i wuja, rzecz jasna.

– Już pytałeś o to wuja Rydera, prawda?

– Tak. Mężczyzna musi wiedzieć, co ma w zupie, zanim włoży łyżkę do ust.

Roześmiała się.

– To okropna metafora. Co zamierzamy obejrzeć?

– Charles Kean odtwarza rolę Hamleta. Jest synem Edmunda Keana, nie odnosi takich sukcesów jak jego ojciec, lecz teraz, jak rozumiem po kilku latach terminowania w Szkocji, wrócił do Londynu i z powodzeniem występuje. Lubisz Szekspira?

– Och, tak. Bardzo. Zawsze wszelako byłam przekonana, że jakaś białogłowa puściła Szekspira kantem, i dlatego zgotował Kasi tak koszmarny koniec. Zemsta, swego rodzaju. Czy potrafisz wyobrazić sobie klęczącą przed mężem kobietę, która obiecuje spełnić każde jego życzenie?

O mało nie zrobił zeza. Przełknął ślinę.

– No cóż, po prosu być może…

Dotknęła palcami jego ust.

– Nie, nie chcę, żebyś kopał pod sobą dołki. Jesteś mężczyzną. Ciotka Sophie twierdzi, że jeśli kobieta jest sprytna i pomysłowa, potrafi z łatwością mężczyzną kierować – oznajmiła i pogłaskała go po ręku. – Nie, tylko tu nie jęcz. No dobrze, kiedy zamierzasz powiadomić wszystkich, Nicholasie? Być może jutro? Niedziela byłaby wspaniałym dniem na obwieszczenie wszystkim naszych zaręczyn. Kiedy chcesz wziąć ślub?

– Pozwól, że się nad tym zastanowię – odparł, nie odrywając oczu od jej oblicza.

– Co zatem z *Regułami Krainy za Ostrokołem*?

Już raz czuł tak nagły impuls, lecz co dziwne, teraz to go nie mobilizowało. Dysponował teraz czasem, ponieważ zdobył klucze – w jej osobie.

– Powiedz Graysonowi, że będziemy kontynuować lekturę księgi jutro po południu.

Skinęła głową.

– Powiem mu też, by zaprosił na wieczór do teatru jakąś młodą damę. Wiesz, on cieszy się ogromną popularnością. Młode damy są zdania, że jest nadzwyczaj romantyczny.

Rozdział 12

Panna Lorelei Kilbourne, najstarsza spośród pięciu córek wicehrabiego Rameya, urodzona i wychowana w Northumberland, przebywająca w Londynie dopiero pierwszy sezon, podziwiała Graysona Sherbrooke'a, do tego wieczoru, jedynie z oddali. Rosalinda spotkała się z nią kilka razy i miała okazję wysłuchać afektowanych wynurzeń młodej damy na temat wspaniałej fizycznej prezencji Graysona, jego cudownych, niebieskich oczu, pełnego uroku sposobu, w jaki się uśmiechał oraz równie urokliwych powieści. Kiedy więc Grayson wzruszył ramionami i oznajmił, iż nie przychodzi mu na myśl żadna konkretna młoda dama, którą z tak małym wyprzedzeniem mógłby zaprosić do teatru, podsunęła mu pod rozwagę osobę Lorelei Kilbourne. Widząc pełną konsternację na jego twarzy, gdy padło jej nazwisko, Rosalinda szturchnęła go w ramię.

– Jesteś takim zapominalskim niezdarą. Miałeś okazję ją poznać, Graysonie. Jak sądzę, chyba zatańczyłeś z nią walca. Zaproś ją, ona cię podziwia do granic wytrzymałości. Nawet jeśli jest już zaręczona, wiem, że zerwie te więzy dla ciebie.

– Lorelei to śliczne imię. Nietypowe. Dziwne, że jej nie pamiętam. Chciałbym zapytać jej rodziców, dlaczego wybrali dla niej takie właśnie imię. Być może pomyśleli o syrenach, a może...

– Graysonie, do diaska, czas ucieka. Udaj się na Kimberly Square i zaproś ją. Tam właśnie mieszka, pod numerem dwadzieścia trzy.

– Czy jest filigranową dziewczyną? Nieśmiałą, która często się rumieni? Ma wspaniałe włosy koloru futra z norek?

Norek?

– Tak, ma najbardziej norkowe włosy, jakie w życiu widziałam. Nieśmiała? Przy mnie nie była nieśmiała. Ani jednego rumieńca. Idź teraz.

Grayson roześmiał się i delikatnie opuszkiem palca dotknął jej policzka.

– Niech to rozważę. Wolałbym siedzieć w loży obok pięknej dziewczyny, która mnie ubóstwia... czy zasiąść na parterze w gronie hałaśliwych, podchmielonych i bekających przyjaciół? Wybór jest bardzo trudny. Ach, są jeszcze moi rodzice, którzy zasiądą nie dalej niż niecały metr ode mnie, Rosalindo. To wcale nie ułatwia rozstrzygnięcia tego dylematu, nieprawdaż?

– Ty głupku, twoi rodzice nie będą wisieć ci na ramieniu. Nawet nie przyjdzie im do głowy, żeby okazać jej dezaprobatę, ona zaś niewątpliwie obsypie pochwałami twoją pustą głowę. Przypuszczalnie dołączą do niej z pochlebstwami. Graysonie, jeśli jej nie zaprosisz, coś ci zrobię. Wiesz, że potrafię.

Grayson przypomniał sobie, jak kiedyś, dawno temu, zaczaiła się w cieniu balkonu pierwszego piętra w Brandon House. Kiedy przechodził pod balkonem, pogwizdując, myśląc o własnych sprawach, wylała na niego kubeł lodowatej wody z mydlinami. Tylko dlatego, że jego obrzydliwy mops Jasper pogryzł parę jej pantofelków, on zaś miał jeszcze czelność śmiać się z niej.

– W porządku, wybiorę się do niej i porozmawiam. Czy to sprawi, że będziesz szczęśliwa?

– Nie musisz się z nią żenić, Graysonie, zatem nie rób z siebie cierpiętnika. Ale wiesz, teraz, niemal już doszedłeś do odpowiedniego wieku – jak mawia wuj Douglas – żeby podołać obowiązkom przyzwoitego małżonka.

Po tych słowach Grayson wyszedł, pogwizdując.

Teatr Królewski, Drury Lane

– Kean robi tak długie przerwy między kwestiami – powiedziała Rosalinda do ciotki Sophie, zakrywając usta dłonią – że trudno jest się zorientować, czy już zakończył deklamować. Biedna Ofelia pomyślała, że dobrnął do końca, i zaczęła mówić swój tekst. Nawet stąd widziałam gniewne spojrzenie, jakim ją obdarzył, a potem usiłował ją przekrzyczeć.

– Ach – wyszeptała ciotka Sophie wprost do jej ucha. – Ale ta namiętność w nim, moja droga, wręcz promieniuje. A dramatyczne pozy, tak wzruszające, tak sugestywne... Mogłabyś również zwrócić uwagę na wspaniałą scenografię, Rosalindo. Mówi się, że on rozkoszuje się całym swym artystycznym kunsztem; toczy boje o to, by sceneria i scenografia były jak najlepiej dobrane.

– Ciociu Sophie, naśmiewasz się ze mnie?

– To tylko drobna kpina, nic więcej. Powiedziałabym, że nie jest taki jak jego ojciec, ale odtwarza tę postać dostatecznie dobrze.

Nicholas siedział w milczeniu, z rękoma skrzyżowanym na torsie. Rosalinda szturchnęła go w żebro.

– Tylko nie waż się zasnąć, Nicholasie. Twoje chrapanie będzie kompromitacją nas wszystkich.

Obrócił się powoli i uśmiechnął do niej. Rosalinda czuła ciężkie bicie swego serca aż w palcach stóp obutych w białe, atłasowe pantofle.

Po raz pierwszy zobaczyłam go dwa wieczory temu – pomyślała. – Dopiero dzisiejszego ranka poczułam dotyk jego ust, gdy całował moją dłoń. Fakt całkiem bez znaczenia w biegu zdarzeń, lecz przewrócił mój świat do góry nogami. Albo postawił właściwą stroną na górze. To bez znaczenia. Cokolwiek uczynił, zdobył mnie.

– Nie – szepnął, owiewając jej policzek ciepłym oddechem. – Nie, nie patrz tak na mnie. Jestem słabym mężczyzną, Rosalindo, oszczędź mnie.

– Słabym, ha.

Przycisnęła piąstkę do ust, by stłumić chichot. Skierowała wzrok na Graysona i Lorelei Kilbourne. Grayson wyglądał na zafascynowanego; znała ten wyraz twarzy. Niestety obiektem tej fascynacji nie była jego towarzyszka, lecz dramat, jaki rozgrywał się na scenie. Grayson siedział pochylony lekko do przodu, z rękoma wspartymi na kolanach, całkowicie zaabsorbowany. Lorelei zaś nie patrzyła na Keana. Spoglądała rozanielonym wzrokiem na Graysona. Była niczym chodnik wyczekujący chwili, kiedy on łaskawie postawi na nim stopę. Ale chwilkę – czyż ona sama, Rosalinda de La Fontaine – nie patrzyła tak na Nicholasa? Jak zadurzona pensjonarka? Och, Boże, czyż było to możliwe? Powinna zapanować nad sobą. Powinna zachować godność.

– Lorelei jest urocza, a Grayson upojony – zauważył szeptem Nicholas.

– Nie do końca – powątpiewała Rosalinda, spod zmrużonych powiek przyglądając się twarzy Graysona. – Ten zaślepiony skurczybyk interesuje się bardziej tym, co dzieje się na scenie.

– Mylisz się. On jest szczwany; udaje obojętność wobec niej, tym samym przyciągając ją ku sobie.

– Ona już jest przyciągnięta. Jeśli będzie przyciągał ją jeszcze bardziej, dziewczyna przylgnie do niego. Ale masz rację, to musi znaczyć, że mu się spodobała. I znaczy to, że on prawdopodobnie uczyni z niej oblężoną bohaterkę swej następnej powieści.

Kean krzyknął coś w stronę publiczności, uderzył dłońmi we własną pierś, zamachał rękoma w powietrzu i spuściwszy głowę, opadł z gracją na szezlong, przybierając starannie wystudiowaną pozę. Zielona kurtyna opadła. Rozległy się owacje, gromkie i długotrwałe.

Kiedy oklaski, gwizdy i tupanie nogami ucichły w końcu na tyle, że dały się słyszeć wołania dziewcząt z pomarańczami, co oznaczało czas antraktu, Rosalinda zwróciła się do Nicholasa:

– To świetna loża. Widzimy stąd wszystko i wszystkich. Tak tu dużo ludzi. Założę się, że dzisiejszego wieczoru na widowni zasiadło blisko trzy tysiące widzów. Jak to cudownie, że twój ojciec zapomniał, że ją posiada.

– Miranda jest wściekła, że nie może położyć swoich łap na tej loży.

Dostrzegła, że spoglądał w kierunku miejsc po lewej stronie. Pobiegła za jego wzrokiem i zobaczyła dwóch młodych mężczyzn, którzy wpatrywali się w nią.

– Twoi przyrodni bracia, jak mniemam?
Przytaknął.
– Najstarszy, ten wysoki brunet, który wygląda uderzająco podobnie do mnie, to Richard. Ten blady młodzian obok niego, o wyglądzie udręczonego poety, to Lancelot. Z tej dwójki, jak zgaduję, on jest bardziej zajadły, ponieważ nienawidzi własnego wyglądu, nienawidzi swego imienia, życzy sobie mej śmierci i brakuje mu tylko ostrego sztyletu. Albo, przypuszczalnie, wolałby ciężki kamień.
– A twój najmłodszy brat?
– Nosi imię Aubrey. Ma dopiero osiemnaście lat i jest w Oksfordzie na pierwszym semestrze. Nie wiem nic o jego charakterze.
– Ci dwaj nie uśmiechają się.
– Nie, wcale. Prawdopodobnie zastanawiają się, dlaczego jestem tu w towarzystwie Sherbrooke'ów, potężnej rodziny, której nie będą śmieli wejść w drogę. A ty, rzecz jasna, musisz być powiązana z Sherbrooke'ami. Być może złożą nam wizytę w trakcie antraktu. Ach, jak widzę, opuszczają lożę.
Czekał, milcząc.
– Nie zrzuć ich na dół, Nicholasie. Mógłbyś niechcący wyrządzić krzywdę komuś niewinnemu na parterze.
Obdarzył ją szybkim uśmiechem.
Po niecałych czterech minutach zasłona z tyłu dużej loży uniosła się i do środka wkroczył Richard Vail. Natychmiast podszedł do Rydera i Sophie Sherbrooke'ów i ukłonił się.
– *Sir, madame*. Jestem Richard Vail. A to mój brat, Lance. Nie wiedzieliśmy, że zawarł pan znajomość z naszym przyrodnim bratem, Nicholasem.
Ryder przywitał skinieniem głowy obu młodych mężczyzn, w pełni świadomy powstałego napięcia.

– Miło mi poznać – odparł Ryder, jak przystało na dżentelmena z krwi i kości. – Proszę mi pozwolić przedstawić panów reszcie naszego towarzystwa.

Co niniejszym uczynił.

– I, rzecz jasna, znacie się dobrze z waszym własnym bratem – dodał po zakończeniu prezentacji.

– Przyrodnim bratem – sprostował Lancelot.

Na twarzy Nicholasa pojawił się mdły uśmiech. Ponieważ Rosalinda siedziała tak blisko, została poddana skrupulatnemu oglądowi. Nie cierpiała tego, bowiem czynność ta podszyta była złymi intencjami.

– Czytałem pańskie książki, panie Sherbrooke – Lancelot zwrócił się do Graysona. – Sam myślałem o pisaniu, być może pamiętnika, ponieważ moje życie było bardzo fascynujące, jestem jednak nazbyt zajęty, rozumie pan.

Grayson przytaknął.

– Musi pan być nad wyraz zadowolony, widząc swego brata po tak długiej jego nieobecności.

– Przyrodniego brata – znów sprostował Lancelot.

Lożę wypełniło kłopotliwe milczenie. Powietrze drgało od nieskrywanej wrogości, lecz głęboko wpojona ogłada wzięła górę. To oraz obecność Rydera i Sophie Sherbrooke'ów.

Richard przytaknął.

– Och tak, ponowne spotkanie z Nicholasem sprawia nam ogromną radość, nawet jeśli jest on tylko naszym przyrodnim bratem, o czym właśnie napomknął Lance.

Grasyon wyglądał na zdumionego tym stwierdzeniem.

– Cóż to za różnica? Brat jest bratem, nie uważa pan tego za prawdziwe?

Po krótkiej chwili Richard w końcu przytaknął.

– Skoro pan tak twierdzi, panie Sherbrooke.

Ryder nie był ślepy. Było oczywiste, że Rosalinda zadurzyła się po uszy w Nicholasie Vailu, on zaś nie wiedział o nim prawie nic. A teraz wpakowało się tu dwóch jego przyrodnich braci, którzy najchętniej usunęliby go ze świata żywych. Wszystkie pogłoski, jakie doszły do uszu Rydera, okazały się najzupełniej prawdziwe.

Na dodatek Rosalinda zakochała się w tym obcym mężczyźnie, on zaś wiedział, że podjęła już decyzję. A przecież ledwie go poznała. Ryder westchnął ciężko. No cóż, ileż czasu potrzeba, żeby się zakochać? Natychmiast zacznie się wypytywać, zaczynając od tej nienawiści, jaką przyrodni bracia darzyli Nicholasa, który sprawiał wrażenie spokojnego i nieco ironicznego.

Ryder życzyłby sobie jeszcze tego wieczora opuścić Londyn i w te pędy odstawić Rosalindę z powrotem do Cotswolds, gdzie byłaby bezpieczna przed zakusami tego młodego człowieka oraz przed jego przeszłością. Tego młodego człowieka, który skrywał tajemnice, podobnie jak czynił to rodzony ojciec Rydera.

Była jeszcze sprawa pochodzenia Rosalindy. Czy ona zdążyła już o tym wspomnieć Nicholasowi? Cóż się stanie, jeśli zdążyła?

Usłyszał śmiech Lorelei. Czy powinien nakłonić Sophie, by ta szepnęła dziewczynie na ucho, że nie było mądre z jej strony okazywanie bałwochwalczego uwielbienia wobec Graysona w sposób tak rzucający się w oczy? Z drugiej strony Grayson sprawiał wrażenie, jakby był całkiem zadowolony, być może zatem młoda dama wiedziała doskonale, co czyni. Tak wiele zdradliwych nurtów i wirów.

Dzięki Bogu, Douglas i Alex przybędą jutro. Potrzebował posiłków, nieodzownie.

Prowadził pełną ogłady rozmowę z dwójką przyrodnich braci, wiedząc, że wpatrują się w Rosalindę, a w ich wnętrzach tli się gniew. Richard Vail zapytał ją w końcu, czy podoba się jej w Londynie.

– Och, tak. Nawet bardzo. Wszyscy są tacy uprzejmi. Czy panu również podoba się w Londynie, panie Vail?

Przytaknął.

– Szybko nawiązała pani znajomość z naszym przyrodnim bratem.

– Też tak uważam – odparła z promiennym uśmiechem.

– A przecież on dopiero ostatnio pojawił się w Londynie – wtrącił Lancelot. – Można by pomyśleć...

Zrobił pauzę, z której natychmiast skorzystała Rosalinda.

– Można by pomyśleć, że jestem obdarzona nadzwyczaj dobrym gustem, czy to zamierzał pan powiedzieć, panie Vail?

– Nie do końca – odparł Lancelot.

Rzucił spojrzenie bratu, lecz Richard tylko wzruszył ramionami.

– Ale, rzecz jasna, wiedział pan, kiedy Nicholas przyjechał do Londynu, nieprawdaż? – zapytała Rosalinda, otrzepując suknię. – W końcu jesteście rodziną.

Nastąpiła chwila ciszy, która trwała całą wieczność, potem Richard i Lancelot Vailowie ukłonili się Ryderowi i Sophie, i opuścili lożę.

– Czyż to nie było urocze – powiedziała Rosalinda, zasłaniając usta dłonią. – Nie sądzę, żebym zamierzała polubić twoich braci, Nicholasie.

– Zaufaj mi, oni również nie obdarzą ciebie specjalną sympatią – dodał od siebie.

Na widowni zrobiło się ciemno.

– Nie martw się – powiedziała cicho Rosalinda, kiedy zielona kurtyna unosiła się ponownie. – Nie pozwolę tym cholernym durniom cię skrzywdzić. Oni tego pragną, w szczególności Lancelot, ten śliczny, mały sukinsyn. – Uniosła rękę i naprężyła muskuły. – Mogę ich zniszczyć.

Roześmiał się, nie mógł się po prostu powstrzymać. Potem odchrząknął. Nagły wybuch śmiechu, jak ten, oznaczał utratę panowania nad sobą, bez względu na to, że trwało to jedynie krótką chwilę.

Ryder, który przypadkiem to usłyszał, westchnął. Rosalinda zadurzyła się tak głęboko, że chyba byłaby w stanie położyć na łopatki każdego.

Na koniec, kiedy Laertes z wprawą pchnął Hamleta zatrutą szpadą, a scenę pokrywały ciała nieboszczyków, upłynęło dobre pół godziny, zanim przedostali się przez tłum na zewnątrz; potem minęło kolejne dwadzieścia minut, nim podjechał powóz. Najpierw pojechali do miejskiej rezydencji rodziny Kilbourne'ów. Wszyscy czekali w powozie, kiedy Grayson odprowadzał Lorelei szerokimi kamiennymi schodami do frontowych drzwi. Gdy się otworzyły, Grayson szybko uświadomił sobie, że bezpośrednio za kamerdynerem stał ojciec Lorelei, przypatrując się bacznie swej małej dziewczynce. Ukłonił się lordowi Rameyowi, pomachał ręką do ojca i matki, którzy uprzejmie odwzajemnili ten gest, udowadniając tym samym Rameyowi, że ich ukochany syn nie zdeprawował jego ukochanej córki. I na koniec Grayson pożegnał się.

– Panie Sherbrooke?

– Tak, panno Kilbourne?

– Czy miałby pan ochotę przyjść jutro po południu na skromną recytację? Będą tylko młodzi ludzie, w sumie około dwudziestu osób. Czytamy powieść *Frankenstein* pióra Mary Shelley – wyjaśniła, potem opuściła odrobinę powieki i spojrzała na niego przez długie rzęsy. – Polecam. Przeczuwam, że spodobałaby się panu.

Rzeczywiście, podobała mu się. Była to jedna z jego ulubionych powieści. Jednakowoż Grayson niczego nie pragnął bardziej, niż zostać sam na sam z Rosalindą i zlecić jej dalsze tłumaczenie *Reguł*.

– No cóż, wie pani, panno Kilbourne, obawiam się, że…

– Na dobrą sprawę, po przeczytaniu rozdziału z jej książki, zamierzamy sięgnąć po pana najnowszą powieść, *sir*. Byłabym niezmiernie wdzięczna, gdyby zechciał pan służyć nam swoją fachową wiedzą w dyskusji o wampirach.

– Ach, tak. W takim razie… być może rozdział lub dwa…

I tym sposobem się dogadali.

Kiedy Grayson wsiadł z powrotem do powozu, sprawiał wrażenie do tego stopnia zadowolonego z siebie, że Rosalinda poczuła ochotę wymierzenia mu kuksańca. Gdy powiedział im, co będzie porabiał następnego popołudnia, uśmiechnęła się do niego szyderczo.

– Jesteś taki słaby. To godne pożałowania.

– Jesteś po prostu zła, ponieważ nie będzie mnie w domu i nie będę wykonywał twoich poleceń. Poza tym, to spotkanie z recytacją nie potrwa długo. Chyba że, rzecz jasna, zebrani zażyczą sobie przeczytać większe fragmenty mojej książki, wtedy… – Wzruszył ramionami niezbyt grzecznie. – Jeśli nie wrócę na czas, Nicholas zabierze cię na przejażdżkę do parku.

Rosalinda prychnęła.

– Jeśli wszyscy młodzi ludzie tam obecni są jak Lorelei, nie wyrwiesz się stamtąd przez tydzień.

Uśmiechnął się do niej z głęboką satysfakcją.

Jego ojciec roześmiał się. Matka pogłaskała go po ręku.

Rozdział 13

Ryderowi nie było wcale do śmiechu następnego popołudnia, kiedy jego brat, Douglas Sherbrooke, hrabia Northcliffe, zdawał mu w zaufaniu relację.

– Wiem co nieco o rodzinie Vailów, w szczególności o tym dziadku Nicholasa, Galardim Vailu. Mówię o tym z niechęcią, ponieważ brzmi to nad wyraz absurdalnie, lecz powiedziano mi, że on nie pochodził z tego świata.

– Nie pochodził z tego świata? Z jakiego świata zatem? Co, u diabła, chcesz przez to powiedzieć, Douglasie?

Douglas wzruszył ramionami.

– Faktem jest, że według pogłosek Galardi Vail był kimś w rodzaju maga, jakimś czarnoksiężnikiem. Co się tyczy jego małżonki, o ile wiem, zmarła podczas porodu.

– Zastanawiam się – rzekł Ryder – czy on rzeczywiście był magiem bądź czarnoksiężnikiem, czy też wyobrażał sobie po prostu, że nim jest?

– Nie wiem. Huczało od pogłosek o dziwacznych zaklęciach, śpiewnie recytowanych w jakimś osobliwym języku. O niebieskim dymie unoszącym się nad lasem, niezwykłych czerwonych światłach zapalonych za zasłonami domostwa i tym podobnych niedorzecznościach. Galardi wychowywał młodego Nicholasa, kiedy jego własny ojciec wyrzucił go z domu po tym, jak ożenił się powtórnie. Miał wtedy około pięciu lat, jak sądzę. Nicholas był jeszcze małym chłopcem, kiedy zmarł jego dziadek. Właściwie powinienem powiedzieć rzekomo zmarł. Przy zgonie nie był obecny lekarz, poza tym szeptano, że zwłok też nie było. Brzmi to tak, jak jedna z powieści Graysona, lecz to właśnie słyszałem.

– Od kogo?

– Głównym źródłem moich informacji jest wikary z Tysen, pan Biggly. Przed około dwoma laty zjawił się po raz pierwszy w Glenclose-on-Rowan. Alex i ja byliśmy z wizytą, a Mary Rose i on opowiadali o jego wcześniejszej posłudze w Gorton--Wimberley, niewielkiej miejscowości w hrabstwie Sussex, w pobliżu miejsca, gdzie żył ten dziwny, stary człowiek. Pan Biggly potrafi snuć arcyciekawe, lecz zmyślone, opowieści i tak właśnie sądziłem do momentu, kiedy przypadkiem usłyszałem, jak jeden ze znajomych ojca Nicholasa Vaila mówił dokładnie to samo. On również twierdził, że starzec był czarnoksiężnikiem. A młody Nicholas? Po śmierci Galardiego, według relacji wikarego, młody Nicholas po prostu zapadł się pod ziemię. Teraz Nicholas Vail znów się wyłonił i objął tytuł. Czy mogę zapytać, o co w tym wszystkim chodzi? Jak poznałeś Nicholasa Vaila?

– Czy wiedziałeś również, że ojciec młodego Nicholasa wydziedziczył go, pozostawiając mu jedynie rodową ordynację?

Douglas pokręcił przecząco głową.

– Czy ten młody człowiek jest utracjuszem?

– Nie sądzę, Douglasie – odparł Ryder i westchnął. – Zanim Sophie i Alex dołączą do nas, pozwól mi powiedzieć, że Rosalinda jest w nim zakochana. Poznała go w czwartek wieczór na balu w Pinchon. Cztery dni temu. Nie dawałem wiary własnym oczom; powinieneś zobaczyć wzrok, jakim na niego spogląda. Nasza dziewczyna zakochała się, Douglasie, po uszy. A ty znasz Rosalindę. Nigdy niczego nie robi połowicznie. Dlatego właśnie zapytałem, co o nim wiesz.

Douglas Sherbrooke spoglądał bezradnie na swego brata.

– Przyznaję, jestem stary, Ryderze... ale cztery dni?

– Wiem, mnie to również powaliło z nóg. Rosalinda widzi to, co chce, i podąża za tym. Rzecz w tym, że ona posiada też niezawodny instynkt. Pamiętasz tamtego mężczyznę, który zjawił się w Brandon House, by sprzedać nam bele cudownego materiału z Francji za bajecznie niską cenę?

Douglas roześmiał się.

– Och tak. A Rosalinda wystrychnęła go na dudka.

– Kazała wszystkim dzieciom rozwinąć bele z jego niby to cennymi brokatami, no i rzeczywiście, wszędzie były dziury po molach – przypomniał Ryder.

– Zatem Rosalinda akceptuje tego Nicholasa Vaila. A jeśli chodzi o niego? W jakim kierunku niosie go wiatr?

– W jej kierunku.

– Powiedziałeś mu, z jakiego powodu jesteś opiekunem Rosalindy? Czy on się dopytywał?

Ryder pokręcił przecząco głową.

– Pozwolę jej powiadomić go o tym, jeśli przyjdzie na to pora. Nie sądzę nawet, że przyszło jej do głowy, iż w rajskim ogrodzie może znajdować się wąż. Nicholas Vail jest członkiem Izby Lordów. Krew i pochodzenie są ważne.

– Być może ona zechce zaczekać, aż będzie pewna jego intencji.

– Pod pewnymi względami tak, ale pod innymi...

– Tak. Cóż poczniemy z Nicholasem Vailem? Co chcesz, żebym zrobił, Ryderze?

– Po pierwsze, chcę, żebyś spotkał się z tym młodym człowiekiem i oszacował go. Potem porozmawiaj ze swoimi znajomymi w Ministerstwie Spraw Zagranicznych. Mówiłeś mi wiele razy, że jeśli czegoś nie wiedzą, są w stanie łatwo się dowiedzieć. Sprawdź, co o nim wiedzą, o jego rodzinie, przyrodnich braciach, których dwójkę spotkaliśmy ostatniego wieczoru w teatrze Drury Lane. Łączy ich silna nienawiść, Douglasie.

– Ty również masz paru znajomych, którzy mają dostęp do szarej strefy Londynu. Rozpytaj ich, czy słyszeli o nim cokolwiek. Nicholas Vail utrzymuje, że przez ostatnie pięć lat mieszkał w Makau. Dowiedziałem się przez naszego notariusza, że on zajmuje się spedycją i że odniósł spore sukcesy. Nie potrzebuje pieniędzy swego ojca, chociaż plotki mówią, że jakoby jest bez pensa przy duszy i szuka dla siebie dziedziczki fortuny. Jeśli chodzi o dziewięć lat przed osiedleniem się w Makau, nie chciał wyjawić szczegółów. Muszę się upewnić, że Rosalinda będzie z nim bezpieczna.

Douglas skinął głową.

– Zatem ma dwadzieścia sześć lat, jest mniej więcej w wieku Graysona.

– Lecz jest starszy od Graysona, jeśli chodzi o doświadczenia tego rodzaju, gdy człowiek nieraz ociera się o śmierć. Jestem również przekonany, że stać go na całkowitą bezwzględność, zwłaszcza gdyby chodziło o przetrwanie. Niebezpiecznie byłoby stanąć mu na drodze.

– Prowadzi samodzielny żywot od dwunastego roku życia... to musiało zahartować chłopca, inaczej by nie przeżył.

Ryder przytaknął.

– Zatem wyjechał po śmierci dziadka, ale ty wspominałeś, że wikariusz z Tysen mówił ci, iż nie było ciała do pochówku. Cholera jasna, Douglasie. – Ryder uderzył pięścią w swoją otwartą dłoń i skrzywił się. – I do tego dochodzi jeszcze ta stara księga, na którą Grayson natrafił na stoisku z książkami w Hyde Parku, napisana przez człowieka o idiotycznym imieniu Sarimund. Nosi tytuł *Reguły Krainy za Ostrokołem* i jest zaszyfrowana. Szyfrem, którego nie da się złamać.

– I pozwól, że wyjawię ci, co budzi mój przestrach do szpiku kości. Rosalinda potrafi to czytać, szybko i bez żadnych problemów. Niech to piekło pochłonie, jak, do diabła, da się to wytłumaczyć? Ja nie potrafię. Coś się tutaj dzieje, a dzieci wiedzą o tym więcej ode mnie. Nie mogę tego ścierpieć.

– Uspokój się, Ryderze. Dowiemy się wszystkiego. Z chęcią obejrzę również tę księgę. Szyfr, powiadasz? Nie do złamania? Poza naszą Rosalindą, która potrafi go rozczytać?

Ryder przytaknął.

– To nie wróży nic dobrego, Douglasie. Wiesz o tym, że nie wróży.

Rozdział 14

Muszę mu powiedzieć, muszę, muszę. Niech to diabli, nie mam wyboru.

Rosalinda nienawidziła tego, ale to było nieuniknione. Gdzie podziewa się Nicholas? Dlaczego spóźnia się właśnie tego popołudnia? Nie wolno jej było utracić determinacji. Byłoby to całkowicie niehonorowe. Lecz jeśli spojrzy na nią jak na niechcianego ślimaka w ogrodzie, zdepcze ją i odejdzie, co wtedy?

No, z pewnością mnie nie zdepcze, ale być może zmierzy mnie jednym z tych swoich niebezpiecznych, lodowatych spojrzeń i odejdzie. To zresztą bez znaczenia. Muszę mu powiedzieć, nie mam wyboru.

Willicombe otworzył drzwi.

– Lord Mountjoy, panienko Rosalindo – zaanonsował.

Nicholas zerknął zza lśniącej, ogolonej na łyso głowy Willicombe'a i się uśmiechnął. Rosalinda poderwała się z miejsca. Dostrzegła, że Willicombe'a nie uszczęśliwiała perspektywa pozostawienia ich sam na sam. Pragnęła, żeby kamerdyner wiedział i żeby wszyscy wiedzieli, iż ona i Nicholas są zaręczeni. Dzięki temu z jego twarzy zniknęłaby ta nieznośna mina. Lub nie.

Willicombe spojrzał najpierw na jedno z nich, potem na drugie. Odchrząknął.

– Panienko Rosalindo, mam zapytać panią Sherbrooke, czy jest wolna, by, hm, mogła tu przyjść i porozmawiać z wami? Być może po to, aby skierować waszą konwersację na właściwy, wysoki poziom?

– Och, nie, Willicombe. Pozostaniemy bez nadzoru przez zaledwie dwie minutki, nie dłużej. Jego lordowska mość jest dżentelmenem o surowych moralnych zasadach. Urodził się w wyższych sferach. Nie wiem, czy ja też jestem wysoko urodzona, ale z pewnością zostałam wychowana na wysokim poziomie. Nie zamartwiaj się więc.

Willicombe wciąż nie miał szczęśliwej miny, ukłonił się nieznacznie, tym razem nie obdarzając ich pełnym blaskiem łysej głowy.

Skoro tylko zamknęły się drzwi salonu, Rosalinda chwyciła dłoń Nicholasa i pociągnęła go w stronę okna.

– Spóźniłeś się.

– Nie więcej niż o minutę lub dwie. O co chodzi? Co się dzieje, Rosalindo?

Puściła jego dłoń i skierowała wzrok na ziemię.

– O co chodzi? Najwyraźniej jesteś wytrącona z równowagi. Powiedz mi, co jest nie tak.

– Moje nazwisko. Z moim nazwiskiem coś jest nie tak.

– Twoje nazwisko? Tak, cóż, La Fontaine nie należy do typowych. Lecz twój przodek bajkopisarz był postacią godną szacunku. Podoba mi się twoje nazwisko, Rosalindo. Pasuje do ciebie. Co z nim nie tak?

– Nie wiesz, kim jestem, Nicholasie, naprawdę nie wiesz. Nie wiesz także, z jakiej przyczyny Ryder Sherbrooke pełni rolę mego opiekuna. W ogóle nic o mnie nie wiesz.

– No cóż, to fakt. Choć na dobrą sprawę wcale sobie tego nie uświadamiałem. Byliśmy raczej bardzo zajęci, odkąd się poznaliśmy.

– Wyglądasz dzisiaj nad wyraz przystojnie. Podobają mi się te buty z koźlej skóry oraz kurtka do jazdy konnej. Bardzo elegancka.

– Dziękuję. Zamieniam się w słuch.

– No cóż, rzecz w tym... – Przerwała, potem potrząsnęła głową. – Dobrze, wyrzucę to wszystko z siebie. Słyszę duchy. Znam duchy, żyłam razem z nimi przez dziesięć lat. Nigdy ich nie widziałam, lecz słyszałam, jak pomrukują w mrocznych zakątkach i, najczęściej, w moich snach.

– Opowiedz mi o tym.

– Wyrzucę to z siebie, zrobię to. Słyszę głosy duchów, odkąd... no cóż, odkąd wuj Ryder znalazł mnie w uliczce w pobliżu portu w Eastbourne, zakatowaną niemal na śmierć.

Zamilkł całkowicie. Jak to możliwe?

– Nie rozumiem. Zakatowaną niemal na śmierć? Byłaś przecież tylko małym dzieckiem. Co to ma znaczyć, Rosalindo?

– Oni sądzili, że mam około ośmiu lat. Pozwolili mi nawet wybrać miesiąc i dzień urodzin, zaś ja, rzecz jasna, wybrałam dzień następujący po tym, kiedy mi to powiedzieli. Wuj Ryder zabrał mnie do Brandon House... Tam właśnie zabiera dzieci porzucone lub zakatowane bądź sprzedane, dzieci w tragicznym położeniu... Wychowuje je, obdarza miłością i kształci je oraz daje im nadzieję. Powiedział, że lekarze nie byli pewni, czy przeżyję, ale zdołałam przeżyć. Ale, widzisz, kiedy w końcu odzyskałam przytomność i zmysły, nie miałam pojęcia, kim jestem. I wciąż nie wiem. Pamięć nigdy nie wróciła. Są jedynie te duchy wyzierające gdzieś w zakamarkach mego umysłu. Nigdy jednak nie powiedziały mi, kim jestem.

Spoglądał badawczo na jej blade oblicze.

– Wciąż nie wiesz, kim jesteś?

– Nie. Duchy nawiedzały mnie, ja nieustannie pytałam, kim jestem, lecz nigdy nie byłam w stanie zrozumieć tego, co mówią. O ile one rzeczywiście coś wiedzą.

– Ale twoje nazwisko... La Fontaine.

– Sama wybrałam to nazwisko, kiedy miałam dziesięć lat, ponieważ lubiłam bardzo bajki Jeana de La Fontaine'a; ot i cała tajemnica. Jestem w większym stopniu zmyślona niż jego bajki – jego bajki mają przynajmniej morał. Ja zaś nie mam niczego. Początkowo wuj Ryder i wuj Douglas usiłowali dowiedzieć się czegoś o mnie, lecz bez powodzenia. Potem doszli do przekonania, że ten ktoś, kto usiłował mnie zabić, wciąż może czaić się gdzieś w pobliżu i wciąż może dybać na moje życie. Jeśli ktoś nienawidził mnie do tego stopnia, iż usiłował mnie zabić, to muszę być zaiste niewiele warta. Lub w ogóle nic.

Nicholasowi nigdy nie przyszłoby na myśl coś takiego, przenigdy. Nie mógł znieść łez skrzących się w jej oczach, bladości jej oblicza. Przytulił ją i pocałował, delikatnie, jak gdyby dopiero przed chwilą została zakatowana, on zaś nie chciał powiększać jej katuszy.

– Tak mi przykro, Rosalindo.

Odepchnęła się od niego.

– Nie, nie. Ty niczego nie rozumiesz, Nicholasie.

– Rozumiem, że ktoś usiłował zamordować dziecko, lecz ty przeżyłaś dzięki Ryderowi Sherbrooke'owi. Będę mu wdzięczny po kres mego żywota.

– Tak, tak. Oczywiście, lecz nie o to chodzi. Nie dostrzegasz tego? – zapytała i wzięła głęboki oddech. – Jesteś siódmym hrabią Mountjoy – hrabią, Nicholasie, parem Anglii. Posiadasz imponujący rodowód, podczas gdy ja, cóż, mówiąc szczerze i bez ogródek, jestem nikim. Przykro mi bardzo, że nie powiedziałam ci tego od razu, kiedy poprosiłeś mnie o rękę, ale prawda jest taka, że po prostu o tym nie pomyślałam. Za bardzo pragnęłam obsypać cię pocałunkami i wszystko to działo się tak prędko, my zaś pogrążyliśmy się w lekturze księgi *Reguły Krainy za Ostrokołem*, usiłując rozwikłać, o co w tym wszystkim chodzi. Nie pomyślałam o tym do chwili, kiedy ostatniej nocy leżałam w łóżku i wtedy to do mnie dotarło. Nie wolno mi tak z tobą postąpić. Nie wolno mi wyjść za ciebie za mąż, Nicholasie. Choć w rzeczy samej, to tobie nie wolno ożenić się ze mną.

Nicholas odwrócił się od niej i podszedł do okna. Odsunął kotarę i popatrzył na ogrody po drugiej stronie ulicy, pełne wiosennej krasy. Na lekkim wietrze kołysały się żonkile, ich żywa żółtość kontrastowała z zielenią równo skoszonej trawy.

Spojrzeć na nią.

– To niedopuszczalne, Rosalindo.

Czuła się zupełnie rozbita. Pragnęła zalać się łzami, lecz nie potrafiła. Kiedy w wieku ośmiu lat zorientowała się, że jej umysł jest kompletnie pozbawiony wspomnień, szlochała tak długo, aż się rozchorowała, i wyciągnęła z tego nauczkę, że łzy nie są lekarstwem.

– Przykro mi – wyznała. – Bardzo mi przykro, że nie powiedziałam ci od razu. Pozwoliłam, byś coś do mnie poczuł.

– Źle mnie zrozumiałaś. Za niedopuszczalny uznałem fakt, że ktoś usiłował zamordować... dziecko.

– Mówisz tak, bo jesteś szlachetny. A ja przeżyłam. Posłuchaj, Nicholasie, mogłam być córką rzeźnika, kieszonkowcem, dziewczynką z zapałkami. Mogłam być dokładnie niczym.

– Dlaczego więc ktoś usiłował cię zabić, zaledwie ośmioletnie dziecko?

– Wuj Ryder i wuj Douglas zgodzą się z tobą. Są zdania, że jestem córką kogoś ważnego, kogoś, kto miał potężnych wrogów. Prawdą jest, że miałam na sobie wytworne ubranie, kiedy wuj Ryder mnie znalazł. Poszarpane, oczywiście. Oraz to.

Rosalinda odpięła złoty łańcuszek zawieszony na szyi. Z łańcuszka zwisał mały medalion w kształcie serca. Wręczyła mu go.

Nicholas trzymał go w dłoni. Był ciepły i gładki. Wyczuł małą zapinkę i otworzył medalion. Obie strony były puste. Sprawdził grubość ścianek ze złota. Nie, nie było w nim skrytki.

– Był pusty, kiedy Ryder cię znalazł?

Skinęła głową.

– Być może były tu dwie miniaturki, jedna mojej matki lub ojca, druga – moja własna. Być może, ale tego nie wiem. Czy podobizny zabrano, ponieważ ktoś mógłby mnie rozpoznać? – wzruszyła ramionami. – Ale to bez znaczenia, Nicholasie. Nikt nie ma zielonego pojęcia, kim jestem, ani kim są... albo byli... moi rodzice oraz czy są Anglikami, czy może Włochami. Wuj Ryder wierzy, że i jedno, i drugie, ponieważ od małego mówiłam i po angielsku, i po włosku. Jest też przekonany, że moi rodzice musieli umrzeć – inaczej szukaliby mnie po całym świecie. To znaczy, on by tak postąpił, gdyby Grayson zaginął. To okropna rzecz, Nicholasie, ale jestem jak niezapisana stronica.

– Nie, wcale nie jesteś niezapisaną stronicą. Posiadasz zdolność, którą nie dysponuje żaden z nas – potrafisz czytać bez trudu *Reguły*. To jest dar, zatem być może wywodzisz się od rodziców o podobnych darach. Powiedziałbym nawet, że dar ten jest jednym z wielu.

Jednym z wielu?

– Tak dużo wydarzyło się w tak szybkim tempie. Nawet nie zdążyłam zastanowić się, dlaczego potrafię czytać tę cholerną księgę – podjęła żałosną próbę obdarzenia go uśmiechem. – Zapytam o to duchy, kiedy znowu usłyszę ich głosy. Ostatnio odwiedzają mnie rzadziej. To dziwne, ale tęsknię za nimi. Odnoszę wrażenie, jakby stanowiły jedyne ogniwo łączące mnie z utraconą przeszłością. A teraz dały sobie ze mną spokój.

– Duchy – powtórzył.

– Nie sądzisz chyba, że jestem szalona, prawda?

Zrobił strapioną minę. Bębnił palcami po gzymsie kominka.

– Szalona? Och, nie. Mój dziadek, jak sądzę, był w bliskiej komitywie z duchami, a przecież nie był szalony, wierz mi – wzruszył ramionami. – Mówiąc szczerze, to zakładałem, że należysz do tej, co ja, klasy. Powiedzmy, iż odkryjemy, że jesteś nisko urodzona, Rosalindo. Cóż to miałoby oznaczać na dłuższą metę? W zasadzie nic. Mój ojciec był słabym człowiekiem, manipulowanym przez moją macochę, lecz był też bezwzględny, jak potrafi być tylko człowiek słaby. Nie ma dla mnie znaczenia, kim jesteś. Jesteś Rosalindą de La Fontaine. Już wkrótce będziesz moją małżonką, Rosalindą Vail, hrabiną Mountjoy.

– Nie możesz być tak szlachetny, Nicholasie, tak wielkoduszny. Nie możesz...

– Ciiiicho. Wystarczy już tego. Zachowajmy rozsądek w tej kwestii. Pragniesz wiedzieć, kim naprawdę jesteś. Mam wielu znajomych pośród ludzi różnego autoramentu na całym świecie. Każę namalować twój portret, dwanaście miniatur, i roześlę je. Dowiemy się, kim byli twoi rodzice, Rosalindo. Albo, ewentualnie, któregoś ranka zbudzisz się u mego boku, uśmiechniesz się i wszystko sobie przypomnisz. Rozumiem dobrze, dlaczego twoi wujowie, Ryder i Douglas, wstrzymali poszukiwania. Lecz nie musisz już dłużej się obawiać, że ktoś znowu cię skrzywdzi. Będę cię chronił własnym życiem.

Rosalinda odwróciła się i wybiegła z salonu.

Rozdział 15

– Rosalindo!

– Milordzie, panienka Rosalinda wybiegła z domu. Czy jest pan za to odpowiedzialny, milordzie? Czy uraził pan tę słodką, młodą istotę? – zapytał nadęty jak paw Willicombe, na dobrą sprawę zagradzając Nicholasowi drogę.

– Ta „istota" ma zupełną pustkę w nadobnej główce. Wybiegła zupełnie bez powodu.

Nicholas podniósł Willicombe'a, chwytając go pod pachy, odstawił na bok drogi i popędził przez otwarte frontowe drzwi. Zatrzymał się, kiedy dostrzegł mignięcie niebieskiej sukni znikającej za zakrętem.

Usłyszał okrzyk, potem drugi. Dopadł do zakrętu i zobaczył ją leżącą na plecach. Obok niej siedziała otyła matrona, zaczerwieniona po uszy, w przekrzywionym kapeluszu. Urokliwie zwichrzona halka zawinęła się damie powyżej kolan; dokoła leżały porozrzucane pakunki.

Nicholas ruszył pośpiesznie w sukurs i dopomógł kobiecie wstać, co nie było łatwym zadaniem. Potem zebrał jej pakunki.

Wymachiwała pięścią w stronę Rosalindy; podwójny podbródek matrony wyraźnie od tego drżał.

– Nazywam się Pratt, *sir*, i jestem małżonką diakona Pratta z Pear Tree Lane. A ta młoda dama, *sir*, wpadła na mnie, o mało nie odsyłając mnie do mego Stwórcy, a to przecież diakon Pratt pragnie zaznać tej rozkoszy. Na całe szczęście moje drogocenne wieprzowe sznycle nie rozsypały się i nie ubrudziły ziemią. Jeśli ona jest pańską żoną, *sir*, powinien pan sprawić jej solidne lanie.

– Tak, to moja małżonka, ale ona nie zasługuje w tym przypadku na rózgi, szanowna pani, ponieważ z mojej to winy pędziła co tchu i miała to okropne nieszczęście wpaść na panią.

Pani Pratt skrzyżowała obfite ramiona na równie obfitych piersiach i przytupując trzewikiem koloru fioletowobrązowego, rzekła:

– Rzeczywiście tak było? Cóż takiego pan uczynił, *sir*, że ta słodka, młoda dama uciekła przed własnym mężem?

– No cóż, muszę być tu szczery, pani Pratt. Zasługuje pani na szczerość. Prawda jest taka, że ona nie jest jeszcze moją żoną. Po drugie, poprosiłem ją, żeby za mnie wyszła, lecz ona czuje, że nie jest mnie godna, co jest czystym absurdem. Zgoda, przyznaję, że jeśli pani spojrzy teraz na nią, szanowna pani, jak siedzi na ziemi i pociera się w słabiznę oraz wygląda tak żałośnie, jakby chciała wybuchnąć płaczem i jednocześnie wydrzeć się na mnie, być może zgodziłbym się z panią. Lecz kiedy stoi na równych nogach albo tańczy walca, z czarującym uśmiechem na obliczu, jest rzeczywiście szykowna i stanowi dla mnie powód do dumy. A kiedy mnie poślubi, z całą pewnością nie dopuszczę, żeby wpadała na szacowne damy.

Kobieta zmierzyła Rosalindę strofującym wzrokiem.

– Chyba pani na zasługuje na męża. Niech pani wyjdzie za niego albo przedstawię go moim słodziutkim siostrzenicom, którym nawet nie przyszłoby do głowy odstąpić od niego na jeden krok. Niech pani tylko spojrzy – ma wszystkie zęby, niezepsute i białe, nie znajdzie też pani zbędnego grama sadła na jego brzuchu, w przeciwieństwie do diakona Pratta. Nieustannie powtarzam mu, żeby nie był obżartuchem, lecz on spogląda na mnie i mówi, że mężczyzna musi korzystać z przyjemności, kiedy może. Tak więc wyjdź za niego za mąż, panienko, wyjdź za niego.

Rosalinda spojrzała na Nicholasa, znów wykręcając dłonie.

– Ale, Nicholasie…

– Nie robisz się przecież coraz młodsza – rzekła kobieta. – Gdybym przedstawiła mu moje siostrzenice, mógłby odwrócić się do ciebie plecami i to całkiem szybko. Moja mała Lucretia liczy sobie zaledwie siedemnaście wiosen.

Ponieważ Rosalinda zignorowała dłoń podaną przez Nicholasa, odwrócił się do pani Pratt.

– Proszę przyjąć moje przeprosiny, szanowna pani, lecz ona poślubi mnie, stąd też nie będę w stanie zawrzeć znajomości z Lucretią.

Nicholas ukłonił się z gracją i uśmiechnął szeroko, co sprawiło, że oba podbródki damy znów się zatrzęsły.

– Być może moja urocza Lucretia przypadłby panu do gustu, *sir* – dodała z kokieteryjnym uśmieszkiem. – Być może też bardziej odpowiadałaby panu starsza dama z większym doświadczeniem.

Pogłaskała się po tłustych jak kiełbaski lokach, potem popatrzyła na Rosalindę ze sporą dozą antypatii.

– Nie zaś ta głowa o ptasim móżdżku, która uciekła od pana.

– Lecz pani złapała dla mnie tę głowę, szanowna pani, i za to dziękuję.

– No dobrze, zakładam, że nikomu nie stała się krzywda.

Po tych słowach pani Pratt, z rękami pełnymi pakunków, oddaliła się, rzucając w tył na pożegnanie długie, tęskne spojrzenie Nicholasowi oraz prychając w stronę Rosalindy.

Stał obok niej, z rękoma na biodrach.

– Czy rzeczywiście chcesz poświęcić mnie dla Lucretii, siostrzenicy pani Pratt? Ona ma zaledwie siedemnaście lat. Mógłbyś ją sobie uformować.

– Nic ci się nie stało?

– Najwyższy czas, byś o to zapytał. Nie, zostałam poniżona, a ty musiałeś utrzeć mi nosa tą subtelną konwersacją z panią Pratt.

– Powinno się rozważyć wszystkie oferty. Stwierdzam to z przykrością, ale zasłużyłaś na to poniżenie. Czy byłabyś łaskawa wyjaśnić mi, dlaczego rzuciłaś się do ucieczki oraz czy miałem rację?

Odwróciła od niego wzrok.

– Po prostu nie mogłam tego znieść.

– Znieść czego, na Boga?

– Twojej... twojej szlachetności.

Wpatrywał się w nią, nie mogąc wydusić słowa.

– Gdybym tylko wiedział – rzekł w końcu.

Przytulił ją do siebie mocno.

– To deprymujące, milordzie. Nie potrafię nawet zdobyć się na udane dramatyczne zejście ze sceny z klasą. Do diaska. Żałuję, że nie udało mi się ubrudzić ziemią wieprzowych sznycli tej okropnej kobiety. Co to takiego te wieprzowe sznycle?

– To plastry mięsa zapiekane z piwoniami i tymiankiem do chwili, kiedy będą przypominały skórę na podeszwie twoich pantofli. To prawdziwe wyzwanie dla zębów. Naprawdę smakowite.

Przytulał ją mocno, nie zważając na piastunkę i dwoje dzieci, które przeszły obok.

– Zatem jestem szlachetny?

– Tak, lecz istotne jest i to, że ja również usiłuję zachować się szlachetnie – spojrzała na jego usta, pochyliła się do przodu i pocałowała go w szyję. – Trudno zachować się szlachetnie, skoro trzymasz mnie tak, jak w tej chwili. Nicholasie, czy przypadkiem nie odczułeś pożądania do mnie po tym tycim pocałunku, jaki złożyłam na twojej szyi?

– Nie, niech cię diabli. To, co czuję, jest nieprzyzwoite. Rozejrzyj się, patrzy na nas dobre pół tuzina ludzi, Rosalindo. Jestem ważną personą. Wracajmy z powrotem do domu.

Odstąpiła od niego na krok.

– No dobrze. Zachowuję teraz pewien dystans i tym samym zyskuję perspektywę. No i proszę, Nicholasie. Ty jesteś szlachetny, ja jestem szlachetna. Nie wyjdę, nie mogę wyjść za ciebie za mąż. Weź to sobie do serca, mówię bardzo poważnie.

– Brzmi to tak, jakbyś recytowała Szekspira.

– No cóż, oczywiście, ponieważ to jemu zawdzięczam moje imię.

– Zastanawiam się – rzekł Nicholas, wznosząc głowę ku niebiosom – czy łatwiej bym to wszystko zrozumiał, waląc głową w tamten mur.

Pochwycił jej dłoń. Pociągnął ją za sobą z powrotem do miejskiej rezydencji Sherbrooke'ów. Nie krzyczała, za co był jej głęboko wdzięczny.

* * *

Douglas Sherbrooke, prezentujący się imponująco w wieczorowym stroju, z gęstą czupryną białych włosów na głowie, przyglądał się dopiero co przybyłemu Nicholasowi Vailowi, hrabiemu Mountjoy. Poczuł nagłe ukłucie trwogi o Rosalindę. Ten młody człowiek był rzeczywiście doskonale oszlifowany, jak twierdził Ryder; był też bezwzględny, jak sam zgadywał.

Obserwował, jak oczy młodego mężczyzny oglądały badawczo salon, nim odnalazły Rosalindę, która siedziała cicho na fotelu. Douglas odniósł wrażenie, że jest blada, znikł gdzieś typowy dla niej radosny temperament. Bladawa, żółtawozielona suknia, jaką miała na sobie, wcale nie poprawiała jej nastroju. Zmarszczył brwi. Któż wybrał dla niej tę suknię?

Ryder przedstawił go Nicholasowi Vailowi.

Młodzieniec ukłonił się i spojrzał mu prosto w oczy. Psiakrew, Nicholas był mroczny, oczy miał czarne jak noc, a jego śniada cera nosiła odcień świadczący o miesiącach spędzonych na morzu.

Nicholas Vail mógłby być moim synem – pomyślał Douglas.

– Milordzie – rzekł Nicholas. – Poznać pana, to dla mnie zaszczyt i przyjemność.

Zanim Douglas zdążył odciągnąć go na stronę do innego salonu, by wydobyć z niego wszystkie grzechy przeszłości, Willicombe wślizgnął się tam i obwieścił, że podano do stołu, zwracając się do hrabiny Northcliffe w pięknej ciemnozielonej kreacji, ze wspaniałymi rudymi lokami na kształtnej głowie (Willicombe miewał czasami wizje głowy hrabiny ogolonej do zera, jak jego własna) oraz do pani Sophie.

– Kucharka prosiła, bym powiadomił państwa, że przygotowała wyborną wołową głowiznę, ozory i móżdżki, na francuską modłę, chociaż na myśl nasuwa się słowo „ohydną", kiedy mówi się o potrawach przygotowanych przez żabojadów.

– Czy jest również coś mniej... dwuznacznego?

– Na całe szczęście tak, *milady*. Nie wolno przeoczyć gotowanego bekonu, przybranego sowicie szpinakiem, ani kompotu z agrestu i kalafiorów w sosie śmietanowym, wszystko, dzięki Bogu, przygotowane na sposób angielski.

– Moje sny się spełniły – oznajmiła Sophie.

– Nie widzę panicza Graysona – zauważył Willicombe.

– Udał się na kolację do swego klubu – wyjaśnił Ryder.

Willicombe ukłonił się i wyszedł z salonu, z głową odchyloną do tyłu, zakładając, słusznie zresztą, że ci wyżej postawieni podążą rychło w ślad za nim, co też uczynili.

– Jest zachwycający – ocenił Nicholas.

– To właśnie on sam powiedział mi, kiedy został naszym kamerdynerem w Londynie – skomentował Douglas.

Alexandra umieściła Nicholasa i Rosalindę naprzeciw siebie po przeciwnych stronach stołu, gdyż panna poprosiła ją o to. Nicholas nie odezwał się ani słowem. Douglas mówił o własnych parach bliźniąt, których doczekali się jego synowie bliźniacy, o tym, że byli kropla w kroplę podobni do swych ojców, więc bardzo przystojni. Gdy rozmowa toczyła się dalej i towarzyszyły jej śmiechy, Rosalinda nałożyła sobie sama danie z dużej cebuli o łagodnym smaku, i jednocześnie zbierała się na odwagę. Czekała, aż wszyscy zostaną obsłużeni i nastąpi przerwa w rozmowie.

Odchrząknęła i obwieściła wszystkim zgromadzonym przy stole:

– Nicholas Vail, lord Mountjoy poprosił mnie o rękę. Zaskoczyło mnie to mnie jak grom z nieba i wyraziłam zgodę. Dopiero później uświadomiłam sobie, że on nie wie, kim jestem czy też kim nie jestem. Ja natomiast zdaję sobie sprawę, że byłby to rażący mezalians. Chcę zatem oświadczyć, iż nie poślubię Nicholasa Vaila, nawet mimo jego uporczywego w tym względzie postanowienia, ponieważ upodobał sobie bardzo moją osobę i mój śpiewny głos i, muszę to wyznać, całowanie mnie sprawia mu przyjemność. Nicholas powołuje się również na przeznaczenie, które nas połączyło, jego zdaniem było to nam pisane, co brzmi bardzo romantycznie, lecz nie ma nic do rzeczy. On jest szlachetny. Ale ja również jestem szlachetna.

Przerwała i nabrała łyżką porcję duszonej hiszpańskiej cebuli, o słodkim smaku, doprawionej szczyptą czarnego pieprzu.

Pełna zaskoczenia cisza trwała może trzy sekundy. Co do Nicholasa, odłożył powoli widelec i uśmiechnął się do niej przez stół.

– Jesteście państwo niewątpliwie zaskoczeni tym, że poprosiłem ją o rękę tak prędko – zwrócił się do Rydera i Sophie. – Być może bardziej jeszcze zaskoczeni faktem, iż wcześniej nie odbyłem rozmowy z wami, *sir*. Przepraszam za to, lecz kiedy mężczyzna spotyka swoją wybrankę, upływ czasu zdaje się nie mieć znaczenia. Chciałem zaczekać na rozmowę z panem, *sir*, by pozwolić panu zyskać więcej czasu na poznanie mnie, być może dokonanie oceny mojej kandydatury, lecz Rosalinda zmieniała reguły gry. Obawiam się, iż muszę to powiedzieć... Ona wcale nie jest szlachetna, jest uparciuchem, jak ujęła to pewna osoba, którą ostatnio poznałem. Nie ma przy tym stole nikogo, kto byłby zdania, że ona nie jest mnie warta, że nie jest warta być małżonką para Anglii. W przeciwnym razie, ośmielam się stwierdzić, pan Ryder Sherbrooke nie uczyniłby jej swą prawną podopieczną i nie przywiózłby jej do Londynu, aby tu zadebiutowała w towarzystwie. Czy mam rację, *sir*?

Ryder był jak rozdarta sosna. Jeśli zaprzeczy słowom Nicholasa Vaila, będzie go miał jak na widelcu. Jeśli natomiast przytaknie, nie będzie w stanie niczemu zaradzić. Nie spuszczał wzroku z oblicza Rosalindy, teraz spłonionego – dlaczego? Ponieważ Nicholas nie ustąpił pola, lecz raczej podjął wyzwanie, odnosząc się do sedna sprawy i czynił to z ogromną biegłością.

– Tak, wierzymy niezbicie, że jest szlachetnie urodzona – odpowiedział powoli, nieświadomie gniotąc w dłoni bułkę podaną do kolacji. – Na dobrą sprawę nie mamy co do tego wątpliwości od czasu, kiedy w końcu otworzyła usta i przemówiła, po sześciu miesiącach od dnia, kiedy ją znalazłem. Wszelako, Nicholasie, nie zdołaliśmy dotrzeć do jej rodziców ani żadnych krewnych. Potem zrezygnowaliśmy z poszukiwań, ponieważ, mówiąc szczerze, ktoś rzeczywiście usiłował zamordować dziecko, my zaś obawialiśmy się, że gdy uda nam się odnaleźć rodziców, ona znowu znajdzie się w niebezpieczeństwie. Nawet dzisiaj, po dziesięciu latach, któż może stwierdzić, że motywy tego czynu nie są wciąż żywe w umyśle tej osoby? Nie, musimy siedzieć cicho i prowadzić poszukiwania dyskretnie, zachowując wiedzę o nich wyłącznie dla siebie.

Ona dalej będzie Rosalindą de La Fontaine do czasu, kiedy odzyska pamięć. Nasz lekarz powątpiewa, że to się zdarzy, biorąc pod uwagę, iż nie przypomniała sobie nic przez wszystkie te lata.

Douglas skoncentrował spojrzenie ciemnych oczu na twarzy Nicholasa Vaila.

– Proszę zrozumieć, milordzie, że jesteśmy teraz jej rodziną i pragniemy zapewnić jej bezpieczeństwo.

– Podobnie jak ja – zadeklarował Nicholas. – Przysięgam to wam wszystkim. Nikt jej nie skrzywdzi, gdy Rosalinda się znajdzie pod moją opieką.

Rosalinda pochyliła się w stronę Nicholasa.

– Posłuchaj mnie. Nie jestem bardziej realna niż Rosalinda – postać z Szekspira. Znalazłam moje imię w komedii *Jak wam się podoba*, lecz bardziej mi się podobał Ganimed – pamiętasz, Rosalinda przebrała się za pasterza i przybrała imię Ganimed – ponieważ sama żyłam w swego rodzaju przebraniu. Lecz wuj Ryder i ciotka Sophie byli zdania, że to imię odrobinę zbyt niekonwencjonalne. Musisz sobie uświadomić, iż mogę być potomkinią Attyli, wodza Hunów, albo Iwana Groźnego. To chyba niepokojąca myśl, zgodzisz się?

Sophie zignorowała ją.

– Kiedy zaczęłaś mówić, Rosalindo, twoja angielszczyzna była mową dobrze urodzonych angielskich panienek. Twój włoski był równie dobry, być może za sprawą włoskiej piastunki albo rodzica-Włocha. Gdzieś kiedyś dybali na ciebie źli ludzie, którzy postrzegali cię jako potencjalne zagrożenie i tym się kierowali. Tyle wiemy na pewno. Nie strój się więc sama w cudze piórka, gdyż będę zmuszona sprawić ci burę.

– A co do twojego śpiewu, moja droga panno – kontynuował Ryder – to guwernant sprowadzony dla ciebie twierdził, iż był to głos szkolony wcześniej co najmniej przez dwa lata. Prawdę mówiąc, nie życzę sobie wiedzieć, kim naprawdę jesteś, gdyż wtedy znów bałbym się o ciebie. Pragnę twego bezpieczeństwa. Naturalnie, omówiliśmy dogłębnie ryzyko, jakie podejmowaliśmy, przywożąc ciebie na sezon towarzyski do Londynu. Któż może zapewnić, że ktoś ciebie nie rozpozna? Przyznaję, że czasami miewam w tej kwestii złe przeczucia, lecz to bez znaczenia. Tak czy owak, o ile nie odzyskasz pamięci, pozostaniesz Rosalindą. Jesteśmy twoją rodziną i kochamy cię.

Rozdział 16

Po kolacji Nicholas zaprowadził Rosalindę do salonu muzycznego, w nadziei na odrobinę prywatności. Przez chwilę mierzyła go wzrokiem.

– Przywykłam do wymyślania historii o tym, kim byli moi rodzice... Carem i carycą Rosji lub walecznymi piratami z Karaibów. W każdej fabule była też złośliwa czarownica, która odczuwała strach przed moją nad wiek rozwiniętą osobą i jednocześnie zazdrość wobec mego niezwykłego uroku i urody.

– Powiedziałaś, że twoja matka także była piratem?

– Och, tak. Świetnie władała kordelasem i nosiła białą koszulę z długimi rękawami. I, rzecz jasna, buty z cholewami do kolan. Ona i mój ojciec siali postrach na całych Karaibach. Tak, tak, zdaję sobie sprawę, że wówczas szanse na to, bym mówiła wytworną angielszczyzną, byłyby znikome.

– Czy w twoich scenariuszach nie ma włoskich hrabiów?

Zmarszczyła brwi.

– Nie, zawsze unikałam wszystkiego, co włoskie. Teraz uważam, że to dziwaczne, nieprawdaż?

Nicholas otworzył usta, zamierzając odpowiedzieć, lecz zamknął je, gdy dosłyszał głos hrabiny idącej ku nim. Prywatna rozmowa, na którą miał nadzieję, dobiegła tym samym końca.

– Ach, najdroższa – rzekła Alexandra, obdarzając ich dwoje promiennym uśmiechem. – Jak to cudownie znaleźć was tu, w salonie muzycznym. Postanowiliśmy wszyscy cię poprosić, żebyś nam zaśpiewała.

Reszta towarzystwa weszła za hrabiną.

Rosalinda chciała pochwycić Nicholasa i odciągnąć go w jakiś ustronny zakątek tego przepastnego domu. Jednocześnie odczuwała chęć wykopania go przez frontowe drzwi. Pragnęła też wymierzyć mu klapsa za to, że traktował jej rodzinę z taką finezją; i pocałować go bezrozumnie za to, że tak sprawnie i gładko zapędził ją w kozi róg.

– To było całkiem przyjemne – ocenił Nicholas. – A teraz siadaj przy fortepianie i zaśpiewaj mi pieśń miłosną. Być może jedną z tych śpiewanych przez Smoki znad Jeziora Sallas.

– Smoki skąd? – zapytała Sophie.

– To nazwa istot z księgi *Reguły Krainy za Ostrokołem*, woluminu, który Grayson kupił na festynie w Hyde Parku.

Rosalinda dostrzegła, że z ust ciotki Sophie zaraz tryśnie potok pytań, pytań, których nie chciała być adresatem, zatem szybko przebiegła palcami po klawiaturze. Zamierzała zaśpiewać jakiś szkocki utwór, przy tym zabawny, bowiem jej szkocki akcent był całkiem wyrazisty. Wszelako z jej ust dobyła się pieśń, która żyła gdzieś głęboko w niej tak długo, jak sięgała pamięcią; pieśń, której nie rozumiała; pieśń, która wzbudzała jednocześnie spokój i zdenerwowanie. Oczywiście, nie pamiętała, jak i kiedy nauczyła się słów i muzyki, lecz wiedziała, że pochodzi z tamtych czasów. Było to dziwne, lecz ona miała wrażenie, jakby ktoś siłą wydobywał z niej te słowa, ona zaś nie miała żadnego wyboru. Zaintonowała.

Marzę o pięknie i niewidzialnej nocy
Marzę o potędze i rozpalonej mocy
Marzę o tym, że nie jestem sama nigdy więcej
Lecz wiem o jego śmierci i jej grzechu brzemiennym.

– Za każdym razem, kiedy słyszę, jak śpiewasz tę piosenkę, Rosalindo, zbiera mi się na płacz. Nicholasie, jeśli nie wiesz, są to pierwsze słowa, jakie wypowiedziała Rosalinda, kiedy w końcu otworzyła usta, w sześć miesięcy po znalezieniu jej przez Rydera.

– Dokładnie rzecz biorąc, nie wypowiedziała ich – sprostował Ryder. – Raczej je zanuciła.

– Nie pamiętasz nic z czasów przed osiągnięciem wieku ośmiu lat, lecz ta pieśń była w tobie. Te słowa są dziwne. *Jego* śmierć – czyja śmierć? I *jej* – kim jest ona? I jaki był jej brzemienny grzech? Odnoszę wrażenie, że te cztery wersy zawierają przesłanki tego, kim i czym byłaś, Rosalindo.

Douglas skinął głową w stronę młodego mężczyzny, przytakując.

– Tak, o tym właśnie wszyscy pomyśleliśmy, ale Rosalinda nie przypomina sobie nic na temat znaczenia tych słów.

Rosalinda unikała myśli o tych osobliwych słowach. Zaczęła grać *reel*, żywy szkocki taniec, mądrą opowieść o nadobnej dziewczynie, która uwielbiała tańczyć dla księcia z zaczarowanej krainy. Wszyscy wybijali stopami rytm na jasnoniebiesko-kremowym dywanie z Aubuson.

Godzinę później Rosalinda odprowadzała Nicholasa do drzwi frontowych po miłej herbacie,

Willicombe dyskretnie odchrząkując, podążał w ślad za nimi, w odległości dwóch metrów.

– Wiedz, że wuj Ryder stoi o niecałe cztery metry, z tyłu za drzwiami salonu, zawsze czujny. Sądzę, że Willicombe stanowi jego przednią straż.

Spojrzał w jej nieskończenie błękitne oczy.

– Nie wątpię, że będę postępował dokładnie tak samo, kiedy nasza córka będzie w twoim wieku.

Przycisnęła dłonie do policzków.

– Och, mój drogi, to wywołuje w mej wyobraźni bardzo wyraźny obraz. Ale, Nicholasie, ja mam dopiero osiemnaście lat.

– Wiem – odparł i uśmiechnął się do niej, potem ujął lekko własną dłonią jej policzek. – Pomyśl tylko o całym tym czasie, jaki ty i ja spędzimy razem, żeby tak mogło się stać. Czy wyjdziesz za mnie, Rosalindo? Czy pozwolisz mi zostać twoim Orlandem?

– Mężczyzna, który zna Szekspira. To potężna pokusa, Nicholasie, ale...

– Być może to ja nie jestem ciebie godzien. Spójrz na mnie, kupca z Makau, hrabiego przez przypadek, znienawidzonego przez własnego ojca. W żadnej mierze nie jestem ciebie godzien.

Przygryzła dolną wargę. W końcu uniosła oblicze ku jego twarzy.

– Być może nie utracę całej mej szlachetności, jeśli wyjdę za ciebie za mąż.

– Nie stracisz ani krztyny. W rzeczy samej nawet zyskasz.

– Bardzo dobrze, w takim razie nadeszła pora, żebyś porozmawiał z wujem Ryderem.

Nicholas podniósł głowę i skinął najpierw do Willicombe'a, potem do Rydera Sherbrooke'a, który wciąż stał w drzwiach frontowych salonu, z rękoma skrzyżowanymi na piersiach.

– Przepraszam cię, Rosalindo.

Patrzyła, jak Nicholas idzie z powrotem w kierunku jej wuja i mówi coś do niego po cichu. Potem młodzieniec wrócił do niej, pogłaskał ją lekko po policzku i wyszedł.

Ryder tylko skinął ku niej głową i wszedł z powrotem do salonu, gdzie, jak wiedziała, czekał wuj Douglas.

Rozdział 17

Następnego popołudnia Nicholas wyłonił się z salonu Sherbrooke'ów z zamyśloną miną.

– Najwyższy czas, żebyś się pojawił – rzekł Grayson, kiedy Nicholas wszedł do gabinetu. – Rosalinda nie mogła zacząć tłumaczenia *Reguł*, póki cię nie było.

Nicholas skinął głową w stronę Rosalindy, uśmiechając się spontanicznie na jej widok. Dobrze, pomyślała, stało się. Poślubi Nicholasa Vaila, człowieka, którego w ogóle nie znała. Miała nadzieję, że zyska pięćdziesiąt lat na poznanie wszystkich jego wad i złych nawyków. Ciotka Sophie powiedziała jej kiedyś, że wuj Ryder każdej wiosny występował z nowym zestawem przywar, zaś wytępienie z kretesem ich wszystkich wymagało nie lada pomysłowości. Rosalinda uśmiechała się; kiedy opuściła wzrok na wiekową księgę i zaczęła czytać:

– Stała się rzecz najbardziej zdumiewająca. Smoki znad Jeziora Sallas zaśpiewały mi, że wierzą, iż jestem gotów dołączyć do grona czarnoksiężników. Ponieważ Smoki potrafią czytać w ludzkich myślach, śpiewały mi, że czarnoksiężnicy są ludźmi jak ja, którzy utrzymują równowagę między różnymi światami powiąza-

nymi z Krainą za Ostrokołem. Ludzie ci, śpiewały Smoki znad Jeziora Sallas, byli jedynie czarnoksiężnikami, nie bogami. Jeden ze Smoków wyjawił mi, że ma na imię Taranis. Całkiem szybko przypomniałem sobie, że Taranis był celtyckim bogiem władającym gromami. Gromowładny bóg Celtów oraz Smok znad Jeziora Sallas, który także był bogiem, obaj nosili to samo imię?

Taranis kazał mi usiąść między jego wielkimi łuskami i mocno się trzymać. Po raz pierwszy zobaczyłem Krainę za Ostrokołem z góry, gdzie chmury koloru bakłażana sunęły po niebie niczym wielkie fale. Taranis leciał, zda się, bez końca, jego potężne skrzydła uderzały w nieruchome powietrze niemal bezgłośnie. Spoglądałem na dół i widziałem liczne rzeki i jeziora, wszystkie cienkie jak nitki, lecz nigdy się niekończące i tak błękitne, że wyglądały jak naprężone żyły na rękach i ramionach mężczyzny. Lecz krew w żyłach zmroziła mi forteca z czarnego kamienia, jaką dojrzałem na szczycie ogromnej góry.

Taranis śpiewał mi, że była to duma czarnoksiężników, że trwoga, jaką wzbudzała, pomagała im utrzymać władzę, którą dzierżyli. Twierdzę czarnoksiężników, złowieszczą niczym czarny sęp na szczycie Góry Olyvan, nazywano Krwawą Skałą. Widziałem przyczynę tej nazwy. Smugi krwi biegły serpentynami w dół czarnej skały, niczym rzeki na płaskiej ziemi poniżej. Smugi te były tak czerwone, jak dopiero co rozlana krew.

Powitał nas młody człowiek, który pozdrowił Taranisa z wielkim szacunkiem, nieomal z czcią, pomyślałem, i ukłonił się nisko przede mną. Powiedział mi, że ma na imię Belenus – przypominałem sobie, że Belenus był celtyckim bogiem uprawy roli, który był także źródłem życiowej siły i przyniósł uzdrawiającą siłę Słońca Ziemi i człowiekowi. Rzymianie dali mu imię Apollo Belenus oraz nazwali od jego imienia pierwsze wielkie święto w maju, Beltane. Kolejny celtycki bóg? Kiedy Taranis opuścił nas, Belenus zaprosił mnie do niewielkiej komnaty, w której wisiały przebogate szkarłatne kobierce i podał mi brązowy puchar z herbatą witmas. Miała smak truskawek wymieszanych z czosnkiem.

Belenus nosił długą rudą brodę, która zakrywała jego twarz, odsłaniając jedynie jasne, niebieskie oczy, błyskające spod jeszcze bardziej ognistych, rudych włosów. Miał duże, kwadratowe zęby i wydawał się stawać coraz młodszy, nawet kiedy z nim rozmawiałem i piłem herbatę witmas. Wypiłem moc tego napoju w czasie, który spędziliśmy wspólnie, a smak zmieniał się z każdym łykiem, od truskawek zmieszanych z czosnkiem, przez cierpką, zieloną herbatę, po rodzaj rosołu z wołowiny. Jestem czarnoksiężnikiem, pomyślałem, zatem podjąłem próbę zmiany smaku herbaty witmas, lecz skończyło się na tym, że miała posmak ohydnego, czarnego błota. Było to bardzo poniżające, lecz Belenus tylko się roześmiał.

Tego dnia spotkałem też inną osobę, imieniem Epona. Nie była czarnoksiężniczką, lecz czarownicą, którą Celtowie znali jako boginię koni, co wzięło się z tego, iż jej ojciec nienawidził kobiet i parował się z klaczami. Była sym-

bolem, co wiedziałem, piękna, szybkości, męstwa oraz seksualnej jurności. Na całe szczęście odziedziczyła po ojcu jego twarz, pomyślałem, ponieważ oblicze jej matki z pewnością nie zapewniłoby takiego samego efektu. Rzymianie, co naturalne, zaadaptowali ją oraz święto ku jej czci, które odbywa się rok po roku w grudniu. To osobliwe, że stała się w pełni człowiekiem, chociaż jej matka była koniem. Co do seksualnego wigoru, w tamtym momencie nigdy bym nie przypuszczał, co się jeszcze stanie z udziałem czarownicy Epony.

Belenus powiedział mi, że inni czarodzieje pragnęli, bym do nich dołączył. Wiedziałem dobrze, że jeśli z nimi nie pozostanę, być może moja krew zasili mokre smugi na murach fortecy. Tak więc pozostałem tam blisko rok. Lecz pewnego ranka pomyślałem, że pragnę opuścić Krwawą Skałę, gdzie zdawałem się o wszystkim zapomnieć, o czym mi powiedziano, z pewnością z powodu zaklęcia, jakie na mnie rzucili. Wkrótce, kiedy stałem na szańcach, wygłodniałym wzrokiem wypatrując horyzontu przez chmury barwy bakłażana, dojrzałem Taranisa, który przyleciał do Krwawej Skały, by mnie stąd zabrać.

„Dlatego właśnie tak niewiele pamiętasz", zaśpiewał mi Taranis. „Wiedzieli, że nie zechcesz pozostać z nimi. Miałem nadzieję, że pozostaniesz, bowiem wszystkie smoki martwią się o przyszłość z powodu tej nikczemnej bandy czarnoksiężników tam na górze".

W niektóre dni przypominałem sobie, że czarnoksiężnicy nadali mi imię Lugh, wymawiane jak „Loo", co w mowie Celtów znaczy

„lśniący bóg", który był dziarskim wojownikiem, magiem i rzemieślnikiem. Imię to miało bardzo dużą rangę – Rzymianie zlatynizowali je do postaci Londinium, która później przemieniła się w Londyn.

Rosalinda przerwała lekturę i napiła się trochę wody.

– Celtowie? To bardzo osobliwe. Skąd wzięli się bogowie Celtów w Krainie za Ostrokołem?

– Dlaczegóżby nie? – odparł Grayson. – Jeśli są tam Tibery, z pewnością możemy zaakceptować celtyckich bogów.

Wzruszył ramionami.

– Wciąż nie dowiedzieliśmy się niczego przydatnego, ale powiedziałbym, że jest to przejmująca opowieść. Oczyma wyobraźni widzę bardzo wyraźnie tę warownię zwaną Krwawą Skałą.

– Uważasz, że są to zmyślenia, zrodzone w umyśle Sarimunda? – zapytał Nicholas.

Grayson wzruszył ramionami.

– Gdyby nie splot osobliwych okoliczności związanych z odnalezieniem przeze mnie tej księgi, z miejsca odpowiedziałbym, że tak. Lecz wydarzyły się rzeczy dziwne, nawet bardziej niż dziwne, naprawdę. Rzeczy magiczne. Przyznaję, że mi się to podoba, jak podobałaby mi się każda dobra opowieść.

Nicholas wstał i zaczął chodzić tam i z powrotem po pomieszczeniu, zatrzymując się to tu, to ówdzie, by wziąć poduszkę lub filiżankę z herbatą albo księgę ze stołu.

– Wcale mi się to nie podoba – oznajmił. – Można odnieść wrażenie, że Sarimund bawi się z nami, być może nawet drwi z nas. Może również ta

Krwawa Skała jest czymś, co stworzył, żeby zabić nudę pobytu w krainie Bulgar.

– Zostało jeszcze kilka stron. Czy mam je dokończyć dzisiaj? – zapytała Rosalinda.

Grayson popatrzył na zegarek i wstał.

– Skończmy jutro. Muszę wyjść. Mam umówione spotkanie.

– Aha – skomentowała Rosalinda, uśmiechając się do niego bezwstydnie. – Umówione spotkanie ze śliczną Lorelei? Czy jej ojciec będzie wisiał przez cały czas na twoim ramieniu? Być może jej cztery siostry będą chichotały za twoimi plecami?

– Nie należę do tych, którzy gorszą własnych rodziców. Spójrzcie na was oboje – zaręczeni! Powiadam ci, Rosalindo, flaki mi się przewracają, gdy pomyślę o tobie jako o osobie zamężnej; jeszcze dwa tygodnie temu nosiłaś warkocze, przysiągłbym. Nicholasie, opowiem ci o jej dzieciństwie. Doprowadzała moich rodziców oraz Jane – Jane to ochmistrzyni Brandon House – do szału. Tak, matka miała rację, jesteś diabelskim pomiotem, Rosalindo.

Nicholas usiadł w fotelu, wyciągnął przed siebie długie nogi i skrzyżował ręce na brzuchu.

– Opowiedz mi o jakiejś niecnej psocie, której dopuściła się ta mała diablica, Graysonie – tylko o jednej, ponieważ nie zamierzam stracić złudzeń.

Grayson przybrał pozę pełną zamyślenia.

– Kiedy miała czternaście lat, postanowiła odwiedzić cygański obóz, który rozbił się we wschodnim krańcu łanów zboża należących do mojego ojca. Odmówiłem pójścia razem z nią, a ponieważ bała się pójść tam sama, pewnego wieczoru zabrała ze sobą do obozowiska z tuzin dzieci. Wszystkie miały chustki na głowach, grały na dzwonkach i cymbałkach oraz stukały patykami w butelki i gwizdały. Cyganie byli zaskoczeni i rozbawieni i, na całe szczęście, powitali je radośnie.

Mój ojciec był jeszcze bardziej zdumiony, kiedy gdzieś około północy u naszych drzwi pojawiło się kilku Cyganów, którzy przyprowadzili ze sobą dzieci. Wszystkie piły jakiś cygański poncz, który podała im Rosalinda. Dzieciaki porządnie się struły i przechorowały resztę nocy. O ile sobie przypominam, ojciec sprawił ci wtedy solidną burę, jeden jedyny raz, jak sięgam pamięcią.

– Tak, sprawił, ale to było niesprawiedliwe. Tyle było innych okazji, kiedy bura mi się należała, lecz nie tamtym razem. Chciałam, żebyśmy mieli wspaniałą lekcję, żebyśmy, być może, zaśpiewali piosenki razem z Cyganami, nauczyli się ich tańców, wiesz, kręcenia piruetów wokół wielkiego ogniska, z rozkloszowanymi spódnicami. Potem zobaczyłam, jak mała Cyganka pije poncz z dużej beczki. Kiedy jej powiedziałam, że chce nam się pić, dała ponczu nam wszystkim. Skąd miałam wiedzieć, że się nim strujemy?

– Ty również się strułaś, Rosalindo?

– Nie, była jedyną – odpowiedział Grayson – która się wtedy nie rozchorowała. Jestem pewien, że wcale tego nie piła. Nie piłaś, prawda, Rosalindo?

– Nieprawda. Wypiłam co najmniej trzy kubki i wyśmienicie smakowały. Nie wiem, dlaczego się nie pochorowałam.

Zdawała sobie sprawę, że zamyślony Nicholas mierzy ją wzrokiem. Było w tym spojrzeniu jakieś wyrachowanie, co do tego miała pewność, lecz cóż miało ono znaczyć?

Rozdział 18

Wtorkowym popołudniem Nicholas, Rosalinda oraz Grayson siedzieli w niewielkim apartamencie Nicholasa w Hotelu Grillon. Taca z filiżankami herbaty znajdowała się obok łokcia Rosalindy. Herbatę przyniósł Lee Po, człowiek Nicholasa do wszelkich poruczeń. Obaj mężczyźni rozmawiali cicho w języku zwanym, jak wyjawił im Nicholas, mandaryńskim dialektem języka chińskiego. Kiedy Lee Po ukłonił się, wychodząc, Grayson powiedział, iż nigdy nie słyszał podobnych dźwięków wydobywających się z ludzkiego gardła.

Nicholas się roześmiał.

– Lee Po powiada to samo o języku angielskim, chociaż mówi królewską angielszczyzną, niczym mały wzrostem absolwent szkoły w Eton. – Wzruszył ramionami. – Ponieważ żyłem i handlowałem w Makau, koniecznością było nauczenie się języka mandaryńskiego. Lee Po regularnie mnie koryguje. Aczkolwiek ja nie jestem w stanie korygować jego angielszczyzny.

Teraz zaśmiała się Rosalinda.

– Powiedział mi, że żadna cywilizowana mowa nie powinna brzmieć jak rąbanie nożem bryły lodu.

– Gdzie nauczył się angielskiego? – chciał wiedzieć Grayson.

– Był ożeniony z Angielką, przez dziesięć lat, jak mi powiedział, zanim umarła, rodząc ich jedyne dziecko. Była misjonarką i nauczycielką.

– Jakie to smutne – zauważyła Rosalinda. – Dlaczego jest tak bezgranicznie lojalny wobec ciebie?

Nicholas spojrzał w dal, dostrzegając coś, czego ani Grayson, ani Rosalinda nie mogli dojrzeć.

– Ocaliłem mu życie, kiedy portugalski gubernator chciał go powiesić.

Rosalinda zmierzyła go przenikliwym wzrokiem.

– Jak przekonałeś portugalskiego gubernatora?

Uśmiechnął się do niej.

– Powiedziałem mu jedynie, co się stanie, jeśli podejmie ponownie próbę zgładzenia kogoś w ten sposób.

– Lee Po patrzył na mnie raczej znacząco – rzekła z namysłem Rosalinda. – Czy to oznacza, iż on wie o naszym ślubie?

Nicholas przytaknął.

– Nadeszła pora, by się przekonać, czy mój język potrafi generować te dziwaczne dźwięki. Jak mówisz do niego „dziękuję"?

– *Shesh shesh*, tak się to wymawia.

Rosalinda powtórzyła to parokrotnie.

– *Shesh shesh*, Lee Po!

Usłyszała, jak Chińczyk coś mruczy i uśmiecha się do Nicholasa.

– Co on powiedział?

– Powiedział, że jesteś mile widziana, rudowłosa pani, już wkrótce jej lordowska mość u boku jego lordowskiej mości.

– Zmyśliłeś to!

Obdarował ją namiętnym uśmiechem, który sprawił, że nogi się pod nią ugięły.

– Czy Lee Po wie o księdze?

Nicholas skinął głową.

– Jestem przekonany, że Lee Po wie niemal o wszystkim, co wiąże się z moją osobą.

– Skoro już mówimy o księdze... – rzekła Rosalinda i otworzyła wolumin *Reguły Krainy za Ostrokołem*. – Nie zostało nam wiele czasu. Za dwie godziny muszę się udać na przymiarkę sukni ślubnej. Sądzę jednak, że zdążymy przeczytać wszystko do końca.

– Lorelei powiedziała mi, że będzie ci towarzyszyć. Pomogła nawet wybrać fason.

– Ona po prostu się zgodziła – z nieskrywanym entuzjazmem – ze wszystkim, co powiedział wuj Douglas. Miałam kilka pomysłów, ale czy sądzisz, że ktoś mnie wysłuchał?

Nicholas się roześmiał.

– Twój wuj Douglas powiedział mi, że masz fatalny gust co do strojów, Rosalindo, i z tego powodu właśnie wybrał niemal wszystkie twoje ubiory na sezon. Potem zapytał mnie o mój gust. Powiedziałem mu, że nigdy nie wybierałem damskich strojów i dlatego nie wiem, czy jestem obdarzony tym specjalnym talentem. Jednakowoż poinformowałem go, że Lee Po zapewnił mnie o moim bardzo wykwintnym smaku, zatem przekonamy się. Mam bowiem dla ciebie nowinę, Rosalindo.

Murknęła coś pod nosem, lecz nie dostatecznie cicho.

– Oto jestem dorosłą kobietą z wyszukanym gustem, powiadam ci, a jednak to dżentelmen ma ostatnie słowo w kwestii tego, w co się ubieram. To niesprawiedliwe. A ty, tu i teraz, stwierdzasz, że Lee Po oddaje hołd twemu gustowi.

– Rozumiem. Zgoda, powiedziałem, że mam dla ciebie nowinę, przy okazji dygresji na temat smaku, w rzeczy samej – odparł, widząc jej uniesione w zdumieniu brwi. – Mam ci towarzyszyć w eskapadzie do salonu madame Fouquet. Twój wuj zamierza wystawić mnie na próbę.

Grayson wybuchnął śmiechem.

– Wystawić na próbę? Ach, a ty, Rosalindo, pozwolisz Nicholasowi, żeby zdjął z ciebie miarę?

Lecz Rosalinda przyglądała mu się bacznie, stukając palcami w podbródek.

– Obawiam się, iż przekonamy się dzisiaj, Graysonie, że jego lordowska mość jest lizusem.

Grayson zaśmiał się i pokręcił głową.

– Wuj Douglas nie lubi wazeliniarstwa. Wystarczy, że zgodzisz się z nim dwa lub trzy razy, Nicholasie, nie więcej, inaczej przekreśli cię na amen. Ale teraz musimy dokończyć lekturę *Reguł*. Miejmy nadzieję, iż Sarimund zgotuje nam coś więcej niż tylko zgrabne zakończenie swej opowieści.

Usłyszeli, jak ktoś zamyka drzwi frontowe apartamentu.

– Dokąd wybiera się Lee Po?

– Zamierza odwiedzić aptekę w Spitalfields, na moją prośbę.

– Czego dotyczy ta prośba? – zapytała Rosalinda. – Chyba nie jesteś chory?

– Nie przejmuj się. Czytaj.

Rosalinda spojrzała na niego, marszcząc brwi, jednocześnie ostrożnie otwierając księgę. Odchrząknęła i zaczęła czytać:

– Uświadomiłem sobie, iż tu, w Krainie za Ostrokołem, nie dysponowałem pełnią czarodziejskich władz, rzuciłem więc urok na czerwonego Lasisa. Ku mojemu zaskoczeniu zwrócił się do mnie wielkimi oczyma, rozmarzonymi

i słodkimi oraz raczej piskliwym głosem. Czerwony Lasis miał na imię Bifrost i był najstarszym czerwonym Lasisem w Krainie za Ostrokołem. Czekał na mnie przez bardzo długi czas, by ze mną porozmawiać, ponieważ, co oczywiste, czerwony Lasis nigdy nie przemawia pierwszy. Uważano to za brak ogłady. Powiedział mi, że jestem potężnym czarnoksiężnikiem, mimo faktu, iż pozwoliłem tym tępym czarownikom i czarownicom z Krwawej Skały otumanić mój umysł niczym pustą tykwę. Zaśpiewał mi, że nadeszła pora, bym odszedł stąd, że pozostawiłem nasienie w ciele Epony i to był główny powód, dla którego życzyli sobie, bym się tutaj pojawił. I dobrze się stało, śpiewał mi.

Pozostawiłem nasienie? Dostrzegł we mnie zarówno przerażenie, jak i niedowierzanie, chociaż kłębiły się we mnie jakieś zatarte wspomnienia, wspomnienia, o których zapomniałem, gwoli prawdy. Powiedział mi, że herbata, jaką podawali mi, sprawiła, iż najważniejsza część mnie stała się bezpiecznie pozbawiona czucia. Było przepowiedziane, śpiewał czerwony Lasis swoim upojnym, jasnym głosem, że Epona powije czarodzieja, który będzie największym spośród wszystkich znanych czarnoksiężników i będzie władał Krainą za Ostrokołem do czasu, gdy Góra Olyvan obróci się w perzynę.

Miałem doczekać się syna – lecz nigdy nie było mi dane go ujrzeć. Wiedziałem, że to zrani mnie głęboko, lecz dopiero później, kiedy dotrze do mej duszy ta prawda. Oznajmiłem Bifrostowi, iż jestem gotów odejść, ale przede wszystkim nie wiem, jak tu dotarłem. Pamiętałem tylko, że się przebudziłem i już tu byłem, lecz nie mam pojęcia, gdzie znajdują się wrota – czy cokolwiek to było, co przywiodło mnie tutaj – żebym mógł stąd się wydostać. Zaśmiał się, śpiewając, co brzmiało przyjemnie dla ucha. Potem zaśpiewał, że Smoki znad Jeziora Sallas przyprowadziły mnie do Krainy za Ostrokołem, że ich zdaniem w ten sposób nowi bracia zdołają zająć miejsce tego gniazda żmij pełnego czarnoksiężników i czarownic na Górze Olyvan. Śpiewał też, że jednak nie chce tu mnie, że za bardzo byłem sobą, lecz mój syn się nada, syn, którego nigdy nie poznam. Bifrost śpiewał mi, że dopilnuje, by mój syn dowiedział się o mnie. Potem Bifrost śpiewał o tym, że pokaże mi, jak mam stąd odejść. Widziałem, jak sprowadza w pułapkę Tibera i zabija go ognistą włócznią, wbijając ją w jego wielki kark, a potem zasiada żarliwie do uczty. Potem zostawił mnie. Czułem się porzucony. Nie rozumiałem Bifrosta ani niczego innego w tej cudacznej krainie. I pozostawiałem tutaj syna.

Kiedy w końcu zasnąłem pod kolczastym, pochylonym drzewem, przyśniło mi się, że znalazłem się na pustyni pośród gwałtownej burzy, piasek uderzał jak bicze ze wszystkich stron, oślepiając mnie i dusząc. Nie było dokąd uciec i wiedziałem, że moja godzina wybiła. Wtedy burza ustała i zobaczyłem, że znów jestem w krainie Bulgar. Czułem się cudownie. Nie miałem pojęcia, co uczynił Bifrost, lecz wiedziałem, że była to magia, pradawna magia z osobliwych zaświatów. A Rennat, Tytularny Czarnoksiężnik Wschodu, był tam i stał nade mną, i uprzejmie zapytał mnie, czy dobrze spa-

łem minionej nocy, ja zaś przytaknąłem. Minionej nocy? Stwierdził wtedy, że nawet jedna noc spędzona z dala od wszystkich innych siwobrodych czarnoksiężników była ukojeniem dla duszy. Tylko jedna noc?

Czy Kraina za Ostrokołem była tylko i wyłącznie snem? Czy oznaczało to, że nie mam syna? Że w rzeczywistości nie wydarzyło się nic, że moja bytność w Krainie za Ostrokołem była jedynie wytworem mej rozgorączkowanej fantazji? Nikomu o tym nie powiedziałem. Cóż miałbym powiedzieć?

Następnego dnia, kiedy zażywałem kąpieli, dostrzegłem na mojej nodze zabliźnione rany po pazurach Tibera i wiedziałem, że Kraina za Ostrokołem jest realna i że, i że... jak miałem wierzyć w miejsce, które wydawało się istnieć w innym świecie, być może nawet w innym czasie?

Rosalinda odwróciła stronicę. Nagle przestała czytać na głos. Wpatrywała się w księgę, odwróciła kolejną stronę, bacznie ją studiowała, potem przewróciła kolejną i jeszcze jedną. Na koniec zamknęła księgę i przez chwilę przyciskała ją mocno do siebie. Usłyszała uderzenia własnego serca spowodowane trwogą, która ją ogarnęła.

– Rosalindo, co się dzieje? – zapytał Nicholas.

– To nie koniec tekstu – odpowiedziała, starając się uspokoić oddech. – Jeszcze jakieś sześć stron. Jednak nie jestem w stanie przeczytać żadnej z nich.

Nicholas wbił w nią wzrok.

– Nie, to niemożliwe, musisz potrafić to przeczytać.

– Przykro mi, milordzie, lecz ja również nie potrafię znaleźć w tym sensu. Wydaje się, że tekst jest napisany tym samym szyfrem, lecz umyka mi znaczenie słów.

Grayson uderzył się pięścią w udo.

– Jaką grę rozgrywa Sarimund?

Wziął księgę od Rosalindy i otworzył ją na końcowych sześciu stronach. Potem wrócił na początek księgi i porównał strony. Uniósł głowę.

– Ona ma rację, wyglądają dokładnie tak samo, ale... Czy rzeczywiście nie potrafisz złożyć z tego słów z sensem, Rosalindo?

Zaprzeczyła ruchem głowy.

– To raczej przerażające – odezwała się w końcu. – To budzi trwogę, jeśli jest się w stanie z taką łatwością przeczytać niemal cały tekst, a potem nagle ta zdolność znika... to przeraża mnie bardziej, jak sądzę. To tak, jakby działała we mnie jakaś magia, która teraz zanikła. Nicholasie, dlaczego nie popatrzysz na końcowe strony. Zobacz, może jesteś w stanie je rozczytać.

Wziął księgę i delikatnie odwracał każdą z końcowych stron, analizując każdą z nich przez dłuższy czas. Jego usta poruszały się, lecz nie dobiegały z nich żadne słowa. W końcu podniósł wzrok.

– Przykro mi, tekst jest taki, jak na początku, jak dla mnie nic poza ciągiem liter pomieszanych bez ładu i składu.

Grayson osobiście również musiał spojrzeć analitycznie na księgę, porównując ostatnie strony z wszystkimi pozostałymi.

– Nic – wydusił z siebie ostatecznie.

Zaklął, co zaskoczyło Rosalindę, ponieważ, podobnie jak u jego ojca, było to rzadką rzeczą.

– Wybaczcie mi – zmitygował się – ale nie potrafię dłużej ścierpieć tego typu rzeczy.

– Czy jednak nie byłoby warto udać się do krainy Bulgar i przekonać się, czy Smoki znad Jeziora Sallas nie przeniosłyby nas w tamto magiczne miejsce. Zastanawiam się, kto nadał tej krainie nazwę Krainy za Ostrokołem i dlaczego? *Ostrokół* to jedynie bariera, koniec końców, która chroni tych w jej wnętrzu. Skąd więc ta nazwa. – Westchnęła. – Z ogromną ochotą spotkałabym się z synem Sarimunda w twierdzy Krwawa Skała.

– Zastanawiam się, czy ten syn wciąż jeszcze żyje – podsunął Grayson. – Jakkolwiek by było, Sarimund napisał to w szesnastym stuleciu.

– Epona, jego matka – rzekł bez pośpiechu Nicholas – jeśli jest w rzeczywistości celtycką boginią, byłaby teraz w bardzo podeszłym wieku. Nieśmiertelna, powiedziałbym.

Wszyscy popatrzyli na siebie nawzajem.

– Nie chciałabym wdać się w konflikt z Tiberem – orzekła Rosalinda. – Zdajecie sobie zapewne sprawę, że tam wcale nie ma reguł, to jedynie cholerny tytuł. Jakiż zatem miało cel naprowadzenie ciebie, Graysonie, na kupno tej księgi? I kto pociąga za sznurki?

– To nie było przeznaczone dla mnie, lecz dla ciebie, Rosalindo – wyprowadził ją z błędu Grayson. – W końcu jesteś jedyną osobą, która potrafi przeczytać ten tekst i robi to z łatwością. Oprócz końcowych stron.

– W takim razie dlaczego to nie ja zostałam skierowana do stoiska z książkami zamiast ciebie, Graysonie?

Grayson spojrzał na Nicholasa, który zapisywał coś w małym notatniku w granatowej oprawie, którego Rosalinda wcześniej nie widziała.

– Być może Grayson odgrywa rolę pośrednika – wysunął przypuszczenie Nicholas.

Zapadła chwila ciszy pełnej zakłopotania.

– Co masz na myśli, mówiąc, że odgrywam rolę pośrednika? – zapytał Grayson.

Nicholas wzruszył ramionami.

– Jesteś zapewne iskrą, która puściła to wszystko w ruch. Ach, któż to wie? Rosalinda przynajmniej zdołała przeczytać prawie cały tekst. Zastanawiam się, dlaczego nie jest w stanie rozczytać ostatnich stron. Być może masz rację, Graysonie, być może oznacza to tylko, że miała to być jedynie opowieść, która dostarcza rozrywki. Ale dość na dzisiaj. Rosalindo, jesteś gotowa udać się do madame Fouquet na spotkanie z wujem Douglasem?

– Żeby wystawić na próbę twój dobry gust? Będziesz mu się podlizywał, Nicholasie?

– Będziemy musieli się przekonać, nieprawdaż?

– Ja – rzekł Grayson, wstając – postanowiłem, że Lorelei nie będzie ci niezbędna podczas przymiarki. Zabieram ją na spacer do parku.

Rozdział 19

Kiedy Grayson wyszedł, Nicholas wstał i do niej podszedł.

– Być może w przyszłości okażę się dla ciebie bardzo przydatny, to znaczy, jeżeli przejdę przez próbę, jaką przygotował jego lordowska mość.

Przyszłość... – pomyślała Rosalinda, kiedy wychodziła u jego boku z hotelu Grillon.

Spojrzała na jego profil. Miał poważną i zatroskaną minę. Nie mogła tego ścierpieć. On jest moją przyszłością, pomyślała. Gdy już będzie mój, nie pozwolę mu odejść ode mnie.

Kiedy już siedziała w powozie, z długą zieloną suknią starannie ułożoną wokół jej kostek, znów pomyślała: On jest moją przyszłością.

Lecz jaka miała być ta przyszłość?

Rosalinda nigdy nie myślała o przyszłości, pominąwszy wątek idealnego, baśniowego zakończenia. Jakimże głupcem była. Nic nigdy nie było idealne. Mogło wydarzyć się tak wiele złych rzeczy, wydarzyło się przecież. Wystarczyło przyjrzeć się jej samej. Co sądzili jej rodzice? Czy darzyli ją miłością? Czy jej szukali? Czy pogrążyli się w żałobie po niej?

Westchnęła. Zadawała sobie te pytania dziesiątki razy. Pragnęła mieć dłuższą przeszłość nie te marne dziesięć lat. Jedynie duchy znały pierwszych osiem lat jej życia. Duchy, pomyślała, te mgliste wspomnienia, które gromadziły się wokół niej w chwilach spokoju, wspomnienia i twarze, których nigdy nie mogła pochwycić.

A teraz przyszłość jawiła się przed nią z tym mężczyzną u jej boku, przyszłość całkowicie niezapisana, którą należało wypełnić treścią. Poczuła dreszcz niepewności. Nie, to był absurd, ona była absurdem. Na Boga, za chwilę miał zostać poddany próbie. Takiemu mężczyźnie nie można było przypisać żadnego ciężkiego grzechu. Ale przecież były brakujące lata w jego życiorysie. Wiedziała tylko to, co uczynił dwunastoletni chłopiec, by przetrwać. Potem było Makau – jakiego pokroju ludzie żyli w miejscu, o którym słyszeli zaledwie nieliczni? Który Anglik mówił językiem mandaryńskim? Czy w Makau mężczyźni miewali haremy? Nie, tam mieszkali Portugalczycy, wszyscy byli katolikami.

Nagle uświadomiła sobie, że on spogląda na nią badawczo.

– Nicholasie, czy jesteś członkiem Kościoła anglikańskiego?

– Zakładam, że jest równie dobry, jak każdy inny – odparł.

– Proszę, odpowiedz. Czy jesteś człowiekiem wierzącym?

– Zakładam, że jestem. Za chłopięcych lat spędzonych z dziadkiem w niedziele chadzałem do wiejskiego kościoła, lecz po wyjeździe z Anglii... cóż, jeśli mam być szczery, przetrwanie było bardziej istotne od chodzenia do kościoła, przynajmniej do czasu, kiedy zdołałem dotrzeć do Portugalii. Skłaniam się w stronę katolicyzmu – powtarzanie ceremoniałów, melodia łaciny... Lecz nie jest to głęboka wiara. A ty, Rosalindo, jakiego jesteś wyznania?

– Przez kilka lat byłam jedną z ulubionych parafianek miejscowego wikarego, ponieważ organizowałam festyny i zbierałam odzież dla ubogich rodzin. A wcześniej, zanim trafiłam do Brandon House? – Wzruszyła ramionami. – Nie mam pojęcia. Lecz czasami nachodzą mnie uczucia, uczucia odnośnie do Boga, lecz ów Bóg nie do końca przypomina Boga z Kościoła anglikańskiego.

– Przypuszczalnie oznacza to, że zostałaś wychowana w innej religii, zanim ktoś podjął próbę zgładzenia cię z tego świata. Jeśli jesteś Włoszką, znaczyłoby to, że prawdopodobnie byłaś katoliczką.

Powiedział to ze spokojem. Beznamiętnie. Ktoś usiłował ją zamordować, ona zaś była tylko dzieckiem. To dziwne, sama także odczuwała w tej kwestii raczej obojętność, ponieważ nigdy nie było jej dane stać się częścią tego, czym się stała.

– Kiedy wuj Ryder przywiózł mnie po raz pierwszy do Brandon House, wiedziałam, że ten potwór jest gdzieś blisko, zwłaszcza nocami. I wiedziałam, że zabiłby mnie i pożarł w całości. Pamiętam, że Jane pozwoliła mi spać z małą Amy. Jak twierdziła: żeby ją chronić przed sennymi koszmarami. Amy była cudowną, małą dziewczynką, która chciała projektować i szyć damskie czepki, kiedy dorośnie. Pamiętam, jak pewnej niedzieli ciotka Sophie założyła jedno z pierwszych dzieł Amy, idąc do kościoła. Kiść winogron zwisała jej z czoła, lecz ani na moment nie zdjęła czepka z głowy.

– To ona chroniła ciebie?

– Jane była bardzo sprytna. Szybko zapomniałam o potworze, ponieważ tak bardzo martwiłam się o nocne mary Amy. Nigdy w życiu nie przyśnił się jej choćby jeden koszmar, o ile sobie przypominam. Teraz już wiem, że potwór jest stworem z krwi i ciała, i kimkolwiek jest, gdziekolwiek jest, przepełnia go wrogość. Za każdym razem, kiedy przypominam sobie, jak Ryder Sherbrooke trzymał mnie w ramionach, kiedy przypominam sobie tamte czarne noce, wciąż jeszcze odczuwam dziecięcy strach, choć teraz już przytłumiony. Teraz stwór nie budzi już we mnie grozy, ani mnie nie przeraża.

Ujął jej dłoń i spojrzał jej prosto w oczy.

– Nikt nigdy więcej cię nie skrzywdzi. Przysięgam. Wierzysz mi?

– Tak. Lecz jeśli któregoś dnia odzyskam pamięć i przypomnę sobie, kto usiłować mnie zabić, co wtedy?

– Jeśli nadejdzie taki dzień, poradzimy sobie z tym. Obiecuję również to.

– Dokąd udamy się w podróż poślubną?

Nie zastanawiał się jeszcze nad tym wcale, ona zaś odczytała to z jego twarzy. Uderzyła go piąstką w ramię.

– Co się z tobą dzieje, Nicholasie? Z pewnością powinieneś poświęcić chociaż chwilę na rozważenie, gdzie spędzimy nasz miesiąc miodowy, ponieważ będzie to uroczyste miejsce, gdzie zyskasz sposobność bliższego poznania sekretnych miejsc mego ciała.

Sam fakt wypowiedzenia tych słów sprawił, że jej policzki się zarumieniły, on zaś dostrzegł w niej jednocześnie ekscytację i konsternację.

– Dokładnie rzecz biorąc, nie jest prawdą, iż wcale o tym nie myślałem.

Spojrzał na nią wzrokiem, który sprawił, iż poczuła się nagusieńka, jak ją Pan Bóg stworzył. Nie wiedziała, co powinna zrobić, co powiedzieć.

– Wyobrażam sobie, iż już wkrótce będziesz brzemienna.

Już wkrótce? – pomyślała Rosalinda. – Wkrótce? Nie mieściło jej się to w głowie. Było tak samo jak wtedy, gdy mówił o ich córce. Nie, to „już wkrótce" wcale nie miało się zdarzyć. Nie była gotowa na rezygnację z biegania i skakania, z przewiązywania sukien w pasie, by mogła wspinać się na jabłonki w sadzie Rydera. Oczyma wyobraźni ujrzała siebie grubą, toczącą się niezgrabnie, z wielkim brzuszyskiem. Złapała się klamki drzwi powozu.

Chwycił jej dłoń, przysunął do ust i pocałował.

– Nie martw się, Rosalindo. Zapewnię ci bardzo dobrą opiekę.

– Wiem, naturalnie – odparła powoli – że pożądanie prowadzi do cielesnego spółkowania, co z kolei kończy się dziećmi.

– To normalna kolej rzeczy, tak. O co chodzi, Rosalindo? – Znów pocałował jej dłoń. – Dlaczego iskierka lubieżnej ciekawości zniknęła z twoich oczu?

– Nie sądzą, bym odczuwała pożądanie, Nicholasie. Mam osiemnaście lat. Jestem zbyt młoda. Zatem, proszę, nie całuj mnie więcej w dłoń. To sprawia, iż pragnę rzucić się w grzeszny wir eksperymentów, które mogłyby doprowadzić mnie do zguby.

Cofnęła rękę i zacisnęła ją w piąstkę.

– Usiłujesz przepędzić grzeszne myśli?

– Tak, i teraz już prawie zniknęły.

– Rosalindo, jeśli nie życzysz sobie mieć natychmiast dziecka, podejmę kroki, które zapobiegną poczęciu.

– Potrafisz to zrobić? Czy to jest możliwe?

Przytaknął.

– Nie zawsze kończy się to powodzeniem, ale podejmę próbę.

– No cóż, to byłoby dobre. Tak, to byłoby bardzo dobre. Podoba mi się, że jesteś rozsądnym mężczyzną. Odczułam naprawdę wielką ulgę. Pragnę ścigać się, no wiesz, na własnych nogach i na końskim grzbiecie. Chcę ścigać się, być może, jeszcze przez mniej więcej pięć lat.

Czy był rozsądnym mężczyzną?

– Dobrze – rzekł, wiedząc, że ją uspokoił, dodał jej otuchy – porozmawiamy o potomku, kiedy dojdę do wieku trzydziestu lat.

– A teraz, kiedy rozwiązaliśmy ten drobny dylemat – uśmiechnęła się do niego promiennie – pozwól mi powiedzieć, iż twoim obowiązkiem jest wybór celu naszej podróży poślubnej, Nicholasie. Weź się za to zadanie.

Uśmiechnął się do niej swobodnie, uśmiechem, o którym wiedział, że z reguły zjednuje mu bez trudu względy kobiet. Dostrzegł jej beztroskę. Odwzajemniła uśmiech; był olśniewający. Czy wiedziała, jaką miał moc?

Kiedy przyjechali do salonu madame Fouquet, hrabia Northcliffe pokazał Nicholasowi kilkanaście rysunków niesłychanie szczupłych kobiet, które wyglądały tak, jakby ważyły mniej niż pióra zdobiące ich suknie. Pokazał mu też mnóstwo beli z różnokolorowymi materiałami i zadał mu co najmniej dwadzieścia pytań. W końcu ogłoszono, że Nicholas posiada zadowalający gust.

– Rosalindo – zwrócił się do niej hrabia. – Opatrzność miała cię w swej pieczy. Nicholas posiada dostatecznie wykwintny smak. Jestem pewien, że wraz z upływającymi latami jego gust stanie się jeszcze doskonalszy. Nie omieszkam również powiedzieć ci, że miałem obawy. Moim zdaniem to dziwaczne, że tak wiele dam dobiera kolory, które sprawiają, że ich cera wygląda jak mąka owsiana. Ale to nieważne, nie musisz się już tym martwić, że wyglądasz jak owsianka na śniadanie, od czasu kiedy Nicholas stanął w konkury. Wszystko będzie dobrze. – Hrabia wskazał na rycinę przedstawiającą smukłą damę, która zdawała się unosić o jakieś trzy cale nad podłogą. – Czy nie wstydziłabyś się, paradując w tym szkaradnym odcieniu zieleni z tymi rzędami śmiesznych falban wzdłuż rąbka sukni? Czy spojrzałabyś na tę kreację?

W rzeczy samej te falbany podobały się jej w szczególności. Za sprawą tych cudownych falban ona również unosiłaby się nad ziemią. Ponieważ jednak nie była niemądra, trzymała usta zamknięte. Zobaczyła, jak Nicholas i wuj Douglas wymienili spojrzenia.

Co się tyczy madame Fouquet, spoglądała na wuja Douglasa aż nadto tkliwym wzrokiem, jak zauważyła Rosalinda, i zgadzała się ze wszystkim, co powiedział.

Kiedy w końcu wuj zaakceptował fason jej ślubnej sukni, ona i Nicholas zyskali dyspensę. Nicholas mrugnął do Rosalindy i podał jej ramię.

Gdy pojawili się ponownie w miejskiej rezydencji Sherbrooke'ów, Willicombe, na którego łysej głowie świeciły kropelki potu, otworzył z rozmachem drzwi frontowe i z bladym obliczem poinformował ich, że panna Lorelei Kilbourne została porwana.

Rozdział 20

Grayson i Lorelei spacerowali po Hyde Parku, trzymając się za ręce, kiedy nagle dwóch zbirów, z twarzami zasłoniętymi chustami, wyskoczyło z krzaków i walnęło Graysona w głowę pałką. Kiedy się ocknął, Lorelei zniknęła.

Lecz teraz, niecałe dwie godziny później, rzucono ją bezceremonialnie pod drzwi frontowe domu Sherbrooke'ów, posiniaczoną, w obszarpanej i pobrudzonej sukni; nieco oszołomioną, lecz całą i zdrową. Wszyscy Kilbournowie – ojciec, matka i cztery pozostałe siostry – siedzieli zbici w stadko w salonie, Alexandra i Sophie zaś dokładały starań, by ich uspokoić.

Dżentelmeni dopiero co powrócili z oględzin miejsca uprowadzenia w Hyde Parku, gdy nagle ofiara stanęła w otwartych drzwiach podtrzymywana przez Willicombe'a. Jej matka krzyknęła, przycisnęła dłonie do piersi i pobiegła wziąć w ramiona drogie jej sercu pisklę.

– Bóg zwrócił mi mój najcenniejszy skarb – powtarzała bez końca matka Lorelei, przytulając swe dziecię do pulchnego łona.

Pozostałe cztery klejnoty płakały, zaś lord Ramey wyglądał, jakby bardzo potrzebował kieliszka brandy.

To Grayson wsunął w dłoń lorda Rameya kieliszek najbardziej wykwintnego koniaku. Ponieważ Grayson był tym, który dopuścił do uprowadzenia córki, miał nadzieję, że od tego rozpocznie odkupywanie winy w oczach jej ojca. Było to nadzwyczaj wykwintne brandy, ulubiony trunek wuja.

Na prośbę Douglasa sir Robert Peel pojawił się jakieś trzydzieści minut po tym, jak rodzina znów była w komplecie, w celu zadania pytań pannie Kilbourne, która z gracją spoczywała na jasnoniebieskim szezlongu obitym brokatem; śliczny szal okrywał jej nogi, w dłoni trzymała zaś maleńką filiżankę z gorącą herbatą. Grayson stał z tyłu, trzymając dłoń na jej ramieniu. Ponieważ Grayson, zresztą mądrze, oznajmił, że jest pod wrażeniem jej niezwykłego męstwa, Lorelei nie zawahała się przemówić mimo łez matki i sióstr.

– Bałam się, że pan Sherbrooke nie żyje, ponieważ jeden z tych brutalnych zbirów uderzył go bardzo mocno w głowę. Opierałam się im, *sir* Robercie, ale byli dużo silniejsi ode mnie. Jeden z nich podniósł mnie i zarzucił sobie na ramię. Zaniósł mnie do powozu ukrytego w ciemnej alejce i rzucił do środka na podłogę. Któryś z nich wsiadł do powozu, zakneblował mnie i zawiązał mi ręce z tyłu na plecach. Nie odezwał się do mnie nawet słowem, tylko coś burczał, jak gdyby był zadowolony z wykonanej roboty. Drzwi zatrzasnęły się, a drugi z mężczyzn smagnął konie batem. Jakieś piętnaście minut później powóz zatrzymał się, a jeden z napastników otworzył drzwi – tu podniosła wzrok na Graysona, który dodawał jej odwagi skinieniem głowy – lecz zanim mogłam cokolwiek zrobić, wyjął mi knebel z ust i przycisnął chustkę do twarzy. Poczułam mdlący słodki zapach. Przypuszczam, że musiałam stracić przytomność, albowiem niczego więcej nie pamiętam. Kiedy się ocknęłam, leżałam na siedzeniu powozu. Bolała mnie głowa i czułam się bardzo ociężale, jak gdyby moje nogi były zbyt ciężkie, bym mogła nimi ruszyć. Potem powóz znów się zatrzymał, jeden z mężczyzn otworzył drzwi i wyciągnął mnie na zewnątrz. Rzucił mnie na próg. Podniosłam wzrok i zdążyłam zobaczyć, jak oddalili się w bardzo wielkim pośpiechu. Kopnęłam w drzwi, żeby ktoś przyszedł. Willicombe rozwiązał mi ręce i pomógł wstać.

Sir Robert Peel, elegancko odziany w szary strój, skłonił głowę z namysłem w stronę ślicznej młodej dziewczyny. Zrobił mądrą minę, był bowiem mądry.

– Pani zeznanie jest bardzo składne, panno Kilbourne. Czy zauważyła pani coś charakterystycznego w wyglądzie mężczyzn, którzy panią uprowadzili, albo w wyglądzie powozu?

Lorelei zastanowiła się nad tym.

– Mężczyźni byli oprychami, pokroju tych, jakich widuje się w tawernie w naszej rodzinnej wiosce. Brudne ubrania i nikczemne oczy, jak gdyby poderżnęli komuś gardło i nawet przez moment tego nie żałowali.

– Nie zwracali się do siebie po imieniu albo czy w ogóle się odzywali?

– Dosłyszałam, jak jeden z nich mówił, iż ma nadzieję, że młody panicz nie wykitował. Poza tym nie zapłacono im za to, żeby kogoś zatłuc na śmierć. – Przerwała na chwilę. – Powóz miał na drzwiach coś w rodzaju herbu, *sir* Robercie. Odniosłam wrażenie, że napastnicy usiłowali zasłonić go kawałkiem materiału, lecz tkanina obsunęła się po jednej stronie i zobaczyłam... – Położyła dłonie na głowie.

Jej matka zerwała się z jękiem, by do niej podbiec, lecz sir Robert uprzedził ją, więc ponownie usiadła.

– Idzie pani całkiem nieźle, panno Kilbourne. Niech pani zastanowi się nad tym przez chwilę. Jest pan zapewne bardzo dumny ze swej córki – rzekł do lorda Rameya. – Nie należy do tych, które omdlewają z byle powodu.

Pozostałe cztery córki spojrzały na siebie nawzajem, potem na siostrę, na koniec wyprostowały się w ramionach i starały się przybrać wygląd stosowny do sytuacji. Najmłodsza z nich, Alice, nie miała więcej niż trzynaście lat.

Jeśli Lorelei rozważała, czy nie zemdleć, nie miała zamiaru czynić tego teraz. Grayson ujął jej dłoń.

– Herb – odezwał się Grayson. – Czy były jakieś kolory albo kształty, jakie możesz sobie przypomnieć?

– Widziałam drzwi jedynie przez krótki moment – odparła. – Ale tak, rozpoznałam nogi lwa, jak sądzę, stojącego na dwóch łapach. Była też dolna część w postaci czerwonego okręgu i złotej wstęgi owiniętej dookoła. Wyglądało to tak, jakby lew podtrzymywał świat. Przykro mi, ale to wszystko, co jestem w stanie przypomnieć sobie.

– Związali panią i zakneblowali, lecz nie skrzywdzili pani? Nie grozili pani? Nie było żadnej przesłanki, by sądzić, że to porwanie dla okupu?

– Nie. Przeklinali, w szczególności kiedy ugryzłam jednego z nich w rękę, lecz on nie uderzył mnie, ani do mnie nie mówił, tylko rzucał przekleństwami. Potem przyłożyli mi do nosa nasączoną czymś chustkę, więc nie pamiętam już nic.

Sir Robert pożegnał się. Upłynęło kolejne piętnaście minut i pożegnały się panie Kilbourne.

Lord Ramey, po opróżnieniu trzech kieliszków doskonałej brandy hrabiego, wciąż kierował na Graysona spojrzenia obarczające go winą za chwilową utratę córki. Jednakże umówiono randkę na następny dzień, na wypadek gdyby Grayson czuł się na siłach temu podołać. Nie ma co do tego wątpliwości, pomyślała Rosalinda, uwzględniwszy głupkowaty uśmiech, jakim obdarzał Lorelei.

Kiedy frontowe drzwi zamknęły się za lordem Rameyem, w salonie zapanowała cisza.

Grayson w końcu powiedział na głos to, o czym wszyscy myśleli.

– Ci ludzie popełnili błąd. W moim przekonaniu napastnicy byli pewni, że Lorelei to Rosalinda.

– Jechali przez piętnaście minut, jak sądzi panna Kilbourne, pozbawili ją przytomności chustką nasączoną chloroformem i oczywiście zawieźli ją do domu, gdzie czekał ktoś, kto pragnął uprowadzić Rosalindę. Ten ktoś zorientował się, że nie była to jednak Rosalinda. Ktokolwiek to był, wzdragał się przed mordem na niewinnej. To już coś. Odesłali ją z powrotem.

Rosalinda siedziała obok Graysona, mówiąc coś po cichu, kiedy dosłyszała głos wuja Douglasa.

– Gdzie jest Nicholas?

Nicholasa nigdzie nie znaleziono. Zniknął.

* * *

Lee Po zatrzymał Grace i Leopolda przed frontem dobrze utrzymanej, ceglanej miejskiej rezydencji w stylu georgiańskim przy Epson Square numer czternaście.

Kiedy szedł po schodach ku frontowym drzwiom, Nicholas spojrzał przez ramię.

– Nie, nie sprzeczaj się ze mną, Lee – obstawał przy swoim. – Chcę, żebyś powoził siwkami bardzo wolno dookoła placu. Nie martw się o mnie. Wiem, w co się pakuję. Niedługo wrócę.

Lee Po nie przypadło to do gustu, lecz nie mógł na to nic poradzić. Wiedział, kto mieszka w tym domu.

Nicholas nie gościł w tej miejskiej rezydencji od czasów, kiedy był małym chłopcem – dokładnie rzecz biorąc od momentu ślubu jego ojca z Mirandą Carstairs, najmłodszym dzieckiem barona Carstairsa, zaledwie pięć miesięcy po śmierci matki Nicholasa.

Po tym, jak zapukał, drzwi otworzył młody blady mężczyzna o podejrzanym wyglądzie i włosach tak jasnych, iż wydawały się białe w przyćmionym świetle wejściowego holu.

– Tak?

Bardzo podejrzliwy głos – pomyślał Nicholas i wręczył młodzieńcowi swoją kartę wizytową, a potem obserwował, jak ten spogląda na wizytówkę i robi się nerwowy.

Tak, masz rację, mały gnojku – pomyślał Nicholas. – Jestem tu.

– Chciałbym zobaczyć się z moimi przyrodnimi braćmi, jednym z nich lub wszystkimi. Teraz – powiedział cichym głosem.

– Ach, milordzie, proszę pozwolić, że sprawdzę, czy pan Richard dysponuje wolnym czasem.

Kamerdyner wprowadził Nicholasa do salonu, który, jak pamiętał, pachniał olejkiem różanym – zapachem nowo poślubionej żony jego ojca. Nie cierpiał tej woni po dziś dzień.

Ściany obito dębową boazerią, gzymsy były klasyczne, kominek ozdobny, a meble lekkie i jasne, stwarzając wrażenie, że w salonie jest więcej przestrzeni, niż miało to miejsce w rzeczywistości. Podobnie jak elewacja domu, wnętrze było dobrze utrzymane. Utrzymanie takiej posiadłości wymagało naprawdę dużych pieniędzy. Zastanawiał się, jak zasobne były kieszenie jego braci. Szukał jakiegoś śladu, który potwierdziłby bytność w nim Lorelei, lecz nie zauważył niczego nadzwyczajnego.

Odwrócił się, kiedy drzwi się otworzyły i do salonu wkroczył jego przyrodni brat Richard, prezentując się dość elegancko w ciemnobrązowych spodniach oraz brązowej kamizelce w kremowe prążki. Surdut uszyto z ciemnobrązowego aksamitu. Wyglądał wykwintnie i dość gnuśnie: oto młody dżentelmen, który nie myśli o niczym innym poza wieczorną rozrywką. Ale jego ciemne oczy wyrażały nieufność. Nie, nawet więcej, Nicholas dostrzegł w nich zaniepokojenie.

– No, no, czyż to nie Vail, którego nigdy nie spodziewałem się ujrzeć w tym domu – odezwał się Richard znudzonym głosem.

Nicholas podszedł bliżej, wziął szeroki zamach i zdzielił go pięścią w szczękę. Richard upadł na plecy, uderzył o boczne oparcie fotela i wylądował na podłodze. Przez moment był zamroczony. Nicholas podszedł i stanął nad nim, z rękoma opartymi na biodrach.

– Nie uderzyłem cię mocno, ty nikczemny pomiocie. Wstawaj.

Richard Vail potrząsnął głową i potarł żuchwę. Spojrzał w górę na Nicholasa i powoli się podniósł.

I bez słowa ostrzeżenia rzucił się na Nicholasa.

Był silny i szybki. Obaj upadli na podłogę. Richard grzmotnął Nicholasa w żołądek. Zabolało, lecz nie za bardzo. Uderzył grzbietem dłoni w szyję Richarda, sprawiając, że ten się zakrztusił. Potem oparł się o ścianę, cały czas masując się rękoma po szyi. Nicholas chwycił go za kołnierz i postawił do pionu. Nie wymierzył kolejnego ciosu, lecz posłał kopniaka prosto w brzuch. Richard zacharczał i zatoczył się do tyłu w stronę kominka.

– Mógłbym uderzyć cię niżej, chciałbyś tego? – zapytał Nicholas.

– Nie! – ryknął Richard, usiłując złapać dech i obracając się szybko bokiem, by chronić czułe miejsce.

Nicholas stał spokojnie, czekając.

– Ty łotrze! Kopnąłeś mnie tak, że poczułem brzuch na kręgosłupie. Nauczyłeś się tego od swych chińskich pogańskich przyjaciół?

– Ostrzegam cię tylko ten jeden raz, Richardzie. Jeśli znów przystąpisz do akcji, zabiję cię. Dzisiaj porwałeś nie tę dziewczynę, co trzeba. Jeśli kiedykolwiek podejmiesz próbę uprowadzenia Rosalindy, jesteś trupem. Zrozumiałeś mnie?

Richard Vail nie usiłował nawet wypierać się swego współudziału. Popatrzył na przyrodniego brata z nienawiścią i sporą dozą strachu. W trzewiach czuł piekący ból.

– Zrozumiałeś? – powtórzył Nicholas, tym razem nawet ciszej i spokojniej.

Richard w końcu skinął głową.

– Dobrze – rzekł Nicholas, otrzepał bryczesy i obrócił się, zamierzając wyjść; zatrzymał się jednak w progu. – Wynająłeś dwóch tępych zbirów, tak właśnie Lorelei Kilbourne opisała twoich ludzi. Masz wszystkie pieniądze twojego ojca. Z pewnością mogłeś kupić bardziej utalentowanych oprychów. Czy wiesz, że ci głupcy pozwolili, by kawałek materiału przesłaniający herb rodzinny naszego ojca opadł nieco, tak że Lorelei go dostrzegła? Bez tej informacji i tak wiedziałbym, że maczałeś w tym palce, lecz czuję się lepiej, kiedy to się potwierdziło.

Richard Vail oparł się o gzyms kominka, jego śniada cera pobladła, w oczach płonęła bezsilna furia.

– Chciałem tylko porozmawiać z tą dziewczyną, którą zamierzasz poślubić, z tą dziewczyną, która nie ma w ogóle żadnego znaczenia, która nie posiada żadnych pieniędzy oprócz posagu, w jaki wyposażą ją Sherbrooke'owie. Chciałem jej powiedzieć, jaki jesteś naprawdę, ostrzec ją, że popełnia niewybaczalny błąd.

– Jeśli zamierzałeś porozmawiać z damą, dlaczego po prostu nie złożyłeś jej wizyty? Czyż twoja droga matka nie nauczyła cię dobrych manier?

Richard odpowiedział milczeniem.

– Ach, oczywiście chciałeś jeszcze zwiększyć zagrożenie, nieprawdaż? Wiedz zatem, że ośmielę się stwierdzić, iż jeśli ktoś byłby na tyle głupi, by zagrozić Rosalindzie, będzie tego gorzko żałował. Ona jest... – Nicholas przyłapał się na tym, że spogląda na zwiewną figurkę pasterki ustawioną na gzymsie kominka, obok ucha Richarda. – Ona jest dość zapalczywa.

Zdał sobie sprawę, że się uśmiecha.

– Jeśli jakimś szaleńczym zbiegiem okoliczności nie zamierzałeś jej zastraszyć, jeśli planujesz uwiązać jej kamień u szyi i wrzucić ją do Tamizy, by pozbyć się jej raz na zawsze... – Nicholas zdał sobie sprawę, że drży. – Jeśli zamierzasz – dodał bardzo cicho – doprowadzić po prostu do zniknięcia mojej narzeczonej, nie czyń tego, Richardzie. Jeśli cokolwiek przydarzy się Rosalindzie, Lancelot będzie kolejnym w rodowej sukcesji do mojego tytułu. Bo ty będziesz martwy.

– Niech piekło cię pochłonie! Mam nadzieję, że ona wystrychnie cię na dudka!

Nicholas roześmiał mu się w twarz na te słowa.

Blady mężczyzna, który powitał go w drzwiach wejściowych, stał na zewnątrz salonu, wykręcając dłonie. Rzucał przerażone spojrzenia ponad ramieniem Nicholasa.

– Co ty tutaj robisz?

Nicholas obrócił się i zobaczył, jak Lancelot zbiega w pośpiechu schodami, ubrany elegancko, a jego twarz staje się czerwona jak burak na widok przyrodniego brata.

– Właśnie zamierzam wyjść, Lancelocie – odparł Nicholas. – Może udałbyś się do salonu i nalał swemu bratu duży kieliszek brandy?

Rozdział 21

W środowe popołudnie Rosalinda spoglądała przez okno na żonkile powiewające na wietrze i czekała na Nicholasa.

Drzwi otworzyły się, lecz był to Willicombe, który wszedł do salonu. Niecierpliwiła się i zamartwiała, lecz mimo to uśmiechnęła się do niego, ponieważ Grayson wyjawił jej ostatnio, że uczyni z Willicombe'a maga w swej kolejnej powieści, z głową porośniętą bujną czupryną rudych włosów i miała to być niespodzianka.

– Lady Mountjoy jest tu i pragnie widzieć się z tobą, panienko Rosalindo.

Nie ten co trzeba Mountjoy.

Lady Mountjoy nie weszła po prostu do salonu, lecz wpłynęła, skropiona obficie lawendą od trzewików aż po wielki czepiec udekorowany kiściami czerwonych winogron. Była niskiego wzrostu i dość korpulentna, lecz wciąż wyglądała tak, jakby była gotowa poprowadzić rzymskie legiony. Było to coś, co zarazem budziło niepokój i robiło wrażenie. Pod kolosalnym czepcem widać było blond włosy z kilkoma szarymi pasmami. Miała bardzo jasne oczy, być może niebieskie lub szare. Lancelot stanowił wierne odbicie swej matki. Tak więc to była macocha Nicholasa, Miranda, kobieta, która wydała trzech synów i nauczyła ich nienawiści do przyrodniego brata.

Lady Mountjoy nie miała szczęśliwej miny, lecz wyglądała na zdeterminowaną, a w oczach Rosalindy także na rozdrażnioną. Sprawiała wrażenie, jakby lada chwila miała wybuchnąć; czy się obawiała, że wydarzy się coś, nad czym nie zapanuje? Ach, być może jest wytrącona z równowagi tym, że jej synowie usiłowali się mnie pozbyć, aby Nicholas nie zdążył doczekać się męskiego potomka z mego łona – myślała Rosalinda. – Przyszła mnie przekonywać, bym sama zerwała zaręczyny z Nicholasem.

Rosalinda miała nadzieję, że ta kobieta nie ukrywa sztyletu w ślicznej torebce ozdobionej koralikami.

Rosalinda wciąż milczała. Lady Mountjoy zatrzymała się zaledwie o stopę przed nią – bardzo zresztą nieuprzejmie – lecz Rosalinda poczuła, że ma ochotę parsknąć śmiechem. Lady Mountjoy zmierzyła ją wzrokiem od stóp do głów i prychnęła. Zrobiła krok do tyłu, jak gdyby zdając sobie sprawę, że znalazła się w niekorzystnym położeniu, bowiem Rosalinda górowała nad nią o dobre piętnaście centymetrów.

– Jesteś młoda – oznajmiła – i nie rób miny, jakbyś pozjadała wszystkie rozumy. Zdumiewa mnie fakt, że Nicholas wybrał właśnie ciebie, lecz być może jest zdesperowany. Powiedz mi, paniusiu, ileż to posagu Sherbrooke'owie włożą do twej kieszeni?

Paniusiu?

Ostra szarża z miejsca, żaden tam niemrawy atak pozycyjny.

– Ach, jak zakładam, mam przyjemność z macochą Nicholasa.

– Niestety, to prawda.

– Jak rozumiem, nie widziała pani swego pasierba, odkąd wyjechał po śmierci dziadka. Ile miał wtedy lat, dwanaście? Ileż to razy odwiedziła go pani i jego ojciec, kiedy mieszkał z ojcem byłego hrabiego? Raz, dwa razy? Odnoszę wrażenie, szanowna pani, że pani nawet go nie zna; Nicholas jest dla pani obcym człowiekiem. Dlaczegóż więc jest pani zaskoczona tym, kogo sobie wybrał?

Lady Mountjoy wykonała nieokreślony gest ręką.

– Słyszy się pewne rzeczy od własnych krewnych i przyjaciół. Wszyscy są zgodni co do tego, że on nie jest głupi i dlatego jego starania o pani rękę wprawiły ich w osłupienie. Być może doszli do przekonania, że pani go uwiodła.

– Hm. Poznałam go zaledwie tydzień temu. To nad wyraz szybkie uwiedzenie, nie sądzi pani?

– Nie strój sobie ze mnie żartów, paniusiu!

Rosalinda obdarzyła ją promiennym uśmiechem i machnęła ręką.

– Jak się pani miewa, lady Mountjoy? Skąd ta wizyta? Czemu zawdzięczam ten honor?

– Pytasz mnie, jak się miewam? Bardzo dobrze, powiem ci, jak się miewam. Jestem w kiepskim nastroju; do tego jestem podenerwowana. Nie pragnęłam wcale cię poznawać, lecz zostałam zmuszona do przyjścia. Twoje towarzystwo nie jest dla mnie zaszczytem.

– Czy zatem zechce pani wyjść? Nie będę zatrzymywać pani siłą.

Lady Mountjoy pokiwała grubym, ozdobionym diamentami palcem przed twarzą Rosalindy.

– Zamilcz, proszę. Rzeczywiście jesteś prostacka, chociaż wcale mnie to nie dziwi.

– Być może mogłabym dla pani zaśpiewać. Mówiono mi, że mam cudowny głos, i że kiedy ktoś słucha mojego śpiewu, wnet zapomina o mojej młodości i prostym pochodzeniu. Nie potrzebuję nawet fortepianu do akompaniamentu. Co pani o tym sądzi?

Rosalinda nie uśmiechnęła się, tylko tam po prostu stała, czekając i pragnąc zobaczyć, co też uczyni lady Mountjoy.

– Nie pragnę słuchać twojego śpiewu. To śmieszne. Na dobrą sprawę szukam Nicholasa, chociaż wyobrażam sobie, że się tu nie pokaże.

– Czy pani krewni i przyjaciele nie powiadomili pani, że obecnie jego rezydencją jest hotel Grillon? Wynajmuje tam piękne apartamenty, a cały personel traktuje go z pełnym szacunkiem. Czy podać pani adres?

– Wiem, gdzie jest usytuowany ten hotel, ty impertynencka, bezczelna, nic nieznacząca dziewucho. Słyszałam też, że Nicholas posiada barbarzyńskiego służącego, który jest najprawdopodobniej jeszcze bardziej niebezpieczny niż on sam. Nie, nie wybieram się tam.

– Lee Po niebezpieczny? – Rosalinda skinęła głową z namysłem. – Być może tak. Co do tezy, że Nicholas jest niebezpieczny, nie mam pewności. Jest raczej szorstki, lecz z tego powodu, że tak głęboko wszystko przeżywa.

– On jest mężczyzną, ty głupią kobietą – warknęła lady Mountjoy. – Mężczyźni z rzadka miewają głębsze uczucia. To prawda, że w młodych latach odczuwają żądze, lecz w podeszłym wieku trzeba im wyrywać z rąk butelkę brandy.

Być może był to po części powód niezadowolenia lady Mountjoy – nie zażywała cielesnych uciech i nie raczyła się brandy.

– To wielka szkoda, iż nie zna pani wcale swego pasierba, szanowna pani, ponieważ jestem przekonana, że jest człowiekiem naprawdę niezwykłym. Nicholas, jak sądzę, wraz z moimi wujami udał się postrzelać do Manton. Chciałam jechać z nimi, lecz, niestety, damy jeszcze nie mają tam prawa wstępu. Czy zechce pani napić się filiżankę herbaty?

Lady Mountjoy chwyciła dłoń Rosalindy.

– Nie mam ochoty na herbatę, ty głupia dziewucho. Chcę ci powiedzieć, żebyś odwołała te absurdalne zaślubiny z Nicholasem. Usiłuję cię ocalić, nawet mimo tego, że jesteś prosta jak wieśniak i nie zasługujesz na ratunek. – Ściszyła głos do syczącego szeptu. – Twoje życie jest zagrożone. Nicholas Vail to łotr. Kiedy jego ojciec go wyrzucił, nie miał nawet grosza przy duszy...

Ach, zatem wreszcie przechodziła do sedna.

– No cóż, jak mógł mieć choćby grosz przy duszy, skoro rodzony ojciec go wyrzucił? Czyż nie był małym chłopcem?

– Wychodzi na jedno i to samo. Mój drogi mąż wyjawił mi, że stary hrabia przekazał Nicholasowi całkiem spore pieniądze, zanim umarł. Pytam więc, co się z nimi stało? Słyszeliśmy jedynie, że Nicholas przepadł bez wieści – wiem, że przegrał pieniądze, uprawiając hazard. Był przebiegły i nikczemny, pospolity ladaco już w wieku pięciu lat. Nie miał nic, kiedy opuścił Anglię.

– Wie pani co, nie daję wcale wiary, że Nicholas uprawiał hazard, ale zapytam go o to. Zastanawiam się również, co się stało z pieniędzmi, o ile jego dziadek rzeczywiście mu je podarował. Czy został napadnięty i obrabowany? Być może pozostawiony gdzieś, by zmarł.

– Zapanuj nad tymi melodramatycznymi tonami. Nicholas był utracjuszem od chłopięcych lat i jestem pewna, iż takim pozostał. Cokolwiek się stało, Nicholas zmarnował pieniądze, jakie dostał od dziadka. Wszyscy wiedzą, że wciąż jest biedny. Posiada tytuł, lecz nie ma pieniędzy, zatem potrzebna mu jest dziedziczka z posagiem. Jestem tu, by powiedzieć ci prawdę. Jemu zależy wyłącznie na pieniądzach, w jakie wyposażą cię Sherbrooke'owie. Wydasz na świat jego potomka, potem mąż zgładzi cię w łożu. Jeśli mu zaufasz, okażesz się jeszcze większym głupcem, niż, jak sądzę, jesteś.

– Zgodnie z maksymą, że owoc nigdy nie pada daleko od ojcowskiego lub matczynego drzewa?

Rosalinda przez moment była przekonana, że lady Mountjoy wymierzy jej policzek. Jej pierś unosiła się gwałtownie, twarz przybrała niepokojąco purpurowy kolor; oddech zrobił się głośny jak miechy. Powstrzymała się jednak. Rosalinda uświadomiła sobie w tym momencie, że gdyby ta kobieta ją uderzyła, odwzajemniłaby się tym samym, kładąc ją na łopatki z ogromną satysfakcją.

– Moi synowie są dżentelmenami – zaperzyła się lady Mountjoy, unosząc brodę i prostując się w ramionach. – Czerpią życiowe soki z ojcowskiego i matczynego drzewa. Wiedzą, co jest co, wiedzą, jak się zachować. Gdyby było to możliwe, mój mąż ogłosiłby Nicholasa bękartem, lecz chłopiec miał czelność odziedziczyć po nim wygląd, przeklęty los.

Rosalinda zdołała uwolnić dłoń z zaskakująco silnego chwytu lady Mountjoy. Odwróciła się od kobiety, zamierzając usiąść na sofie. Imponujący biust korpulentnej damy sprawiał wrażenie, jakby miał zachwiać jej równowagę, lecz tak się nie stało, być może dzięki silnie zasznurowanemu gorsetowi. Kiedyś była bardzo piękna, pomyślała Rosalinda.

– Poznałam pani synów, Richarda i Lancelota, w teatrze Drury Lane, gdzie oglądali „Hamleta" – rzekła w końcu Rosalinda. – Jeśli chodzi o mnie, w ogóle nie zwracałam uwagi na kreację Keana. Widziała go pani w roli Hamleta?

– Usiłuje pani odciągnąć mnie od tematu, lecz to się pani nie uda. – Zmierzyła Rosalindę wzrokiem od stóp do głów. – Poza tym, pani wie, że sama jest oszustką.

– Ach, zatem nie jestem już ofiarą? Podobnie jak Nicholas, jestem teraz także łotrem? Jeśli takie właśnie jest pani przekonanie, to dlaczego pani się zamartwia? Jesteśmy oboje biedni i oboje jesteśmy łotrami. Swój ciągnie do swego.

Rosalinda pomyślała, że kobieta eksploduje. To sprawiło, że poczuła się dużo lepiej.

– Pokpiwasz sobie ze mnie, ty namiastko prawdziwej damy. Jedynym powodem, dla którego śmietanka towarzyska jest zmuszona zwracać na ciebie jakąkolwiek uwagę, są Sherbrooke'owie.

– Zgoda, oczywiście to prawda. Do czego jednak pani zmierza, szanowna pani? Że nie jestem dostatecznie dobra, by poślubić hrabiego Mountjoy, nawet jeśli jest pani przekonana, że to niegodziwiec bez grosza przy duszy?

Usta lady Mountjoy wykrzywiły się w grymasie pogardy. Zorientowała się, iż zapuściła się zbyt daleko i nie mogła teraz odnaleźć drogi powrotnej.

– Z pewnością nie jesteś dostatecznie dobra, żeby poślubić prawdziwego hrabiego Mountjoy! Nicholas hrabią? Fe, powiadam. Ani ty, ani on nie powinniście nosić tego dumnego nazwiska! A twoje nazwisko – La Fontaine – ten człowiek nie napisał nic oprócz głupawych bajek o zającach i ścigających się żółwiach – to groteskowe! Opowiastki z morałem, które nie mają w życiu żadnego znaczenia.

– No cóż, by raz jeszcze być w pełni szczerą, obawiam się, iż ma pani rację. Lecz czy nie widzi pani, że jakoś zawieruszyłam moje własne nazwisko i musiałam znaleźć sobie nowe? Ponieważ uwielbiam chytre lisy i próżne kruki, może pani wyobrazić sobie mój zachwyt, kiedy dowiedziałam się, że Jean de La Fontaine napisał tak pełne uroku opowiastki.

Pierś lady Mountjoy unosiła się gwałtownie, tak że Rosalinda szczerze obawiała się o jej gorset.

– Nie jesteś wszakże prawdziwą La Fontaine.

– Zgoda, naturalnie, że nie. Już to pani wyjaśniłam. Muszę stwierdzić, szanowna pani, że chyba jednak nie dowiedziała się pani o mnie zbyt wiele.

– Glendenning jest idiotą. Pozwolił nawet Nicholasowi sięgnąć po tytuł należny memu synowi. Kompetentny jest natomiast mój bardzo bliski przyjaciel, Alfred Lemming. Niestety, chwilowo przebywa w Kornwalii, gdzie wizytuje swoją podupadającą posiadłość w Penzance.

Lady Mountjoy ma kochanka?

– Nie wolno pani obwiniać biednego Glendenninga o utratę tytułu. Jak sądzę, prawo primogenitury nie pozwoliło na inny bieg spraw. Nicholas jest pierworodnym synem, jakby nie było, i mimo machinacji jego ojca jest prawowitym hrabią Mountjoy.

– Primogenitura, cóż za groteskowe słowo i jakież przestarzałe, oburzająco niesprawiedliwe prawo. Jest pradawne, w żaden sposób nie pasuje do współczesnego świata. Nicholas nigdy nie powinien był wejść w posiadanie tytułu i taka jest prawda. Mój kochany Richard powinien był zostać hrabią. Posiadam przyjaciół, paniusiu. Przyjaciół, którzy znają Sherbrooke'ów; przyjaciół, którzy opowiedzieli mi o Ryderze Sherbrooke'u i jego zgrai małych przybłędów, z których ty też się wywodzisz. Ach, dostrzegam zawstydzenie w twoich oczach. Co masz do powiedzenia w tej kwestii?

– Mówię, Bogu niech będą dzięki, każdego wieczoru, że Ryder Sherbrooke znalazł mnie i ocalił mi życie. Czy uważa pani, że powinnam zrobić więcej? Ojej, wszystkie moje pieniądze pochodzą również od niego. Któregoś roku zrobiłam mu na drutach skarpety, on zaś je nosił, niech Bóg go błogosławi.

Rosalinda modliła się szczerze, żeby lady Mountjoy nie dostała ataku apopleksji. Jej potężne płuca wyglądały, jakby miały pęknąć i rozerwać jej lawendowy stanik. Zacisnęła pięści, trzymając je po bokach ciała. Być może Rosalinda nie powinna popadać w przesadę.

Lady Mountjoy pogrążyła się we frustracji i dała się zapędzić w kozi róg tej nazbyt przemądrzałej młodej damie z tymi rudami włosami. Żałowała, że włosy dziewczyny nie są skołtunione i brzydkie. A te niebieskie oczy – ojciec jej chłopców miał takie niebieskie oczy, piękne oczy – lecz on już nie żył, ten nietaktowny gamoń, który tak naprawdę był dla niej za stary w chwili, kiedy wychodziła za niego za mąż, lecz uparła się. A on miał czelność opuścić ziemski padół po zaledwie dwudziestu latach.

– Nie odnosisz się do mnie z właściwym szacunkiem, paniusiu! – huknęła na Rosalindę.

– Ach, właśnie przyszło mi do głowy, że kiedy będę już żoną Nicholasa, stanę w hierarchii wyżej od pani. Będzie pani zwracać się do mnie „lady

Mountjoy" i kłaniać mi się w pas. Zostanie pani wdową lady Mountjoy.

Lady Mountjoy chwyciła to, co miała pod rękę – uroczą zieloną poduszkę obszytą brokatem – i rzuciła nią w Rosalindę. Ta złapała ją w locie, śmiejąc się. Odczuła ogromną ulgę, że lady Mountjoy nie ściska w dłoni szpicruty.

– Błagam, szanowna pani, jeśli zechciałabyś usiąść i porozmawiać jak rozsądna osoba... Byłabym zachwycona, mogąc odpowiedzieć tym samym. Pragnie pani wyjść czy zechce pani się uspokoić?

Mimo niewyraźnego widzenia, co spowodował atak furii, lady Mountjoy usiadła naprzeciw Rosalindy w fotelu z wysokim oparciem, obitym brokatem w kolorze dobranym do poduszki. Bruzdy w kącikach ust jeszcze się pogłębiły, niestety. Posadowiła się idealnie prosto, jakby miała deskę zamiast kręgosłupa, przyjmując władczą pozę niczym sędzia. Teraz jednak emanowała z niej jakaś niepewność. Czy to możliwe, że wystrzelała już całą amunicję? Nie przychodziły jej do głowy żadne inne obelgi?

Rosalinda wstała, podeszła do kominka i pociągnęła za sznur dzwonka. Kiedy po zaledwie dziesięciu sekundach pojawił się Willicombe, Rosalinda poprosiła, by przyniósł herbatę i ciastka.

– Mam zapytać, czy pani Sophie dysponuje wolnym czasem, panienko Rosalindo?

– Och, nie, lady Mountjoy i ja uroczo spędzamy czas. Jest moją przyszłą macochą.

Willicombe nie wiedział o tym i musiał wytężyć całą wpojoną weń ogładę, żeby powstrzymać się od nakazania tej starej jędzy, by wsiadła na miotłę i odleciała stąd.

Obie damy siedziały naprzeciw siebie. Lady Mountjoy stukała palcami w poręcz fotela. Rosalinda cicho gwizdała skoczną melodię do chwili, kiedy Willicombe z godnością pojawił się ponownie w salonie, niosąc srebrną tacę z herbatą i ciastkami. Kiedy wszystko już stało na miejscu, Rosalinda niemal siłą musiała wypchać Willicombe'a z salonu. Zamknęła drzwi i przekręciła klucz.

Uśmiechnęła się mile do lady Mountjoy.

– Mój wuj Ryder zawsze mówi, że jeśli żółć ma być wylana, rozsądnie jest zamknąć drzwi. Twierdzi też, że nic tak nie pomaga uregulować spraw, jak filiżanka dobrej herbaty.

– Tylko mężczyzna może gadać takie wierutne bzdury, niech ich wszystkich diabli wezmą.

Rozdział 22

– Zatem, szanowna pani, czy napije się pani herbaty?

Lady Mountjoy odrzekła, że nie odczuwa pragnienia, po czym poprosiła o dwie kostki cukru i parę kropli mleka.

– Wuj Ryder ma sporo racji co do wylewania żółci, nie sądzi pani?

– On nie jest twoim wujem!

– Wiem – odpowiedziała ze spokojem. – Często zastanawiam się, czy mam gdzieś na świecie rodzonego wuja. Być może wciąż mnie szuka. Lecz, co bardziej prawdopodobne, zapewne jest przekonany, że zmarłam wiele lat temu.

Lady Mountjoy w jednej chwili jakby odczuła zaniepokojenie. Wydała z siebie głośne parsknięcie.

– Ja z pewnością bym cię nie szukała.

Był to dojmujący cios. Rosalinda opadła na siedzenie, trzymając w ręku filiżankę herbaty.

– Nie powiedziała mi pani, dlaczego ojciec Nicholasa wypędził z domu swego pierworodnego syna, gdy ten miał zaledwie pięć lat? Wyobrażam sobie, że stało się to po tym, jak wyszła pani za jego ojca. Czy mam rację?

– Kiedy Richard przyszedł na świat, mój drogi mąż wiedział, że to on jest jego prawowitym synem. Tym, który zasługiwał na przejęcie tytularnej schedy po nim.

– Jaki był Nicholas, szanowna pani?

– Był nieznośnym dzieciakiem, przebiegłym, zawsze się chował i szpiegował mnie. Darzył mnie nienawiścią, nienawidził też swego ojca, twierdził, że ojciec zamordował jego matkę, a ja mu w tym dopomogłam. Wiedziałam, że dołoży wszelkich starań, by zgładzić biednego, małego Richarda, kiedy ten przyszedł na świat, zatem mój mąż odesłał Nicholasa, by zamieszkał ze swoim dziadkiem, tym pomylonym starcem. Ale teraz wrócił, miał czelność wrócić!

– O ile wiem, jego matka opuściła ten padół zaledwie pięć miesięcy przed tym, jak pani i pani mąż pobraliście się?

– Cóż to za różnica? Kochaliśmy się, czekaliśmy dostatecznie długo. Jego matka była pobożną istotą, która mogła rywalizować z wikarym czarnymi strojami i gadaniem o potępieniu. Kiedy zmarła na zapalenie płuc, wszyscy odczuli ogromną ulgę, w szczególności zaś jej małżonek. Chociaż fantazjowała, że jest świętą, narzekała bez końca, że niesprawiedliwością było, iż stary hrabia wciąż chodził pośród żywych – muszę przyznać, że miała w tym względzie całkowitą rację. Starzec dożył sędziwych lat na tej ziemi. – Upiła łyk herbaty. – Mary Smithson... tak, takim właśnie nazwiskiem wszyscy musieli zwracać się do niej. Co do osoby starego hrabiego, on po prostu stawał się coraz bardziej ekscentryczny... uważał siebie za kogoś w rodzaju maga, jeśli możesz dać temu wiarę. Był szalony, zawsze tak uważałam. Wychował Nicholasa, wpajając mu jeszcze większą nienawiść do nas wszystkich...

– Ale dlaczego?

Lady Mountjoy spojrzała na nią z odrazą.

– To nie twoja sprawa. Pozwól mi sobie powiedzieć, że wcale nie jesteś mądra. Składasz słowa z wprawą, brzmią mądrze, lecz ty nie grzeszysz rozumem. Stary człowiek uczył Nicholasa osobliwych rzeczy, zaklęć nie z tego świata i tajemnych rytuałów, przyrządzania trujących mikstur i wywarów, uczył go szalonych ceremonii, na które przybywały zjawy i upiory. W Wyverly Chase odbywały się grzeszne magiczne obrzędy, wszyscy to wiedzą.

– Czy naprawdę pani zdaniem dziadek Nicholasa był szalony? A może w głębi ducha wierzy pani, iż był czarnoksiężnikiem?

– Nie bądź tępa. Takie rzeczy nie istnieją. Powiadam ci – starzec był pomylony, nic poza tym, na dodatek nauczył Nicholasa złych rzeczy. Uważam za całkiem możliwe, że Nicholas mógł odziedziczyć to obłąkanie po swoim dziadku, że on również może popaść w obłęd, a zatem chłopiec, jeśli mu takiego urodzisz, może nosić w sobie zalążek szaleństwa.

– Jeśli trwa pani w takim przekonaniu, jest to bardzo smutne, szanowna pani, bowiem znaczyłoby to, że zniechęca pani również do ożenku trójkę własnych synów i tym samym zapewnienia pani wnucząt, z powodu piętna szaleństwa.

– Masz mózg małża. Jest rzeczą powszechnie wiadomą, że obłęd przechodzi tylko na najstarszego potomka, nigdy na pozostałe dzieci.

– Nigdy o tym nie słyszałam.

– To dlatego, że jesteś niedouczona. Ponieważ starzec musiał uformować Nicholasa, nie zwracał najmniejszej uwagi na moich trzech synów, nawet nie raczył zauważyć faktu ich przyjścia na świat.

Lecz nawet bez majątku tego starca wszyscy wyrośli na dorodnych i postawnych mężczyzn i są godni być tym, kim są – synami hrabiego.

– Jak rozumiem, pani mąż nie spodziewał się objąć tytułu hrabiego, jako że miał starszego brata.

– Nigdy go nie poznałam, lecz wiem, że Edward był jedynie małostkowym łapserdakiem, o zawsze rozmarzonych oczach, który nigdy nie potrafił udzielić rozsądnej odpowiedzi na stawiane pytania. Mój mąż wyjawił mi, że jego brat rozmawiał z krzakami róż, głaszcząc ich płatki. Potem Edward zmarł, zaś tytuł przeszedł na prawowitego syna, Gervaisa, który stał się wicehrabią Ashborough.

Rosalinda nie słuchała dłużej jadu sączącego się z ust lady Mountjoy, jej myśli pobiegły ku dziadkowi Nicholasa. Dlaczego spytała, czy był czarodziejem? Ponieważ coś na dnie jej duszy wierzyło, że jest to prawda. Wszystko obracało się wokół osoby Sarimunda i księgi *Reguły Krainy za Ostrokołem*. Przypomniała sobie, jak Nicholas wspomniał jej, że jego dziadek także posiadał egzemplarz księgi i opowiadał mu o Sarimundzie. Lecz nie wyjawił mu, co było zapisane w księdze, ponieważ najwidoczniej nie potrafił jej odczytać.

– Jak miał na imię stary hrabia? – chciała wiedzieć Rosalinda.

– Galardi. Głupawe imię o cudzoziemskim brzmieniu.

– Ile lat miał pani mąż, kiedy jego starszy brat, Edward, opuścił ten świat, szanowna pani?

– Dopiero co ukończył Oksford, miał zaledwie dwadzieścia lat. Chwileczkę, oskarżasz mego męża o zabójstwo? Sądzisz, że zamordował starszego brata i własną żonę, Mary Smithson? Jesteś nikczemnym zerem.

– Ach, zatem mówienie o tych sprawach również budzi w pani trwogę? – Rosalinda uniosła dłoń. – Jeśli Nicholas nie poślubi mnie, weźmie sobie za żonę kogoś innego, kogoś prawdopodobnie nie tak miłego jak ja; kogoś, kto odmówi wysłuchiwania pani trajkotania; kogoś, kto nauczy swego kamerdynera zatrzaskiwać drzwi przed pani nosem. Powiedziałabym, iż powinna pani dziękować Bogu, iż to ja zostanę pani przyszłą synową. Czyż nie pijemy razem herbaty? Czy nie podałam pani dwóch kostek cukru? Jestem na tyle dobrze wychowana, iż nie ganię nawet występków, jakich dopuścili się pani synowie.

– Nie ma czego ganić!

– Proszę sobie tylko wyobrazić, że Richard i Lancelot zdołali pochwycić w swoje łapska mnie, nie zaś nieszczęsną Lorelei Kilbourne. I proszę wyobrazić sobie po prostu, iż zamierzali dopuścić się czegoś więcej niż tylko ostrzeżenia mnie przed poślubieniem Nicholasa. Niech pani wyobrazi sobie, że mnie zamordowali, bym nie została ich przyrodnią szwagierką oraz bym nie powiła męskiego potomka. Proszę wyobrazić sobie to wszystko, lady Mountjoy. Jak mniemam, wprowadzi to panią w stan pewnej melancholii.

– Nicholas kopnął biednego Richarda w żebra!

– Słucham?

– Nie życzę sobie, żeby Nicholas po raz kolejny porwał się z pięściami na Richarda; walczy z wprawą ulicznego zbira. Mój biedny Richard powiedział, że Nicholas jest podły, nie lepszy od robotników portowych. Tak, Nicholas wtargnął siłą do naszego domu i zaatakował nikczemnie mego syna, który w ogóle niczym go nie sprowokował. Mógł odnieść bardzo poważne obrażenia...

Rosalinda odetchnęła z ulgą i upiła łyk herbaty.

– Proszę mi wybaczyć. Sądziłam, że mówimy o Richardzie Vailu, tym wysokim i sprawnym mężczyźnie, który wyglądem bardzo przypomina Nicholasa. Powiada pani, że Nicholas dopuścił się napaści na niego. I napadnięty niczym go nie sprowokował. Zastanawiam się, co powiedziałby na to lord Ramey? Jest ojcem Lorelei. Sprawdzę kłykcie Nicholasa, zobaczę, czy są podrapane. A niech to, wiedział, że za porwaniem Lorelei krył się Richard, i nie powiedział mi tego. Czy mocno pobił Richarda? Czy naprawdę sprawił mu takie tęgie baty? Ach, jego biedne pięści.

– Nie, ty głupia istoto, wcale nie uderzył go pięścią, posłużył się stopą! Kopnął biednego Richarda w żołądek, powalając go na plecy. Zbiera mi się na mdłości, gdy pomyślę, że ten barbarzyńca jest teraz hrabią Mountjoy.

– Zastanawiam się, czy nie mógłby mnie tego nauczyć.

– Siedź cicho! Nie chcę, żeby zabił mego syna, słyszysz? – Lady Mountjoy zerwała się na równe nogi i wygrażała pięścią w stronę Rosalindy.

– Nie zrobi tego, szanowna pani, jeśli pani synowie nie będą usiłowali skrzywdzić mnie. Proszę im to powtórzyć.

Lady Mountjoy zamilkła.

Rosalinda żywiła nadzieję, że macocha Nicholasa wyczerpała cały zapas jadu. Jeśli tak, ta rozmowa trwała dostatecznie długo.

Rozległo się pukanie do drzwi.

Rosalinda zerwała się na równe nogi, by pobiec do drzwi i przekręcić klucz w zamku. Odczuła głęboką ulgę, widząc, jak Grayson wchodzi do środka. Ostatnią osobą, jaką pragnęła teraz widzieć w salonie, był Nicholas. On i jego macocha w jednym pomieszczeniu nie stanowiliby urokliwego widoku.

Grayson przywitał lady Mountjoy skinieniem głowy.

– Jest pani matką dwóch młodych mężczyzn, którym należało przetrzepać solidnie skórę po wielokroć, zanim doszli do czternastego roku życia. Richard jest łobuzem, lecz założę się, iż słodko wyglądający Lancelot jest bardziej nikczemny. Należy im się jednak pochwała za to, że wykazali przytomność umysłu i zwrócili młodą damę, którą omyłkowo uprowadziły wynajęte przez nich zbiry. Przestraszyli ją na śmierć, lecz nie wyrządzili jej krzywdy. Przy okazji, szanowna pani, jestem Grayson Sherbrooke.

– Jestem lady Mountjoy, w odróżnieniu od tej tutaj.

Bardzo mu ulżyło, że w domu nie było żadnego z jego rodziców. Z tego, co usłyszał na korytarzu, wynikało, że oboje, ojciec i matka, wpadliby tutaj i wdeptali tę okropną kobietę w podłogę.

– To wszystko kłamstwo! Mój biedny, słodki Lancelot – nikczemny? Nonsens! On nie tylko ma słodki wygląd. Ma łagodne usposobienie, nosi w sobie serce poety. Niech pan wie, panie Sherbrooke, że moi synowie nigdy nie porwaliby młodej damy, nawet nie tę, co trzeba.

– Mimo pani głębokiej wiary w ich niewinność, szanowna pani, sugerowałabym, żeby dała pani swoim synom do zrozumienia, że jeśli cokolwiek mi się stanie, będą martwi.

Lady Mountjoy skoczyła na równe nogi, zrzucając na dywan pustą filiżankę po herbacie. Machnęła pięścią tuż przed nosem Rosalindy.

– Jesteś kłamczuchą i latawicą. Moi wysoko urodzeni synowie nie tknęliby cię, nie chcieliby nawet spojrzeć na ciebie, gdyby nie zostali do tego zmuszeni.

Rzuciwszy złowrogie spojrzenie zarówno na Rosalindę, jak i na Graysona, lady Mountjoy wyniosła się z salonu. Usłyszeli, jak Willicombe idzie spiesznie, by otworzyć damie frontowe drzwi.

Brwi Graysona uniosły się.

– Nazwała cię kłamczuchą. No cóż, to wszystko prawda, bowiem w rzeczy samej jesteś doskonałym łgarzem. Ale wstrętne babsko absolutnie do ciebie nie pasuje.

– Przypuszczam, że nie była w stanie wymyślić dla mnie innego epitetu, nieszczęsna kobieta, zatem się jej wyrwało. W rzeczywistości obrzucała obelgami wszystkich. Odniosłam również wrażenie, że nie była nazbyt tkliwa w stosunku do własnego męża. Ponadto ma przyjaciela, którego darzy specjalnymi względami, Alfreda Lemminga. Ona wie wszystko o mej przeszłości, Graysonie. Ja zaś udawałam, że wszyscy o tym wiedzą i nikt się tym nie przejmuje.

– Biedna kobieta, obrała sobie niewłaściwy cel. Hm, teraz jestem zdania, kiedy o tym myślę, że zawsze miałaś lekką rękę, gdy przychodziło do radzenia sobie z nieprzyjemnymi sprawami.

– No cóż. Tak, dokładam starań. Przypuszczam, że dzieje się tak dlatego, że kiedy pierwszy raz przybyłam do Brandon House, zdjęła mnie groza, że jeśli na kogoś naskoczę, twój ojciec wyrzuci mnie z domu. Nie, nie, wiem, że się myliłam, ale mimo wszystko wciąż byłam małym dzieckiem i bardzo się bałam. Wyobraź tylko sobie, Graysonie, że nie wiesz, kim jesteś i nie masz żadnych wspomnień. – Wzruszyła ramionami. – Uważam, że sposób zachowania ukształtowany za młodu staje się cechą trwałą.

– Nie wiedziałem tego – rzekł powoli Grayson. – Przypominam sobie, kiedy ojciec przywiózł cię pierwszego dnia do domu, trząsł się ze wściekłości, gdy pomyślał, co zrobiono dziecku. I ten ból, że nie wyjdziesz z tego cało… Przypominam sobie, jak doktor Pomphrey i moi rodzice spędzali długie godziny przy twoim łóżku, gdyż odniesione przez ciebie obrażenia skutkowały potworną gorączką. Dobrze pamiętam, jak mój ojciec darł się wniebogłosy, kiedy zbiegał ze schodów, by oznajmić, że będziesz żyła. Twój ojciec i twoja matka nie pokochali cię, Rosalindo, lecz moi obdarzyli cię miłością. Nigdy nie wolno ci w to wątpić. Nigdy o tym nie zapominaj.

Przełknęła ślinę.

– Nie, na pewno. Dziękuję, że mi o tym powiedziałeś, Graysonie. W każdym razie nic z tego nie ma teraz znaczenia.

– Wszyscy postrzegają cię jak tajemnicę; to, jak do nas trafiłaś, jest takie romantyczne, nawet jeśli w rzeczywistości było okropne, bowiem otarłaś się o śmierć. Ośmielę się powiedzieć, iż jeśli ktoś poczyni tego rodzaju uwagę, wystarczy w zupełności, że mu zaśpiewasz, a zyskasz bezgraniczny podziw.

– Proponowałam, że zaśpiewam dla niej, lecz odmówiła.

Roześmiał się.

– Nie żartowałem. W twoim głosie kryje się jakaś magia.

– Zwykłeś być tego zdania, kiedy byliśmy młodsi – odparła, on zaś uśmiechnął się do niej, ukazując piękne, białe zęby. – Jak się miewa dzisiaj Lorelei?

Ku jej zaskoczeniu on tylko wzruszył ramionami, potem wyciągnął zegarek z kieszeni kamizelki i spojrzał na niego.

– Przypuszczam, że teraz miewa się dobrze. Wybieram się na literackie spotkanie. Spotkam się z tobą później na balu u Bransonów.

I wyszedł, zanim zdążyła powiedzieć cokolwiek, na przykład: *W sprawach sercowych, Graysonie, jesteś tępakiem*.

Cóż takiego uczyniła nieszczęsna Lorelei?

Rozdział 23

Tego wieczoru na balu u Bransonów Nicholas zmierzył Rosalindę zamyślonym wzrokiem po odtańczeniu szczególnie ekscytującego walca, po którym czuła się lekko oszołomiona. Przez moment obserwowała bacznie jego twarz, wzięła lampkę szampana od przechodzącego kelnera, wypiła pół kieliszka i pojęła, na czym polega problem.

– Ach, rozumiem, dowiedziałeś się jakimś sposobem o wizycie u mnie twojej macochy. Poradziłam sobie z nią, nie musisz się martwić. Czy naprawdę kopnąłeś Richarda w żebra? Rzeczywiście uniosłeś nogę tak wysoko? Proszę, Nicholasie, naucz mnie, jak to się robi.

– Niestety, nie możesz tego wykonać z powodu wszystkich tych halek.

– Mogę założyć spodnie. Naucz mnie, Nicholasie, być może podczas miodowego miesiąca. Co o tym sądzisz?

Wyobraził sobie ją paradującą w spodniach i uśmiechnął się szeroko.

– Zobaczymy. – Spoglądał na nią z góry. – Miała czelność cię obrazić?

Rosalinda wzruszyła tylko ramionami.

– Ona mnie zanadto nie zajmuje. Mimo to muszę ci powiedzieć, że potem otworzyłam wszystkie okna w salonie, żeby wywietrzyć fetor jadu.

– Usiłowała cię ostrzec, żebyś trzymała się ode mnie z dala, prawda?

– Z pewnością usiłowała.

Roześmiał się, rozkoszując się jej dobrym humorem. Zastanawiał się, czy też będzie się śmiała, kiedy zaciągnie ją do łóżka. Nie miał nic przeciwko temu, by rozpoczęła od śmiechu, lecz – ponieważ nigdy nie uprawiał miłości z kobietą, która jednocześnie się śmiała – nie był do końca pewien. Wziął od niej kieliszek i wypił resztę szampana. Potrząsnął głową.

– Dwa kieliszki tego trunku i człowiek jest gotów wskoczyć na stół i zatańczyć, wycinając hołubce.

Pochyliła się i wyszeptała blisko jego szyi.

– Czy powinnam zatańczyć bez pośpiechu, ściągając kolejno poszczególne części garderoby?

Wyobraził ją sobie na stole w rogu sali.

– Myślę o tych wszystkich śmiesznych halkach, które nosisz, jedwabnych pończochach i nie zapominam o gorsecie ani o sukni. Po prostu nie dasz rady zrobić tego sama.

Delikatnie położył opuszki palców na jej ustach.

– Chcę, żebyś teraz zachowała pełną powagę. Posłuchaj mnie; moja droga macocha jest suką. Demonstruje niezadowolenie i pozuje na ciężko doświadczoną przez życie. Nie chcę, żebyś się z nią więcej spotykała.

Rosalinda spojrzała na niego, marszcząc brwi.

– Skąd masz wiedzę na jej temat? Nie widziałeś jej od dwudziestu paru lat.

– Darzyła mnie nienawiścią, kiedy byłem pięcioletnim chłopcem, pragnęła mej śmierci, lecz ponieważ tak się nie stało, życzyła sobie, żebym zniknął. Dlaczegóż miałaby się zmienić? Wystarczy tylko spojrzeć na jej synów. – Nie mógł uwierzyć, że to powiedział. – Mam na usługach świetnego notariusza. Poprosiłem go o sporządzenie szczegółowych raportów na temat wszystkich moich krewnych.

Chwyciła kolejny kieliszek z szampanem z tacy kelnera.

– Wiesz, sądzę, iż ona zjawiła się tam po to, by mnie przekonać, iż jej ukochani synowie nie mają nic wspólnego z porwaniem Lorelei, przez co chciała dać do zrozumienia, że nie stanowią dla mnie zagrożenia. Sądzę, że usiłowała ich chronić. Brakuje jej po prostu talentu, żeby poradzić sobie z tym gładko, w odróżnieniu zresztą od ciebie. Tak, ty poradziłbyś sobie z wprawą.

– Jedynym powodem, dla którego nie zabiłem Richarda tym razem, był fakt, że tak bardzo spartolił tę robotę. Wszelako, jeśli Richard i Lancelot podejmą jakąkolwiek próbę tknięcia ciebie ponownie, zabiję ich.

– Powiedziałeś im to?

– Och, tak. Kiedy ma się do czynienia z łotrami, zwłaszcza młodymi, trzeba wyrażać się absolutnie jasno, ponieważ brak im rozumu oraz doświadczenia co do bolesnych konsekwencji takich działań. – Spojrzał na kieliszek przechylony przy jej ustach. – Czy zamierzam poślubić damę, która lubi zaglądać do kieliszka, Rosalindo?

Uśmiechnęła się.

– Być może kiedy już z twoją pomocą pozbędę się niewiedzy o grzesznych sprawach, zrezygnuję z tych smakowitych trunków, za których sprawą moja głowa robi się lekka, a z moich ust wybiegają niespodziewane słowa. Być może, milordzie, zapewnisz, że nie będę tego wcale potrzebować.

Wziął od niej kieliszek i postawił na stole. Nie chciał z nią tańczyć, pragnął wziąć ją w ramiona i zbiec po schodach, które prowadziły do ogrodów pogrążonych w głębokim mroku.

– Zatańcz ze mną walca – rzekł.

Uśmiechnęła się do niego, kiedy poprowadził ją na parkiet.

– Tego ranka przeczytałam w „Gazette", że zamierzam wyjść za ciebie za mąż..

– Tak, jesteś usidlona na dobre.

Z jego głosu przebijało bezmierne zadowolenie z samego siebie. Ponieważ ona również była bardzo zadowolona z niego, powstrzymała się od komentarza w tej kwestii.

– Najdroższa, Willicombe powiadomił mnie, że dzisiejszego popołudnia złożyła ci wizytę lady Mountjoy – rzekł wuj Ryder, kiedy później zatańczyła z nim. – Powiedział mi również, że potraktowałaś tę starą jędzę, jak się należało.

– Byłam przekonana, że podsłuchiwał.

– W rodzinie Sherbrooke'ów mamy długą listę tych, którzy skutecznie podsłuchiwali. Jak Sinjun przekazał ten dar Meggie, tak, jak sądzę, Hollis scedował go na Willicombe'a. Hm, czy ty dobrze podsłuchujesz, Rosalindo?

– Och, tak, bardzo dobrze. Czy nie pamiętasz, wuju Ryderze? Jeśli tylko coś działo się w Brandon House, o czym chciałeś wiedzieć, zawsze pytałeś o to mnie. Jeśli coś do mnie nie dotarło, wiedziałam, do których drzwi przystawić ucho, by odkryć to, co chciałeś wiedzieć.

Ryder roześmiał się i zakręcił nią na parkiecie. Na dźwięk jej perlistego śmiechu Nicholas podniósł wzrok, nie przerywając rozmowy z Graysonem, który dopiero teraz przybył na bal.

– Jej śmiech jest niemal równie magiczny, jak jej śpiew – orzekł Grayson. – Wyobrażam sobie, że mój ojciec wypytuje ją o wizytę twojej macochy.

– A ona wyjawi mu wszystko.

– Och, nie. Wybierze to, co zechce. Jest w tym całkiem dobra. Ponieważ kocha mego ojca, nie chce go nadmiernie niepokoić. Nie zrozum mnie źle, jeśli ona wpada w poważne tarapaty, zawsze udaje się do mego ojca i matki po poradę. Warto, żebyś o tym pomyślał; sam również, jak mniemam, darzę ich oboje zaufaniem.

– Zastanawiałem się, jak to może być – odparł bez zastanowienia Nicholas – kiedy ma się ojca i matkę, których się kocha, podziwia oraz im ufa.

– Och, tak. Szkoda tylko, że to nie było dane tobie, ale miałeś przecież dziadka.

– Tak... Miałem dziadka, nieprawdaż?

– Ach, widzę pannę Kilbourne po drugiej stronie sali, macha do ciebie. Lecz nie zwierzyłeś mi się wcale, jak udała się lektura twojej powieści w jej salonie literackim.

– Kiedy stamtąd wychodziłem, głowę miałem tak wielką, że dobrze zrobiła mi przejażdżka konno na grzbiecie Kinga.

– Uwielbienie do granic mdłości?

Grayson przytaknął. Celowo unikał wymiany spojrzeń z Lorelei. Jako młoda dama nie mogła oddalić się od matki i podejść do niego.

– Przeczytałem twój matrymonialny anons w porannej gazecie. Dobra robota. A teraz, jak sądzę, zaproszę do walca Alice Grand.

I odszedł.

Nicholas zwykle nie wtrącał się w cudze sprawy, lecz kiedy przypadkiem zerknął ponownie na Lorelei Kilbourne, zobaczył jej żałosne spojrzenie skierowane na Graysona tańczącego walca z Alice Grand, biuściastą młodą damą, nieustannie roześmianą, z przyciężkawym dowcipem, który potrafiłby zwalić z nóg nawet wołu.

Przyłapał się na tym, że podchodzi do lady Ramey i pyta ją, czy bal się jej podoba.

Jakieś pięć minut później, po drobiazgowej rozmowie z lady Ramey, kiedy orkiestra zagrała kolejnego walca, poprowadził Lorelei do tańca.

Była dobrą tancerką, bez trudu dostosowała się do jego stylu. Spojrzał na nią z góry, dostrzegł cierpienie w jej oczach i czuł do szpiku kości, że powinien zamknąć usta. Mimo to zapytał:

– Co się stało?

– Nie wiem – odpowiedziała bez chwili wahania. – A pan wie?

– Tylko tyle, że coś jest nie w porządku, przynajmniej z punktu widzenia Graysona.

– Czy dowiedziałby się pan, co, milordzie? Nie mam zbyt dużego doświadczenia w kontaktach z dżentelmenami i znalazłam się na przegranej pozycji, jeśli chodzi o wytłumaczenie się.

Jaka niewinna, pomyślał Nicholas, czarująca i całkiem ładna. Dostrzegł łzy zbierające się w jej oczach. Cóż biedny mężczyzna miał uczynić? Zaklął w duchu i uległ.

– Spróbuję się dowiedzieć, panno Kilbourne.

Jej miękkie usta zacisnęły się.

– Ponieważ zostałam uprowadzona zamiast pańskiej narzeczonej, może pan zwracać się do mnie: Lorelei.

Poczuł zadowolenie. Skinął głową.

– Lorelei.

* * *

Nicholas wiedział, iż nie powinien wtrącać swoich trzech groszy w sprawy między kobietą a mężczyzną, lecz mimo to torował sobie teraz drogę przez posępne sale wystawowe British Museum w poszukiwaniu Graysona. Znalazł go w końcu pochylonego nad szklaną gablotą, z miną wyrażającą niemal cześć.

– Co to jest?

Grayson wzdrygnął się i zamrugał.

– Spójrz na to, Nicholasie. Z plakietki wynika, że jest to berło używane przez starożytnego władcę Persji.

Nicholas zwrócił uwagę na puste dziurki w rękojeści, gdzie kiedyś znajdowały się drogocenne kamienie.

– Tu jest napisane, że berło pochodzi z czasów króla Dariusza. Sądzisz, że należało do niego?

– Nie. Należało do kogoś o większej randze; uważam, że należało do czarnoksiężnika. Czy nie wyczuwasz jego mocy, magii – coś jakby wibracji głęboko w trzewiach?

Nicholas odruchowo zaprzeczył ruchem głowy. W żaden sposób nie mógł przyznać istnienia takich zjawisk jak wibracje, lecz ten cholerny przedmiot zdawał się świecić w tej szklanej gablocie. Niemal wyczuwał jakieś ciepło.

– Od jak dawno to tutaj jest?

– Nie wiem. Odkryłem to w zeszłym tygodniu i stwierdziłem, że coś mnie ku temu ciągnie. Nawet dyrektor nie wie dokładnie, kiedy pojawił się ten eksponat i kto go przywiózł. Sprawdził w archiwum i powiedział mi, że nie ma na ten temat żadnych dokumentów. No cóż, czy to nie dziwne? Można by odnieść wrażenie, że berło pojawiło się nie wiadomo skąd. Co ty tutaj robisz, Nicholasie?

– Ignorujesz Lorelei, ponieważ obawiasz się, że ktoś może ją skrzywdzić ponownie.

Grayson Sherbrooke wpatrywał się w rosłego mężczyznę, który był wyższy od niego o dobre pięć centymetrów, zbudowany jak wuj Douglas i jego kuzyni, James i Jason. I miał wygląd wuja Douglasa: brunet, śniady, budzący respekt, przynajmniej wtedy, kiedy się nie śmiał. Graysonowi nie przyszło do głowy odparować mu, żeby pilnował swoich spraw.

– Obiecałem jej ojcu – rzekł prosto z mostu – że nie zobaczę się z nią więcej. Oznajmił mi, że byłby szczęśliwy, jeśli nie wyjawię Lorelei dlaczego. Nie uczyniłem tego, ale domyśliłeś się natychmiast, prawda?

– Można mi zarzucić wiele, ale nie jestem ślepy. Mówiąc szczerze, jestem bardzo zaskoczony tym, że Lorelei również na to nie wpadła.

– Ona jest niewinna. Wszelako zgadzam się z lordem Rameyem, ponieważ nie chcę być zmuszony martwić się o nią. Kiedy już będzie po wszystkim, zobaczymy, co dalej.

– Musisz wiedzieć, że na podstawie podanego przez Lorelei opisu herbu, jaki widziała na drzwiach powozu, zorientowałem się, że był własnością mojego ojca, a teraz należy do moich przyrodnich braci. Zatem posiadałem dowód. I porozmawiałem z Richardem.

– Słyszałem, że zdzieliłeś go stopą powyżej pasa, rąbnąłeś w szyję, zadając ciosy, jakich nigdy wcześniej nie widział. Świetna robota. Szkoda tylko, że nie zatłukłeś drania na śmierć.

– Jeśli tylko on lub Lancelot spróbują kiedykolwiek coś jeszcze zrobić, wiedzą, że ich pozabijam. Nie sądzę, żeby byli do tego stopnia nierozumni. Niczego już nie uczynią. Czy chciałbyś, żebym porozmawiał z lordem Rameyem? Zapewnił go, że jego córce już nic więcej nie grozi?

Grayson odwrócił wzrok od niego, ponownie spoglądając na berło.

– Jesteś nad wyraz naiwny, Nicholasie, uwzględniwszy twoje życiowe doświadczenia z ostatnich lat. Poznałem Richarda i Lancelota Vailów w teatrze Drury Lane. Niebezpieczeństwo nie minęło. Oni nie zaprzestaną knowań. To po prostu nie leży w ich naturze. Richarda wychowano w przekonaniu, że jest prawowitym hrabią Mountjoy. Słyszałem nawet, jak jeden z moich znajomych mówił, iż Richard raz posłużył się nawet tytułem wicehrabiego Ashborough, kiedy twój ojciec został hrabią. Aczkolwiek nigdy nie nazwał siebie hrabią Mountjoy po śmierci twojego ojca. Nie mógł posunąć się tak daleko. Prawdopodobnie zdawał sobie sprawę, iż zostanie wyśmiany.

– Wracając do Lancelota, jestem przekonany, że jego wrodzona niegodziwość stanowi dostateczny motyw do zgładzenia ciebie. On jest bardziej niebezpieczny niż jego brat.

– Być może – odparł Nicholas. – Jeśli to berło rzeczywiście należało do potężnego czarnoksiężnika, to on odwiedził Krainę za Ostrokołem.

– To całkiem możliwe – zgodził się Grayson. – Moim zdaniem dziwne jest, że Kraina za Ostrokołem wydaje się innym światem lub że znajduje się w innym wymiarze. My natomiast jesteśmy tymi, którzy przebywają po drugiej stronie ostrokołu.

– Po drugiej stronie ostrokołu – powtórzył powoli Nicholas. – Na zewnątrz warowni, specjalnego wyznaczonego, bezpiecznego miejsca, schronienia, gdzie wszystko jest cywilizowane. Znaleźć się na zewnątrz oznacza niebezpieczeństwo, okrucieństwo i śmierć.

Grayson przytaknął.

– Ale Kraina za Ostrokołem Sarimunda nie jest wcale cywilizowanym światem. Tibery usiłują zabijać czerwone Lasisy, a Smoki zabijają każde stworzenie, jakie je rozdrażni. Co do czarnoksiężników z Góry Olyvan, oni przebywają na obszarze Krainy za Ostrokołem, utrzymując tam swego rodzaju równowagę, lecz mimo tego nie jest tam bezpiecznie. Jest to miejsce pełne przemocy i magii. Wszystko wydaje się bardzo dziwne.

– Być może masz rację, Graysonie – odrzekł Nicholas. – Być może Kraina za Ostrokołem jest metaforą, niewykluczone, że jakiejś ziemi, gdzie chaos bierze górę przy lada okazji i gdzie ludzie zabijają się nawzajem z żarliwym zapamiętaniem. – Przez chwilę milczeli, potem położył dłoń na ramieniu Graysona. – Wierz mi, jeśli Richard lub Lancelot spróbują zrobić cokolwiek, pozabijam ich. Wiedzą o tym i wiedzą, że nie rzucam słów na wiatr.

– Chyba że ja zgładzę ich pierwszy – oznajmił Grayson głosem całkowicie beznamiętnym.

Nicholas oczyma wyobraźni zobaczył nagle twarz Richarda Vaila, twarz, która wyrażała mroczne, złe zamiary, niewypowiedzianą wściekłość oraz dojmujący fizyczny ból, jaki zadał mu Nicholas i jeszcze coś... była to determinacja; obietnica sięgnięcia po przemoc? Zemstę? Karę? Odnośnie do Lancelota, Nicholas zyskał przekonanie, że teraz rozumiał go bardzo dobrze.

Zaklął, potem obrócił się, by zawołać młodego chłopaka, który trzymał wodze konia Clyde. Ogier zarżał cicho na jego widok, potem trącił chłopca głową w ramię. Na twarzy chłopaka pojawił się szeroki uśmiech, ukazujący prześwit między dwoma przednimi zębami.

Nicholas pogrążył się w myślach, kiedy jechał wierzchem przez Russell Square i powoli przeciskał się przez zatłoczony plac w stronę Fleet Street, gdzie jego notariusz wynajmował niewielkie biuro. Gdy ściągnął cugle Clyde'a ostro w bok, chcąc ominąć konną platformę wypełnioną baryłkami z piwem i poczuł na policzku kłujące smagnięcie powietrza gorącego od przelatującej tuż obok kuli, pomyślał: Do diabła, Grayson miał rację.

Rozdział 24

– Powiadam ci, że nie jestem mordercą! Nie usiłowałem zastrzelić ciebie, ani też nikogo do tego nie wynająłem. – Rumieniec gniewu na twarzy Richarda nagle zbladł; prychnął na Nicholasa szyderczo, gdy ten strzepywał z rękawa surduta jakiś kłaczek. – Uwierz mi, gdybym pragnął twojej śmierci, drogi bracie, zrobiłbym to osobiście.

Nicholas nie był w stanie powiedzieć dlaczego, ale po prostu wiedział instynktownie, że Richard mówi prawdę. Tym razem. To go irytowało i zarazem niepokoiło. Tak wiele było niewiadomych, które nękały go do teraz, więc nie mógł ścierpieć dodania jeszcze jednej.

– Gdzie jest Lancelot?

– Co? Teraz dajesz wiarę temu, że mój młodszy brat usiłował cię zabić? No cóż, nie uczynił tego. Wybrał się z wizytą do przyjaciela niedaleko Folkstone, wyjechał dzisiaj wczesnym rankiem.

Tym razem mogło to być kłamstwo grubymi nićmi szyte.

– Podaj mi adres, pod który się udał oraz nazwisko tego przyjaciela.

Richard Vail podał te informacje, a szyderczy uśmiech nabrał jeszcze intensywności.

– Wydaje mi się, że masz więcej wrogów, niż człowiek powinien mieć. Jesteś w Anglii od, bodajże, dwóch miesięcy?

– Coś koło tego, tak – potwierdził Nicholas, notując te informacje w małym kajeciku, jaki nosił w kieszeni kamizelki. – Zmierzył wzrokiem przyrodniego brata. – Nie widziałem twojego ślicznego, młodego kamerdynera przy drzwiach wejściowych.

Richard wzruszył ramionami.

– On jest również służącym Lance'a. Przypuszczam, że towarzyszy mu w drodze do Folkstone.

Z otwartych drzwi salonu dobiegł szelest jedwabiu i rozległ się przesycony złością tubalny głos.

– Co ty tutaj robisz? Nie tykaj go, ty nic nieznaczące zero!

Nicholas odwrócił się i ujrzał korpulentną kobietę niskiego wzrostu, odzianą w piękną fioletową suknię. Każdy odkryty fragment jej ciała mienił się klejnotami. Kobieta wbiegła do salonu, wymachując pulchną pięścią. Rozpoznał jej głos i jej oczy. Oczy zarazem bezwzględne i surowe; oczy, które wzbudzały w nim śmiertelne przerażenie, kiedy miał zaledwie pięć lat. Teraz wszelako nie był już małym chłopcem.

Tuż za nią podążał otyły dżentelmen, zaledwie o pięć centymetrów wyższy od niej. Nicholas widział go parę razy uprawiającego hazard w kasynie u White'a. Czyżby był to kochanek drogiej macochy, Alfred Lemming, o którym wspomniała mu Rosalinda?

Odczekał, aż dama podejdzie bardzo blisko, potem uniósł brwi.

– Byłem przekonany – rzekł słodko – że jedynie moja narzeczona jest nic nieznaczącym zerem.

– Ona jest jeszcze większym zerem niż ty, *sir*. W twoim przypadku przodkowie są znani, o reszcie szkoda gadać. Co ty tutaj robisz? Nie waż się ponownie porwać na życie mojego syna!

– Ktoś usiłował go zabić – poinformował matkę Richard. – Kula z karabinu przeszła tuż obok jego ucha. Ktokolwiek to był, żałować należy, że chybił. Powiadomiłem go, że nie miałem z tym nic wspólnego. Byłem w klubie, moi przyjaciele mogą zaświadczyć. Zatem teraz wypytuje mnie o Lance'a.

– Kula o mały włos chybiła? – powiedziała lady Mountjoy; z jej surowych oczu przebijało jawne rozczarowanie; potem zmierzyła go wzrokiem od stóp do głów. – Zatem Nicholas Vail to ty. Z wyglądu jeszcze bardziej przypominasz starego hrabiego niż twój ojciec, a oni przecież wyglądali niemal jak bliźniacy.

– Przypuszczam, pani, że mówisz to samo także o Richardzie – skomentował Nicholas.

– Być może. Powiedziałam tej impertynenckiej dziewczynie, którą pragniesz poślubić, że przypuszczalnie przeniesiesz na swe dzieci obłęd twego dziadka, lecz to nie zdało się na nic. Ta smarkula nie wykazała żadnego zrozumienia dla logicznych argumentów.

Miranda, lady Mountjoy, przeniosła wzrok z niego na Richarda i z powrotem. Tego ranka byli nawet podobnie ubrani, a wszyscy obecni w salonie wiedzieli, że ci dwaj wyglądali rzeczywiście jak bracia, w odróżnieniu od jej ukochanego Lancelota.

– Proszę mi powiedzieć, szanowna pani, gdzie przebywa mój trzeci przyrodni brat, Aubrey?

– Ach, więc teraz jego uznałeś za mordercę? No cóż, Aubrey jest poza Londynem – odpowiedziała lady Mountjoy i westchnęła. – Przebywa w Oksfordzie. Aubrey jest studentem, jeśli już musisz wiedzieć, pilnym i pracowitym od najmłodszych lat, zawsze otoczonym książkami.

– Aubrey nie wiedziałby, którym końcem celować z karabinu, zatem zapomnij o nim – wtrącił Richard.

Mirandzie przyszły na myśl gęste, bujne rude włosy, które porastały głowę jej syna-studenta – czupryna Aubreya była niemal dokładnie takiego samego koloru, jak loki tej małej latawicy, która miała stanąć wyżej od niej na drabinie społecznej, o ile rzeczywiście poślubi Nicholasa. Była to zaiste fatalna perspektywa.

Miranda zobaczyła Aubreya oczyma wyobraźni. Nie mogła ścierpieć jego opadających wąskich ramion i tego, że musiał nosić okulary, ponieważ z pewnością przeczytał każdą książkę w Oksfordzie. Ach, jak bardzo błagała go, by poszedł z Richardem do jego prywatnej salki bokserskiej, gdzie mógłby popracować nad sylwetką, unieść wyżej brodę oraz zademonstrować dumę ze swego pochodzenia. Być może nawet dałoby mu się wpoić pewną dozę agresywności. Jak mężczyzna mógł prezentować się sprężyście, skoro jego barki były zaokrąglone jak dzieża? Jego ojciec nie stanowił w tym względzie żadnej wyręki, gdyż po prostu klepał chłopca z aprobatą za każdym razem, kiedy ten powiedział coś mądrego albo zacytował greckiego filozofa z epoki antyku. Ach, przecież nie miała zamiaru opowiedzieć nic z tych rzeczy temu intruzowi.

Co się tyczy Lancelota – przynajmniej dobrze strzelał, polował i jeździł konno. Chociaż zachowywał się jak romantyczny poeta, ramiona miał proste. I on również był w stanie uśmiechać się szyderczo, jak Richard.

A teraz Nicholas stał w salonie, jej salonie, rosły, sprawny i mocny, jak jej najdroższy skarb Richard, lecz w jego ciemnych oczach było coś więcej, coś, co znamionowało bagaż bogatych doświadczeń oraz fantastycznych przygód i czegoś jeszcze – lecz co to było? Ból, mroczny i głęboki? – Nie, nie powinna myśleć o jego życiu po śmierci dziadka. Kiedy przez lata całe nie było o nim ani widu, ani słychu, wszyscy uznali go za zmarłego, a ona w swym sercu radowała się wizją, iż sprawiedliwości stało się zadość.

Lecz Nicholas nie przeniósł się na tamten świat. Tryskał energią i emanował zagrożeniem, gotów zgładzić jej chłopców.

– Powinieneś był umrzeć jako dzieciak – odezwała się. – Dlaczego tak się nie stało?

Miranda zdawała sobie sprawę, że Richard wpatrywał się w nią, więc zamilkła.

– Jestem niczym pas dobrze wyprawionej skóry, szanowna pani, chociaż – zmierzył ją wzrokiem z góry na dół – być może nie jestem równie dobrze wyprawiony, jak pani.

– Spójrz tu – rzekł Richard, robiąc krok do przodu.

– Nie, skarbie – powiedziała Miranda, powstrzymując go. – Zatem ktoś usiłował zakończyć twój żywot... No cóż, to żaden z moich synów.

– Nie sądzę, żeby to był Richard – odparł Nicholas. – Musimy zatem rozważyć osobę Lancelota, nieprawdaż?

– Spójrz tu, mam na imię Lance, niech cię cholera!

– Lancelot... – Nicholas wymówił na głos to imię, odwrócił się i zobaczył swego przyrodniego brata oraz stojącego tuż za nim bladego kamerdynera z zapadniętym torsem.

– Lance! Mój drogi chłopcze, co robisz z powrotem w Londynie? Richard powiedział nam, że wybraliście się z wizytą do przyjaciela w Folkstone.

Lancelot wzruszył ramionami.

– Odpadło nam koło od powozu. Nie było innego wyboru, jak wracać. Ale co to ma do rzeczy? Co on tutaj robi?

– Zatem bez większego trudu mogłeś być tym, który dzisiejszego ranka usiłował umieścić kulkę w mojej głowie – wysunął przypuszczenie Nicholas, mocnym i jednocześnie chłodnym tonem, zastanawiając się, ile czasu zajęłoby mu uduszenie tego małego, wyniosłego opoja, przy czym z każdej sekundy czerpałby prawdziwą radość.

– Nonsens – odparł Lancelot. – Jestem doskonałym strzelcem. Gdybym był w Londynie i strzelał do ciebie, leżałbyś martwy.

– Nie jest pan tak świetnym strzelcem jak ja – odezwał się nieoczekiwanie kamerdyner. – Czy nie przypomina pan sobie naszej rywalizacji? A panicz Richard jest spośród nas najlepszy.

Kamerdyner dysponuje dużą swobodą rozmowy ze swymi chlebodawcami – pomyślał Nicholas i obserwował, jak macocha wpatrywała się w niego z rozdziawionymi ustami.

– Jak się nazywasz? – zapytał Nicholas.

– Ja? David Smythe-Jones.

Nicholas się roześmiał.

– Davy Jones*? Twoi rodzice są zatem żeglarzami, ujmując nieco ironicznie?

---

* Davy Jones – fikcyjna postać z marynarskich opowieści; jest kapitanem mitycznego statku – „Latającego Holendra" – zajmującym się przewożeniem dusz ze świata żywych do świata zmarłych (przyp. red.).

– Nie, wierzą w istnienie skarbu, uwięzionego dawno temu w zatopionej hiszpańskiej galerze, spoczywającej głęboko na dnie morza. Wszelako odkąd mieszkają w Liverpoolu i nie dysponują funduszami na poszukiwania skarbu, słabe są widoki, że kiedykolwiek go odnajdą. Mimo to matka ciągle poświęca dużo czasu na studiowanie starych map i sporządzanie planów.

Nicholas przyglądał się badawczo młodemu mężczyźnie, jego nadąsanym ustom, nerwowym dłoniom, pozostającym w nieustannym ruchu. Potem skierował wzrok na obu braci. Tak bardzo się od siebie różnili. Jakby tego było jeszcze mało, trzeci przyrodni brat, Aubrey, był studentem. Ciekawe, co jego ojciec myślał o potomstwie, które po sobie pozostawił.

Nicholas uniósł rękę, chcąc przyciągnąć uwagę pozostałych.

– Dość już kłótni, wystarczy obelg, koniec z przysięgami niewinności. Wliczając w to pana, *sir* – ostatnie słowa skierował do Alfreda Lemminga, który stał na czubkach palców, gotów czmychnąć. – Wszyscy, jak tu jesteście, posłuchajcie mnie bardzo uważnie. Jestem lordem Mountjoy, hrabią Mountjoy. Żaden z was nigdy nie odziedziczy tego tytułu. Mój syn przejmie po mnie schedę, a jego syn przedłuży dziedziczenie na przyszłe pokolenia. Jeśli wasza matka wpajała wam, że staniecie się prawowitymi dziedzicami, to wyrządziła wam ogromną krzywdę. Powiem to tylko raz. Jeśli coś mi się stanie, mam kilku bliskich przyjaciół, którzy mnie pomszczą. – Odwrócił się do Richarda. – Jeśli umrę ja, umrzesz także i ty, i umrze Lancelot. Uwzględniając wściekłość moich przyjaciół, gdybym miał zostać zamordowany, wątpię również, czy Aubrey zdołałby przeżyć. Nie pozostanie nikt z Vailów, a ród w linii męskiej wymrze, jak wszyscy z nas. Czy wszyscy mnie dobrze zrozumieli?

– Chyba całkowicie postradałeś zmysły! Jesteś do tego stopnia szalony, że wysuwasz groźby pod adresem moich chłopców, chociaż nigdy cię nie skrzywdzili – wykrzyknęła lady Mountjoy, machając ku niemu dłonią zaciśniętą w pięść.

– Niech pan zważy na jej słowa, bowiem jest to prawda! – zagrzmiał Alfred Lemming, z niepokojąco zaczerwienionym obliczem.

Nicholas ukłonił się nisko przed starszą damą.

– Dopilnuję, byś pozostała, pani, pośród żywych. Chcę, żebyś ty i twój tłusty kochanek kontynuowali ciągłość rodu; być może wreszcie poczuje pani rozpacz z powodu faktu, iż nauczyłaś ich mnie nienawidzić, wpoiłaś im, że jestem wrogiem, którego należy zniszczyć. Natomiast nie nauczyła ich pani tego, że jestem ich bratem, którego powinnością i obowiązkiem jest chronić ich, być dla nich wsparciem i pomocą. W końcu zrozumie pani, że wokół pani pozostała wyłącznie pustka.

Przez moment panowała martwa cisza, po czym Alfred Lemming wyszedł krok do przodu i odezwał się niemal szeptem.

– Rzekłbym, milordzie, że nie powinien pan wygłaszać oświadczeń do tego stopnia pozbawionych ogródek. – Jego bardzo blade czoło zraszały krople potu, lecz mimo to wytrwał. – Wbrew jadowi i groźbom unoszącym się w salonie, nie ma żadnego usprawiedliwienia dla braku dobrych manier. Jestem Lord Heissen i osobiście ręczę za młodych dżentelmenów. W tym rzecz, milordzie. Oni są dżentelmenami, nie bandziorami. Przybył tu pan z barbarzyńskich krajów, niewątpliwie tropiony przez swych barbarzyńskich wrogów, którzy nie mają pojęcia, co przystoi czynić w cywilizowanym świecie. Żaden angielski dżentelmen nie wystrzeliłby z broni palnej na ruchliwej ulicy – narażając się, że ktoś go zobaczy i rozpozna. Absurdem są pańskie podejrzenia skierowane przeciw tym wysoko urodzonym i prawym chłopcom.

Nicholas zmierzył uważnym spojrzeniem niezwykle wytwornego Alfreda Lemminga, lorda Heissena, którego dłonie były równie pulchne i obwieszone pierścieniami, jak dłonie lady Mountjoy.

– Z przyjemnością wysłuchałem pańskiej opinii, milordzie. Ponieważ wydaje się pan pełzać w tym gnieździe żmij, postanowiłem dopisać pana do tej listy. Żegnam państwa. Ach, jeszcze jedno, szanowna pani, niech się pani trzyma z dala od mojej narzeczonej.

– Narzeczonej! Ona nie powinna była się urodzić. Dlaczego ja…

Nicholas zrobił krok w jej stronę w tym samym momencie, gdy jedna z bladych dłoni Alfreda Lemminga łagodnie zatkała jej usta. Nicholas skinął do niego głową i zauważył, iż mimo pozornej delikatności jego ręka sprawiała wrażenie bardzo silnej.

Kiedy Nicholas mijał Davida Smythe-Jonesa, rzucił mimochodem:

– Naprawdę powinieneś zastanowić się nad obraniem nowego nazwiska.

– Słucham? Jestem szlachcicem, za tym nazwiskiem kryją się niezliczone, zapierające dech historie o męstwie i awanturniczych przygodach.

– Od jak dawna jesteś zatrudniony tutaj jako kamerdyner?

– Opiekowałem się paniczem Lance'em w Oksfordzie. Byłem też gotów wziąć na swe barki ciężar większych obowiązków w Londynie. Obecnie zarządzam tą wspaniałą rezydencją. Wszyscy oczekują ode mnie rozwiązywania problemów, edukowania nastolatka, dbałości o nieskazitelną jak cześć dziewicy biel fularów panicza Lance'a oraz ich nienaganne składanie. Jestem prawdziwym ideałem i tego właśnie wymagam od całej służby.

W głowie Nicholasa pojawiło się nagłe wspomnienie zapachu pleśni pożerającej książki w bibliotece usytuowanej w głębi korytarza. To osobliwe, iż takie wspomnienie zachowało się w pamięci pięcioletniego chłopca. Skierował spojrzenie na Lancelota, ponad głową młodego mężczyzny.

– Widzę, że trzymasz swego kamerdynera w ryzach – rzekł.

Przystanął w drzwiach i spojrzał na każde z nich z osobna.

Potem opuścił miejską rezydencję, wciąż widząc oczyma wyobraźni ich kamienne twarze. Kiedy schodził frontowymi schodami, do jego uszu dobiegł krzyk macochy.

– Jakim prawem w ogóle go tu wpuściłeś, Smythe-Jones? To nie idealna postawa, lecz poważne uchybienie. Cóż z ciebie za kamerdyner?

– Przecież wcale mnie tu nie było! Panicz Lance i ja byliśmy o co najmniej milę stąd, kiedy on tu wtargnął. Gdybym tutaj był, wszedłby po moim trupie. Nie miałem przy sobie strzelby, zatem nie mogłem go zastrzelić. On jest niebezpieczny, ten olbrzymi facet.

Olbrzymi facet?

Nicholas się uśmiechnął.

Rozdział 25

Godzinę później Nicholas odbył rozmowę na osobności z Ryderem. Na całe szczęście hrabia Northcliffe towarzyszył małżonce i Rosalindzie w wyprawie do madame Fouqet. Była to ogromna ulga, bowiem Nicholas wiedział, że Rosalinda pojęłaby, iż coś nie jest w porządku, a wtedy wszyscy troje zaczęliby go naciskać i wypytywać, aż w końcu musiałby wyjawić wszystko, co wie lub wydaje mu się, że wie. Wtedy też każde z nich upierałoby się przy swoim zdaniu i powstałby chaos. Rosalinda, pomyślał, chwyciłaby strzelbę i pobiegła zastrzelić bandę jego przyrodnich braci. No i, rzecz jasna, jego macochę.

– Jeden z nich kryje się za zamachem na moje życie – wyznał teraz Ryderowi. – Nie jestem tylko w stanie udowodnić, który to z nich, zatem skierowałem groźby pod adresem wszystkich. Pociechą jest, że naprawdę posiadam przyjaciół, którzy ochoczo mnie pomszczą. Jeśli tylko powiem słowo, co zresztą niezawodnie uczynię, całe to szkodliwe plemię zostanie wytępione, gdybym miał zginąć. Wszelako, ponieważ nie uważam ich za durniów, przypuszczalnie to już koniec ich knowań. – Przerwał na moment, spoglądając w kierunku pustego rusztu w kominku. – Mimo to nie mogę mieć pewności. Faktem jest, że nie wiem, co począć, *sir*.

Ryder chodził po pięknym dywanie z Aubusson położonym w bibliotece, eleganckim pomieszczeniu, wypełnionym pięcioma tysiącami woluminów ułożonych w regałach wzdłuż trzech ścian, od podłogi po sufit. Ryder przypominał sobie, jak jego ojciec ostrożnie rozcinał każdą stronicę, obchodząc się z książkami z niewiarygodną delikatnością i ustawiając je równie ostrożnie na półkach.

– W tym pokoju znajduje się cały świat, Ryderze – powiedział mu.

– Natychmiast stąd wyjadę i nigdy tu nie powrócę, jeśli w pana przekonaniu właśnie to powinienem zrobić – podjął Nicholas, kiedy cisza się przedłużała.

Ryder spojrzał na masywny globus, zakręcił nim bez pośpiechu, obserwując, jak Anglia pojawia się, a potem szybko znika. Taka mała, pomyślał, w istocie rzeczy nic nieznacząca w odniesieniu do rozmiarów Ziemi, lecz mimo to…

– Chciałbym zgodzić się z tobą, Nicholasie – rzekł w końcu, spoglądając na młodego mężczyznę. – Naprawdę chciałbym, lecz nie mogę. W rzeczy samej dopisz mnie do listy twoich mścicieli. Ale ja nie daję wiary, że ktoś dopuści się morderstwa. Podejmiemy kroki, żeby temu zapobiec. Wiem teraz, że Rosalinda pragnie pojąć ciebie za męża. Wiem też, że będąc tym, kim jest, niezmiernie lojalna, bez cienia wątpliwości podążyłaby za tobą do Makau, gdybyś próbował ją opuścić. W tej sytuacji nie sądzę, bym miał jakikolwiek wybór w kwestii dalszego postępowania. – Ryder potarł czoło. – Ty i Rosalinda musicie natychmiast pobrać się i wyjechać z Londynu. Co sądzisz o Wyverly Chase? Wiem, że spędziłeś tam trochę czasu.

– Tak, byłem tam niemal cały miesiąc, zlecając przeprowadzenie stosownych napraw, gdyż mój ojciec zostawił tę starą posiadłość w opłakanym stanie. Co się tyczy dzierżawców ziemi, wszyscy są w bardzo poważnych tarapatach, lecz teraz ich sytuacja także zmienia się na lepsze. Mam tam doskonałego zarządcę, który nadzoruje remont.

– Ufam, że dysponujesz dostatecznymi funduszami, by doprowadzić rzecz do końca?

– Tak, oczywiście. Chłopiec bez grosza przy duszy, który opuścił Anglię w wieku dwunastu lat, wyszedł na swoje, *sir*, jak się mawia w języku potocznym. Zastanawia się pan, czy Wyverly Chase będzie dobrym schronieniem. To chodzi panu po głowie, nieprawdaż?

– Tak. Sądzisz, że będziecie tam bezpieczni czy też powinniście po prostu na jakiś czas opuścić kraj?

Nicholas podziwiał przyzwoitość tego człowieka, jego logiczny umysł oraz fakt, że kiedy dotarli do sedna sprawy, uczynił to, czego Nicholas by sobie życzył. Zastanawiał się też, czy Rosalinda rzeczywiście podążyłaby za nim do Makau.

– Wyverly Chase jest położone na szczycie pełnego uroku wzgórza, co zapewnia dobry widok na wszystkie strony. Rośnie tam też gęsty sosnowy i klonowy las, który kończy się o dobre sto jardów od domu. Jak powiedziałem, mam tam świetnego zarządcę, Petera Pritcharda, syna jednego z ludzi mojego dziadka. Wynająłem już służących, wszyscy miejscowi, co dobrze wróży ich lojalności wobec mojej osoby. Dzierżawcy ziemi są ze mnie zadowoleni, podobnie zresztą jak władze miasteczka Wyverly-on-Arden, ponieważ zamówiłem niemal wszystkie dostawy u miejscowych kupców. Szczerze wierzę, że oboje będziemy tam bezpieczni do czasu, kiedy wytropię, kto się za tym kryje.

– Nie zamierzasz zabrać Rosalindy w podróż poślubną?

– Nie teraz, *sir*. Mogłoby to się wiązać ze zbyt licznymi zagrożeniami dla jej bezpieczeństwa. Pozwólmy jej osiąść najpierw w Wyverly Chase i przekonać się, co sądzi o tym miejscu.

Ryder przypatrywał mu się przez chwilę.

– Mówię to z ogromną niechęcią, ale nie gra roli, czy Wyverly jest wspaniałym pałacem, ona zapewne zmieni jego wystrój. Bez cienia wątpliwości zaprojektuje ogród na nowo i posadzi tam nowe rośliny, umieści tam pawie, które Bóg jeden wie, jaki harmider będą robić.

Nicholas uniósł brwi w nagłym zdumieniu.

– Ona ma to we krwi, jak twierdzi, bez względu na to, jaka krew płynie w jej żyłach. Zawsze usiłowała zmieniać Brandon House, a kiedy Jane odmawiała, Rosalinda sprowadziła się do naszego domu i natychmiast poczyniła plany wymiany draperii w gabinecie oraz przestawienia wszystkich moich mebli. – Uśmiechnął się szeroko. – Brakuje jej gustu w kwestii garderoby, lecz wystarczy jej pokazać jakiś pokój, a z miejsca zamieni go w pełne uroku pomieszczenie. Ale, co najważniejsze... usilnie doradzam, żeby ten ślub odbył się tak szybko, jak to tylko możliwe. Mamy czwartek. Może w niedzielę? Uważasz, że zostało dostatecznie dużo czasu?

Nicholas przytaknął.

– Złożę wizytę biskupowi Dundridge'owi, by wystarać się o specjalną dyspensę. Wiem, że Rosalinda ma dziś ostatnią przymiarkę, a hrabia, jego małżonka i pańska będą jej towarzyszyć.

Ryder skinął głową.

– Spotkam się z Willicombe'em i kucharką, by się upewnić, że wszystko będzie gotowe na sobotę rano. – Przerwał na moment, potem przytaknął sam sobie. – Powinniśmy zaprosić wszystkich twoich krewnych, Nicholasie. – Uniósł dłoń szybkim gestem. – Nie, to jest ważne. Zaufaj mi w tym względzie.

– Oni nie przyjdą.

– Jesteś głową całej rodziny. Elita nie patrzyłaby przychylnym okiem, gdyby odmówili uczestniczenia w twoim ślubie. I zaufaj mi, wyższe sfery Londynu dowiedzą się, czy oni przybyli, bowiem sam postaram się o to, żeby wszyscy wiedzieli.

– Ale...

– Nie, to koniecznie trzeba zrobić. Twoi przyrodni bracia oraz twoja macocha muszą na własne oczy się przekonać, że to się stało, że już po wszystkim. Wszystko potoczy się tak, jak trzeba.

Nicholas opuścił miejską rezydencję Sherbrooke'ów, czując lekki zawrót głowy. Złożył wizytę sir Robertowi Peelowi na Bow Street, potem wrócił do hotelu Grillon, by powiadomić Lee Po o nowych planach.

Lee Po uniósł w zdumieniu czarne brwi, które z natury tworzyły wysoki łuk.

– A ja sądziłem, że będę nudził się w tym chłodnym, deszczowym kraju – rzekł perfekcyjną angielszczyzną. – Zamiast tego oboje, pan i pańska narzeczona, znajdujecie się w śmiertelnym niebezpieczeństwie, że nie wspomnę już o magii i tajemnicy tej Krainy za Ostrokołem... cóż za wyśmienita odmiana, milordzie. Może być pan pewien, że będę miał oko na wszystko. Żaden z trójki pańskich przygłupich braci nie skrzywdzi pana, kiedy ja jestem w pobliżu.

Nicholas roześmiał się.

– Dziękuję. A teraz mamy dużo do zrobienia.

Potem opowiedział Lee Po o dwóch ludziach, których przysłał mu sir Robert Peel.

* * *

Rosalinda dowiedziała się zupełnym przypadkiem o zamachu na życie Nicholasa. Uniosła dłoń, by zastukać do gabinetu, kiedy usłyszała ściszony głos wuja Rydera i zaciekawiona przyłożyła ucho do drzwi. Wuj Ryder informował wuja Douglasa o tym, że ktoś strzelił z broni palnej do Nicholasa.

– Ty kurzy móżdżku – szepnęła do nieobecnego Nicholasa. – Nauczę cię zaufania do mnie, nawet jeśli musiałabym wytargać cię za uszy.

Ponieważ jednak nieudany zamach tylko przyśpieszał ich ślub, a to jej nad wyraz odpowiadało, zachowała spokój. Miała przed sobą całe lata na to, by Nicholas nauczył się całkowicie jej ufać. Uwzględniwszy jego nieszczęsne dzieciństwo, nie wspominając już nawet o złoczyńcach, z którymi musiał radzić sobie od najmłodszych lat, wiedziała, że małostkowością z jej strony byłoby niezaakceptowanie milczenia z jego strony. Lecz mimo wszystko czuła się do żywego dotknięta. Bolało ją również i jeszcze bardziej złościło to, że ktoś nastawał na jego życie. Żałowała, że jej dłonie nie zaciskają się teraz na szyi Richarda Vaila.

Grayson, który dowiedział się od ojca, że Rosalinda najprawdopodobniej podsłuchiwała, ostrzegł Nicholasa, by trzymał się z dala.

– W przeciwnym razie ona może wszystko odwołać – nie pozostawiał mu złudzeń Grayson – i sama cię zastrzelić. Strzela całkiem nieźle, masz na to moje słowo, zatem lepiej nie podejmuj ryzyka. Mój ojciec naplótł jej co nieco o problemach w Wyverly Chase i dlatego właśnie konieczne było przeniesienie ślubu na sobotę. Rosalinda udawała, że daje mu wiarę, chociaż doskonale wiem, że wcale tak nie było. Gwoli prawdy nie wiem, co ona sobie teraz myśli. Zachowuje się bardzo spokojnie, może nawet zbyt spokojnie.

– Idę o zakład o każdy grosz w mojej kieszeni, że ona coś knuje – rzekł Nicholas.

Grayson zgodził się, doradził mu, by trzymał się na dystans i życzył mu wszystkiego najlepszego.

– Zaproś, proszę, Lorelei Kilbourne, Graysonie – zawołał za nim Nicholas. – Oboje, Rosalinda i ja, bardzo ją lubimy. Ponieważ cierpiała zamiast Rosalindy, jedyną słuszną rzeczą jest wystosować do niej zaproszenie.

– Zasięgnę opinii jej ojca – odparł sztywno Grayson.

– Zaproś również jej rodziców – dodał Nicholas.

– Oraz cztery jej siostry?

– Oczywiście.

Nicholas roześmiał się, kiedy Grayson mruknął pod nosem:

– Rozchichotana czeredka.

Rozdział 26

W sobotni poranek o godzinie dziesiątej Rosalinda skromnie przyjmowała wszystkie wyszukane komplementy, świadoma tego, że rzeczywiście prezentowała się nad wyraz uroczo w bladożółtej jedwabnej sukni kroju madame Fouqet. Nie myślała jednak o tym teraz, w dniu swojego ślubu; jej myśli podążyły ku przyrodnim braciom Nicholasa, których piekło powinno pochłonąć z kretesem.

Oni zaś mieli uczestniczyć w ceremonii.

Być może powinna mieć przy sobie mały sztylet. A co z ich matką, lady Mountjoy, której prawdopodobnie będzie towarzyszył Alfred Lemming? Może Rosalinda powinna wsunąć do drugiego rękawa drugi sztylet. Dla zabicia czasu zastanawiała się, od jak dawna Alfred Lemming był kochankiem lady Mountjoy. Zanim jej małżonek opuścił ziemski padół? Zastanawiała się też nad trzecim synem, Aubreyem. Z tego, co wiedziała, mógł być pobożny niczym wikary lub równie zepsuty, jak jego bracia.

– Tylko spójrz na tę cudowną nocną koszulę i peniuar, które sprezentowała ci Alex, najdroższa – perorowała ciotka Sophie. – Ach, ośmielę się rzec, że twój oblubieniec przewróci oczyma, kiedy zobaczy cię w tak ponętnym stroju.

– Jedwab w kolorze brzoskwiniowym – oznajmiła Alex – sprawia, że mężczyźni szarmancko tupią obcasami. Jedwab jest równie przezroczysty, jak twój welon, Rosalindo.

Rosalinda zobaczyła siebie, jak stoi przed Nicholasem w tej ponętnej, grzesznej konfekcji, a Nicholas z płonącym od pożądania wzrokiem podchodzi do niej, wyciągając swe wielkie, mocarne dłonie, by jej dotknąć. Widziała te dłonie, jak poprzez jedwab rysują kontur jej figury.

– Ach, najdroższa – podjęła Sophie. – Żałuję tylko, że nie bierzesz ślubu w rezydencji Brandon House. Jak bardzo spodobałoby się to dzieciom. One zawsze akceptowały ciebie, Rosalindo, podobnie zresztą jak wiedziały zawsze, że jesteś inna.

Objęła mocno ciotkę Sophie.

– Zorganizujmy dla nich drugą ceremonię zaślubin, dobrze? Być może za kilka miesięcy. Kupiłam już w Londynie prezenty dla każdego z nich... Zatrzymam je do czasu, kiedy Nicholas i ja przyjedziemy do Brandon House. Ach, jak bardzo chciałabym, żeby Nicholasa nie korcił szybki powrót do jego posiadłości. Nie potrafię sobie wyobrazić, cóż takiego się wydarzyło, co spowodowało cały ten nieznośny pośpiech. Czy ty coś wiesz?

Alex i Sophie nie miały pojęcia, że Rosalinda blefowała, bowiem już w bardzo młodym wieku doprowadziła do perfekcji sztukę mijania się z prawdą.

– Nie – odpowiedziała Alex, skromna niczym zakonnica. – Nie mamy pojęcia, co się wydarzyło. – Obdarzyła Rosalindę szerokim uśmiechem, żywiąc w duchu nadzieję, że Nicholas zdoła zapobiec wiszącej nad ich głową katastrofie, zanim przybędą do jego rodzinnej rezydencji. – Nicholas powiedział mi, że nazwa Wyverly Chase pochodzi od dziedziczki z szesnastego stulecia, która napełniła kufry rodziny i zapłaciła za budowlę – Catherine Wyverly, córki księcia. Nicholas zwierzył się nam również, że jej duch wciąż błąka się po przepastnych korytarzach wschodniego skrzydła, chociaż przyznał, iż osobiście nigdy jej nie widział.

– A teraz, najdroższa... – Sophie pogłaskała materiał, który opinał rękę Rosalindy – zapomnij o duchu. Jak rozumiem, Douglas oświadczył, że twój narzeczony został obdarzony dostatecznie dobrym gustem, by zadbać o twą garderobę. Ach, jakie to wszystko jest piękne. Jestem taka podekscytowana.

Potem Sophie otarła łzę, którą zdołała uronić, by odwrócić uwagę Rosalindy.

– Jak szybko przeminęło ostatnich dziesięć lat – dodała refleksyjnie Alex. – Przypominam sobie tak wyraźnie dzień, kiedy po raz pierwszy zaśpiewałaś dla nas, Rosalindo, tę osobliwą piosnkę w smętnej tonacji mol, tak zniewalająco uroczą i zapadającą w pamięć.

– Nie zapominaj, najdroższa, delektować się teraźniejszością, bowiem przyszłość zawsze czai się za rogiem, chcąc chwycić nas za gardło.

– Nie zapomnę, ciociu Alex.

Darzyła miłością obie ciotki, wiedziała, iż pragnęły ją chronić, co ewidentnie przekładało się na to, że każdy w tym cholernym domu starał się utrzymywać ją w niewiedzy. Pragnęła powiedzieć im, że nie potrzebuje ochrony. Tak naprawdę potrzebowała wiedzy o wszystkim, by opracować strategię, która zapewniłaby bezpieczeństwo jej oraz Nicholasowi. Być może uda się jej nawet dojść do tego, kto jest odpowiedzialny za tę udrękę. Mówiąc prawdę, była przekonana, że to Nicholas bardziej potrzebował ochrony niż ona. No cóż, sama tego dopilnuje.

Sophie spojrzała na zegar z pozłacanego brązu ustawiony na gzymsie kominka.

– Pora zejść na dół, najdroższa. Zostały zaledwie cztery minuty do dziesiątej, a wiesz, że biskup Dundridge wierzy w potęgę czasu. Prawdopodobnie już tupie nogą ze zniecierpliwienia, obserwując wskazówki zegarka, i obawia się, że ty lub Nicholas pierzchniecie w ostatniej chwili.

Rosalinda dokładała wszelkich starań, by zejść po szerokich schodach majestatycznie, ponieważ u ich podnóża stał już Nicholas – w czarnym stroju, płóciennej koszuli, białej jak jego zęby, z tą swoją silnie zarysowaną i upartą szczęką, i spoglądał na nią bez cienia uśmiechu. Miał poważny wyraz twarzy, niczym purytański duchowny gotów pomstować na swoją grzeszną trzódkę. W tym momencie nie chciała tego zrobić. Nie znała tego niebezpiecznego mężczyzny... Patrzył na nią. Bardzo powoli podniosła dłoń odzianą w rękawiczkę i położyła na jego przedramieniu. Nie odezwał się ani słowem, ona również nie. Poprowadził ją do salonu, pełnego białych róż i przesyconego aromatem wanilii.

Biskup Dundridge włożył z powrotem do kieszeni zegarek z błyszczącym srebrnym łańcuszkiem. Potem uśmiechnął się do młodej pary i spojrzał do tyłu na gości zebranych w salonie. Zebrali się w dwóch oddzielnych grupach, z których żadna nie odzywała się do drugiej, z wyjątkiem wymiany najbardziej formalnych uprzejmości. Popatrzył na hrabinę Northcliff, przyznając w duchu, lecz tylko sobie, jak bardzo ją podziwiał od z górą dwudziestu lat. Chciał westchnąć, lecz nie był na tyle nierozsądny. Skierował wzrok na panią Ryderową Sherbrooke'ową, która, wraz z hrabiną, szła przez salon za panną młodą i panem młodym. Sophie podeszła do męża i stanęła obok niego, z uroczym uśmiechem. Popatrzył na cztery młodsze dziewczyny, które skupiły się wokół niezwykle ślicznej młodej damy, wpatrującej się z kolei w Graysona Sherbrooke'a, tkwiącego obok kominka, z rękoma skrzyżowanymi na piersi i zachowującego się tak, jakby był nieobecny. Cóż to wszystko miało znaczyć? Nad wyraz troskliwy ojciec sprawował pieczę nad stadkiem dam, mierzących wzrokiem trójkę przyrodnich braci hrabiego, skupionych w drugiej grupie osób nieudolnie ukrywających odrazę. Dwaj z nich sprawiali wrażenie, iż chętniej strzeliliby z łuku do pana młodego, jak do wyniesionego na ołtarz męczennika, świętego Sebastiana, niż celebrowali jego zaślubiny. A matka, lady Mountjoy... Duchowny przyłapał się na tym, iż wpatruje się w dwa jaskrawe kręgi różu namalowane na jej policzkach.

Nagle uświadomił sobie, że panna młoda gotowa była do rozpoczęcia ceremonii. Na twarzy pana młodego rysowała się zaś determinacja Wellingtona pod Waterloo. No cóż, bez względu na wiry i ukryte nurty rwące w tym salonie, nadeszła pora na połączenie węzłem małżeńskim tych dwojga młodych i pięknych ludzi, którzy zapewne wspólnym trudem wydadzą na świat niemniej urodziwe potomstwo.

Biskup Dundridge udzielił im ślubu w cztery i pół minuty.

– Milordzie – oznajmił głębokim, afektowanym głosem. – Możesz teraz pocałować swoją oblubienicę.

I uśmiechnął się do nich promiennie. Oboje złożyli małżeńską przysięgę pewnym i niezachwianym głosem. Dosłyszał jakieś pomrukiwania pod nosem jednego z przyrodnich braci, lecz zignorował je.

Poślubieni – pomyślał Nicholas odrobinę zdumiony, i bardzo powolnym ruchem uniósł welon Rosalindy. Jej twarz była blada.

– Teraz wszystko dobrze się ułoży – powiedział cicho. – Pozwól, że cię pocałuję.

I złożył pocałunek, czyli zaledwie lekko dotknął jej ust swoimi. Nawet nie drgnęła, wpatrując się w niego szeroko otwartymi oczyma. Przysiągłby, iż słyszał, jak przełknęła ślinę.

Uniósł głowę, dotknął jej policzka.

– Lubię zapach wanilii.

Uśmiechnęła się do niego.

– To był mój pomysł.

– Wiedziałem, że będziesz bardzo sprytną żoną. A teraz przekonajmy się, czy ta niezbyt miła kupa padliny raczy łaskawie złożyć nam życzenia i gratulacje.

Nicholas czynił to z dużą niechęcią, ale musiał przyznać, że Ryder Sherbrooke miał rację. To dobrze, że jego rodzina była tu obecna. Wiedzieli teraz, że się stało. Być może nawet jakoś przejdzie im mordercza nienawiść do jego osoby. Być może jego przyrodni bracia uświadomią sobie teraz, że wypieniądze, jakie odziedziczyli po swoim ojcu, wystarczyły w zupełności dla ludzi myślących racjonalnie. Richard zdołał wydusić z siebie jakieś miałkie życzenia. Lancelot spoglądał prosto przed siebie. Potem odchrząknął. Richard zmarszczył brwi, lecz musiał przedstawić Rosalindę trzeciemu z braci, Aubreyowi Vailowi. Nicholas był poruszony podobieństwem najmłodszego z przyrodnich braci do jego dopiero co poślubionej małżonki – niczym brat lub siostra, co podkreślał niemal identyczny odcień rudych głosów, równie gęstych i kręconych u obojga. Aubrey miał niebieskie oczy, niemal równie nasycone błękitem, jak u Rosalindy. Jakby jedno ściągnęło skórę z drugiego... Aubrey zaczął mówić. Nie potrafił przestać gadać, co było nie najgorsze, gdyż pozwoliło zagłuszyć grobowe milczenie pozostałych członków jego rodziny.

– Jestem w trakcie pisania książki – oznajmił, siadając po prawej stronie Rosalindy przy stole, nie zwracając najmniejszej uwagi na to, gdzie gospodyni zamierzała go posadzić. – Ach, cóż to za wspaniała uczta. W Oksfordzie karmią nas dobrze, ale gdzie im do tego. – Sięgnął po kieliszek szampana i wychylił go. – Powinienem był zaczekać na toast? Ach, cóż, to nie problem.

I dał znak kelnerowi, by ponownie napełnił kieliszek.

– Nie darzysz nienawiścią swego przyrodniego brata? – zapytała Rosalinda rozbawiona jego nieprzerwanym i zabawnym monologiem. – I nie zamierzasz go zamordować?

Aubrey wychylił do dna drugi kieliszek, delikatnie beknął i ostrożnie postawił szampankę dokładnie pod kątem trzydziestu stopni w stosunku do swego talerza.

– Zamordować Nicholasa? Dlaczego, przecież nawet go nie znam. Jest podobny do Richarda, nieprawdaż? Naprawdę uderzające podobieństwo. Pozwól, że ci opowiem o książce, którą właśnie piszę.

– Za moment, Aubrey – wtrącił ze swadą Nicholas. – Jak sądzę, wuj Rosalindy zamierza wygłosić toast.

– On nie jest jej cholernym wujem – warknął cichym głosem Lancelot, lecz niedostatecznie cicho.

– Ach, muszę napić się jeszcze szampana – powiedział Aubrey i uniósł szampankę, po czym uśmiechnął się promiennie do Rosalindy. – Jesteś naprawdę śliczna. Gdybym nie był zbyt młody na ślub, rzuciłbym ci do stóp kapelusz.

– Moim zdaniem jest faktem, iż chłopcy dojrzewają wolniej niż dziewczęta.

– Wierzę, że jestem już dostatecznie dojrzały. Lance z kolei potrzebuje zapewne kolejnych dziesięciu lat, zanim na brodzie wyrośnie mu jakiś przyzwoity zarost.

Aubrey uniósł kieliszek w kierunku brata i roześmiał się, ignorując ponure spojrzenie, jakie otrzymał w zamian.

Ryder Sherbrooke zastukał nożem w kieliszek szampana. Wstał od stołu, uniósł trunek i uśmiechnął się do Rosalindy.

– Rosalinda jest córką w moim sercu. Kiedy ona i Nicholas doczekają się dzieci, mam nadzieję, że będą one nazywały mnie dziadkiem. Przypuszczam, że nigdy nie będą się ze sobą nudzić. Będą rozśmieszać siebie nawzajem, a to jest bardzo cenna rzecz.

Potem wypił za ich zdrowie.

– Racja – zawołał Douglas.

– Z pewnością spodoba mi się bycie babcią – oznajmiła Sophie.

Richard i Lancelot, obserwowani bacznie przez Nicholasa, zawtórowali swej matce.

– Tylko pomyślcie – oświadczył Aubrey wszystkim siedzącym przy stole. – Kiedy doczekacie się dzieci, zostanę wujkiem. – Roześmiał się od ucha do ucha, ukazując białe zęby. – Za zdrowie moje, przyszłego wujka.

Tym razem rozległ się śmiech, nie pośród Vailów, lecz Sophie Sherbrooke, która spoglądała z aprobatą na tego młodego rudowłosego dżentelmena.

– Słyszałam, jak mówił pan Rosalindzie, iż pisze pan książkę, panie Vail. O czym jest to dzieło?

– Książka dotyczy starożytnych druidów.

Nie powiedział ani słowa więcej, wziął się po prostu do pałaszowania jajecznicy, jakby nie jadł od tygodnia.

– To powieść czy dzieło historyczne? – zainteresował się Grayson.

– Nie podjąłem jeszcze decyzji – opowiedział Aubrey – ale powiem wam, że stosowanie przez druidów jemioły do leczenia było czymś wspaniałym, natomiast nasz Kościół ignorował lecznicze właściwości jemioły i przemienił ją w krzak do całowania, że tak powiem. Fe! Wszystko po to jedynie, by przyciągnąć do chrześcijańskiego stadła kilka pogańskich dusz.

Jego usta były teraz wypełnione babeczkami, z których spadło kilka odruchów.

– W Oksfordzie zapomniałem, jak należy jeść – rzekł wesoło.

Na tym zakończył wypowiedź i znów rozległy się śmiechy, lecz żaden z Vailów nie dołączył do grona rozbawionych.

Hrabia Northcliffe ochoczo ustąpił swego miejsca Nicholasowi, ponieważ chciał mieć z bliska na oku Vailów. Kto wiedział, czy Miranda, teraz już wdowa, hrabina Mountjoy, nie przyniosła w damskiej torebce fiolki z trucizną. Wziął delikatną rękę swej małżonki i pocałował jej dłoń.

– Wszystko przebiega świetnie. Co sądzisz o trzecim z braci Vailów?

– Ma równie rudą czuprynę jak Rosalinda i jak…

– Nie, nie jak ty, najdroższa. Twoje włosy mają unikatowy odcień… Tycjan gotów byłby zabić, byleby tylko zdobyć farbę koloru twoich włosów, bowiem jest lepszy niż pozbawiona wyrazu czerwień, jaką on sprokurował.

Rosalinda usłyszała ich tkliwe słowa, gdy przyglądała się swemu świeżo poślubionemu oblubieńcowi. Grzebał widelcem w porcji dorsza, jadł niewiele, co nie uszło jej uwadze, lecz to samo można było powiedzieć o niej.

Po trzech kolejnych toastach śmiechy nasiliły się, wliczając w to również ją samą. Aubrey Vail – po sześciu kieliszkach szampana – w szczególności zdawał się przednio bawić. Richard Vail miał ponurą minę i siedział nieruchomo, Lancelot natomiast przywołał na twarz łagodny wyraz, lecz w duchu gotował się ze wściekłości. Lady Mountjoy ściągnęła usta, podobnie jak jej kochanek, Alfred Lemming.

– Dochodzi już południe i czas, byśmy wyszli.

Rosalindą targnęły grzeszne pokusy i podniecenie, kiedy Nicholas pochylił się i szepnął jej coś do ucha.

– Chcesz przez to powiedzieć, że będziemy sami w twoim powozie?

– Nie inaczej – odparł i obdarzył ją bezwstydnym uśmiechem, po czym rzucił ostatnie spojrzenie na przyrodnich braci i powoli skinął głową. – Wszyscy oni wypili za dużo szampana, żeby wbić mi nóż w żebra, kiedy będziemy stąd wychodzili.

Aubrey opadł na oparcie krzesła, trzymał złożone dłonie na brzuchu, uśmiechał się promiennie, w oczach miał błyski i opowiadał o tym, jak to druidowie kochali koty, kapłani spacerowali z kotami na ramionach, dumni i aroganccy.

O pierwszej po południu Rosalinda i Nicholas wyruszyli w drogę do Wyverly Chase, posiadłości w środkowej części hrabstwa Sussex, o zaledwie sześć godzin drogi od Londynu.

Rozdział 27

Pierwszy widok na Wyverly Chase, jaki pojawił się przed Rosalindą, zbiegł się dokładnie z chwilą, kiedy język Nicholas wsunął się do jej ust. Zapiszczała, odskoczyła od niego i wpatrywała się w niewiarygodną rezydencję na szczycie wzgórza. Znów ją pocałował. Przylgnęła do niego dłońmi i lekko uderzyła czołem o jego skroń – nauczyła się tego gestu od małego chłopca, który był portowym szczurem, zanim Ryder Sherbrooke sprowadził go do Brandon House. Uderzenie głową zawsze przyciągało uwagę drugiej osoby.

Nie był w stanie uwierzyć, że to zrobiła. Pokręcił z niedowierzaniem głową, potarł czoło i patrzył na nią zdeprymowany.

– Dlaczego to zrobiłaś? Co jest nie tak?

Czubkiem palca dotknęła języka, on zaś spoglądał, gotów odegnać precz wszelką ogładę i rzucić się na nią, lecz zdołał zapanować nad sobą, ponieważ zrobiła nad wyraz niemądrą minę.

– Nicholasie, ojej, to tak trudno powiedzieć, ale ty wsunąłeś do moich ust swój język. Usiłuję nie myśleć o tym, lecz nie jestem w stanie przestać. Jak mniemam, jest to coś, co mężczyźni muszą robić... Nie, nie, lepiej porozmawiajmy o rezydencji... Czy to jest Wyverly Chase?

W trakcie sześciogodzinnej jazdy utrzymywał dystans, naprawdę to uczynił. Przestał dopiero przed trzema sekundami. Wpatrywał się w jej usta, kiedy mówiła o czerwonym Lasisie i miotanych przez niego ognistych włóczniach – lecz w rzeczywistości nie za bardzo słuchał tego, o czym rozprawiała. Jej słowa zaś stanowiły urocze akustyczne tło dla myśli o tym, jak ściska jej piersi w swoich dłoniach i je całuje, wtulając mocno twarz w jej ciepłe ciało, potem dotyka jej ust, języka... To wyczerpało go niemal do cna. Pragnął zaczekać z tego prozaicznego powodu, że wzięciu dziewicy na siedzeniu jadącego powozu brakowało pewnej finezji. Tak, zamierzał zaczekać do chwili, kiedy znajdzie się z nią w ogromnej sypialni w Wyverly, gdzie było wielgachne łoże z mahoniu i grube, miękkie pierzyny wypełnione puchem. Zamierzał posiąść ją w tym łożu w nie więcej niż sześć minut po tym, jak wniesie ją przez próg – powitanie z Peterem Pritchardem i Blockiem, jego kamerdynerem oraz całą służbą – no dobrze, mógł ją wziąć pośród pierzyn przepastnego łoża w osiem minut.

Wtedy ona zwilżyła usta językiem i zastanawiała się na głos, czy czerwony Lasis kiedykolwiek zaatakował tę kłótliwą bandę czarowników i czarownic zamieszkujących Górę Olyvan. Stało się, pomyślał oszołomiony, kiedy wsunął język do jej ust. Lecz rezultat nie był taki, jakiego się spodziewał – w rzeczy samej zareagowała niemal szokiem. Co oczywiste, nigdy wcześniej nie całowała się w taki sposób. Uśmiechnął się głupkowato.

Co ona powiedziała? Ach, tak, zapytała o Wyverly Chase. Skoncentrował wzrok na swej rezydencji i zdołał odchrząknąć.

– Tak, to Wyverly Chase, nasza wiejska rezydencja, wzniesiona w szesnastym stuleciu przez dziedziczkę Wyverly, która wyratowała z opresji pierwszego Vaila dzięki ogromnej zasobności kiesy. I cóż sądzisz o swoim nowym domostwie?

W tym momencie uświadomił sobie, że być może jego dom niekoniecznie był tym, czego spodziewała się jego dopiero co poślubiona małżonka. Nie prezentował stylu palliadiańskiego, ani też nigdzie nie dało się dostrzec elżbietańskich okien. I żadnej fosy, zatem nie był to również zamek. Mówiąc bez ogródek, budowla była dziwaczna, nie w jego oczach, oczywiście, ale… Co teraz widziała, co myślała? Przyłapał się na tym, że wstrzymał dech.

Wyprostowała się, poprawiając uroczy, mały, zielony kapelusik z piórkami, które wyginały się w łuk obok jej policzka. Zachowała milczenie, otwierając szeroko oczy. Powóz piął się mozolnie pod górę długim i krętym traktem o żwirowej nawierzchni, otoczonym z obu stron rosnącymi gęsto klonami i sosnami. Jechali pod górę, ku szczytowi nagiego, łagodnego zbocza, które jego zdaniem bardziej przypominało mężczyznę z długą brodą i łysą głową. Czekał, modląc się w duchu, by nie wybuchnęła śmiechem.

– To magiczne – wyszeptała głosem, z którego emanowały zachwyt i ekscytacja. – Magiczne. Dziedziczka Wyverly, ona ufundowała budowlę? Była czarodziejką, Nicholasie. Wiesz o tym, prawda?

Spoglądał na niemal białe skały, które pięły się pod górę, prawie dotykając chmur. Popołudniowe słońce świeciło srebrzystymi promieniami poprzez obłoki, trafiając w określone punkty na tylnych wieżyczkach po wschodniej stronie i sprawiając, że kamień skrzył się jak w kroplach deszczu. Budowlę zwieńczały cztery kamienne wieże na planie koła, wznoszące się wysoko ponad dom. Nie, w rzeczywistości nie dom… było to po prostu Wyverly. Czy kryła się w nim magia? Nie, to z pewnością niedorzeczność i chociaż… chociaż wiedział gdzieś w głębi duszy, że to, co działo się dokładnie w tym momencie, miało nadzwyczajne znaczenie.

– Czarodziejką? Nie – odpowiedział bez pośpiechu, badając grunt. – Zbudował to świeżo pasowany hrabia. Zanim królowa Elżbieta przyłożyła do jego ramienia ceremonialny miecz, był kapitanem „Bellissimy", okrętu sir Waltera Raleigha z pierwszej linii w bitwie morskiej z Hiszpanami w 1578 roku. Ocalił okręt „Falcon" Raleigha. Ponieważ Raleigh wygrał bitwę i pozostawał w zażyłych stosunkach w królową, monarchini podziękowała mu kuframi złota, a na prośbę Raleigha nadała ziemię oraz hrabiowski tytuł mojemu przodkowi, czyniąc go pierwszym hrabią Mountjoy.

– Od czego pochodzi tytuł Mountjoy?

– Tytuł ten wygasł zaledwie rok wcześniej. Królowa osobiście kazała ściąć głowę ostatniemu hrabiemu tamtego rodu, po tym jak się jej naraził.. Lecz pierwszy hrabia nowej linii nie osiadł na przyznanych ziemiach. Musisz wiedzieć, że był odnoszącym powodzenie kupcem, zanim połączył swój los z Raleighem, zatem ponownie wyruszył na kupiecki szlak. W niecałe trzy miesiące później jego brygantyna zatonęła na Morzu Śródziemnym. Ocalał jako jedyny. Nigdy o tym nie pisał, tylko tyle, że został jednocześnie przeklęty i pobłogosławiony, cokolwiek miałoby to znaczyć. Według opowieści mego dziadka pierwszy hrabia prowadził dziennik. Zapisał w nim, że wyobraził sobie w duchu ten dom lub zamek albo dworek ze wszystkimi szczegółami aż po ostatnią z kolistych kamiennych wież z białego kamienia. Jego nowo poślubiona żona, dziedziczka fortuny, z entuzjazmem sypała dukaty, wspierając to przedsięwzięcie.

– Ufam, że dziedziczka Wyverly zyskała doskonałego męża za swoje pieniądze.

– No cóż, oboje żyli długo, jeśli to może być jakąś miarą. Nazywał się Jared Vail. Sądząc na podstawie portretu – znajduje się w długiej galerii malarskiej we wschodnim skrzydle – był z niego kawał chłopa, o błyszczących, ciemnych oczach pirata, twarzy ogorzałej od wiatru oraz morza i grzesznym uśmiechu. Na całe szczęście mężczyźni w rodzie Vailów okazali się całkiem biegli w kwestiach finansowych wraz z upływem lat i gromadzili fortunę. – Nicholas uśmiechnął się szeroko. – Czy wiesz, że kapitan Jared opisał również ten dzień 1618 roku, kiedy głowę Raleigha ścięto toporem? Jego zdaniem Raleigh, zanim spadł topór, zawołał tubalnym głosem: „To ostry medykament, ale jest lekiem na wszystkie choroby".

Rosalinda przyglądała się badawczo jego twarzy.

– Zgadzam się, dziedziczka Wyverly nie była magiem, był nim ten kapitan statku, Jared Vail. Był magiem, i ty o tym wiesz, inaczej nie byłby w stanie wznieść tej wspanialej rezydencji, która musi szeptać o sekretach oraz o dawnych magicznych zaklęciach, jakie wypowiadano za jej murami. Wiesz o tym również dlatego, że masz w sobie krew dziadka i jego nauki, on zaś miał w sobie krew swego ojca i przodków aż po Jareda Vaila. Chciałabym obejrzeć bibliotekę twojego dziadka, Nicholasie. I chcę zobaczyć jego egzemplarz księgi *Reguły Krainy za Ostrokołem*.

– Zobaczysz – odrzekł, raz jeszcze spojrzał na jej usta i wziął ją na kolana. – Pozwól, że raz jeszcze cię pocałuję i nie odskakuj ode mnie zszokowana.

Przez moment wspaniała magiczna rezydencja odeszła na drugi plan w jej umyśle. Rosalinda uśmiechnęła się do niego nieśpiesznie.

– Nigdy wcześniej nie miałam w ustach języka mężczyzny, Nicholasie. Całowano mnie przed tobą, oczywiście, lecz nigdy w taki sposób. Pierwszy był Grayson.

– Grayson? – rozgorączkowanie w jego głosie natychmiast przygasło. – Grayson?

Rosalinda pogłaskała go po ręku.

– Tak, ale prawdę powiedziawszy, to ja go do tego sprowokowałam. Powiedziałam mu, że Raymond Sikes całuje najlepiej w całej okolicy Lower Slaughter i byłam gotowa założyć się o szylinga, że Graysonowi daleko do niego. – Roześmiała się. – Biedny Grayson nie wiedział, co robić. Miałam czternaście lat, on zaś był już prawie młodym mężczyzną, który dopiero co wrócił z Oksfordu, gotów skosztować wszystkich grzesznych uroków Londynu. Pamiętam, jak wykrzywiłam twarz w grymasie, kiedy na siłę i z oporami pochylił się i cmoknął mnie w usta.

Przerwała na moment, przypominając sobie przerażony wyraz na jego twarzy, potem zachichotała, głosem tak urokliwym i wdzięcznym, jakiego Nicholas nie słyszał u niej nigdy przedtem. Kto by pomyślał, że Rosalinda potrafi chichotać jak każda inna młoda dziewczyna? Potem się roześmiała.

– Biedny Grayson był do tego stopnia obruszony, dotknięty poczuciem winy, że powiedziałam mu jeszcze, iż nie dawniej jak pięć minut przed jego cmoknięciem pocałowałam żabę... Uciekł do Londynu. Nie widziałam go przez sześć miesięcy. Wiesz, byłam zdeterminowana, by pocałować jeszcze trzy żaby.

– I żadna z nich nie przemieniła się w księcia z bajki, jak rozumiem.

– Przez całe miesiące zamartwiałam się, czy nie wyrosną mi brodawki, ale nie wyrosły.

– A ten Raymond Sikes?

– Ach, zmyśliłam go sobie. Biedny Grayson nigdy nie dowiedział się, że wzięłam to nazwisko z sufitu. Sądzę, że teraz, kiedy jestem zamężna, powinnam mu o tym powiedzieć. Przecież nie powinien cmokać czyjejś żony, nieprawdaż?

– Byłoby to wyrazem bardzo złych manier – powiedział Nicholas, potem pokręcił głową. – Zatem Grayson dał ci pierwszego i jedynego całusa przede mną.

– No cóż, jeśli mam być całkowicie szczera w tym względzie, to tak.

– Otwórz usta, Rosalindo. Otwórz teraz – szepnął.

Tak też uczyniła. Skoncentrował się całkowicie na jej ustach. Pragnął jej ciepła i wilgoci...

– Milordzie! – zawołał nowy lokaj, którego osobiście wynajął przed miesiącem, stając na wprost drzwi. – Dojechaliśmy na miejsce! Czy mam otworzyć drzwi dla pana i jej lordowskiej mości, czy też wolałby pan, żebyśmy ja i Lee Po zanieśli wszystkie bagaże i zostawili tu pana sam na sam z pańską młodą małżonką, być może aż do zmroku?

Nicholas nawet nie zdawał sobie sprawy, że powóz zatrzymał się na szerokim kolistym podjeździe przed frontem posiadłości Wyverly. Sądząc po oszołomionym wyrazie oczu Rosalindy, fakt ten uszedł również jej uwadze. Poczuł w sobie żądzę mordu. Chciał krzyczeć. Lecz zamiast tego wywrócił oczyma i cofnął język z ust małżonki. Jego małżonki, cóż to była za myśl.

Ogarnął się i wystawił głowę przez okno powozu.

– Dzięki za sporą dawkę dowcipu, jaką mnie uraczyłeś, Johnie. Ach, widzę, że Block otwiera frontowe drzwi. Powiedz mu, że będziemy potrzebować kilku dodatkowych lokajów. I przedstaw go Lee Po. Ruszaj!

John nie zamierzał iść. Pragnął zajrzeć do wnętrza powozu, chociaż nawet ślepiec widziałby dokładnie, co się dzieje. Był raczej małostkowy i wścibski, co zresztą sprawiało mu ogromnie dużo satysfakcji.

– Ruszaj!

Nicholas poprawił suknię Rosalindy, jej czepek, opuszką palca lekko dotknął jej ust, wciąż otwartych w zdumieniu, i zastanawiał się, czy zdoła posiąść ją w swym łożu w niecałe pięć minut.

– O mój Boże – wydusiła z siebie i lekko dotknęła warg palcami.

– Zamierzam zadziwiać cię przez następnych trzydzieści lat. Jak się na to zapatrujesz?

Spojrzała na niego spod długich rzęs.

– Być może ja również szykuję dla ciebie kilka zaskakujących niespodzianek, Nicholasie?

O mały włos nie zrobił zeza. Wyniósł ją na rękach z powozu, postawił na ziemię i szedł obok niej solidnie już wydeptanymi, kamiennymi schodami.

– Co ty tam wiesz – rzekł, nie patrząc na nią. – Nie masz o tych sprawach zielonego pojęcia, nie wspominając już wcale o niespodziankach.

– Ciotka Sophie podarowała mi książkę. Z obrazkami. Wyznała, że nie są tak niedwuznaczne jak nagie posągi w Northcliffe Hall, których, *à propos*, nigdy nie pozwolono mi obejrzeć, lecz dostatecznie sugestywne.

– Pokażesz mi tę książkę.

Obdarzyła go grzesznym uśmiechem.

– To jeszcze nie jest katastrofa, milordzie – rzekł do niego Block, bez zbędnego wstępu. – Jest tu nas kilkoro, którzy wytrwali i zamierzają wytrwać. Jak pan Pritchard, który śpi w holu wejściowym, by nas chronić.

Rozdział 28

Zmrużyła oczy, dostrzegając błyskawiczną zmianę w swoim dopiero co poślubionym małżonku. Teraz nagle wyglądał jak ktoś twardy, gotowy do walki. I niebezpieczny. Przysięgłaby, że kolor jego oczu pogłębił się aż do czerni, lecz głos miał spokojny i cichy.

– Peter was chroni? Co tu się, do diabła, wyprawia, Block?

– Nie miałem zamiaru nadmiernie pana niepokoić, milordzie.

– Ach, w takim razie zakładam, że szczury biegają po kuchni? Być może dym uchodzi z kominka w komnacie sypialnej. Och, tak, Block, to jest moja świeżo poślubiona małżonka, lady Mountjoy. Rosalindo, przedstawiam ci Blocka. Przez dwadzieścia lat służył memu dziadkowi. Wedle mej najlepszej wiedzy, Block nigdy nie natrafił na problem, którego nie byłby w stanie rozwiązać.

Rosalinda uśmiechnęła się do leciwego człowieka, który wyglądał równie staro, jak pojedyncza sosna z sękatymi gałęziami rozkołysanymi na wysokości pierwszego piętra budowli. Starzec podszedł do niej i spojrzał na nią krótko.

– To nie szczury ani dym, milordzie – wyjaśnił, przystawiając usta do ucha Nicholasa. – Chodzi o powrót starego hrabiego. Nie, nie, proszę nawet przez chwilę nie myśleć, że on jest niezadowolony. Zjawa wydaje się całkiem szczęśliwa z powodu pańskich zaślubin oraz z faktu, że pan i pańska młoda żona przybywacie do Wyverly. Ponieważ nigdy wcześniej się tu nie pokazywał, zakładam, że wiąże się to z pana ślubem i powrotem. Słyszeliśmy, jak śpiewa na całe gardło, śmieje się i uderza o różne przedmioty, jakby był ślepy i nie widział, że stara komoda z Indii stoi na wprost przed nim. Wyjawił mi, że pożyję jeszcze siedem lat, zanim przeniosę się w zaświaty. Odpowiedziałem mu, że to za mało, lecz on odparł, żebym się trzymał i że dożyję bardziej sędziwego wieku niż on, gdy w końcu opuścił ziemski padół. Niestety, był mniej konkretny odnośnie do mej końcowej destynacji. Śpiewał o tym wszystkim w rymowankach, które wcale nie brzmiały szczęśliwie.

– Rozumiem – rzekł powoli Nicholas, obserwując bacznie Blocka, którego wyraz twarzy nigdy się nie zmieniał, zawsze powściągliwy, pominąwszy lekki tik w kącie lewego oka. – Dobrze więc, ponieważ mój dziadek śpiewa pobudzony do tego obecnością jej lordowskiej mości, tuszę, że zaśpiewa jeszcze głośniej, kiedy ją osobiście pozna.

– Uczyniłbym tak, gdybym był nim – rzekł Block i ukłonił się przed nią nisko, jednocześnie obdarzając ją uśmiechem, w którym odsłonił dwa rzędy zębów niemal bez braków. – To dla mnie zaszczyt, milady. Witamy w Wiverly Chase. Jeśli to sprawi pani przyjemność, milady, ja również zaśpiewam dla pani. Mógłbym akompaniować sobie na fortepianie. Czy lubi pani gorące szkockie przyśpiewki? Czy pani wie, że jego lordowska mość nigdy nie śpiewał szkockich rymowanek?

Rosalinda była pod wrażeniem, chociaż nie miała najmniejszego pojęcia, co tu się działo. Czy w rezydencji grasowała śpiewająca zjawa? Dziadek Nicholasa?

Uśmiechnęła się do Blocka.

– Z ochotą wysłucham twego śpiewu, Block. – Zauważyła, że koszula starego sługi była równie biała, jak kłębiaste chmury nad ich głowami, a czarny surdut lśnił tak mocno, iż mogła niemal się w nim przejrzeć. – Willicombe, nasz kamerdyner w Londynie, zawsze pragnął, by jego spodnie i surdut błyszczały tak, jak twój ubiór, Block, lecz nigdy nie osiągnął rezultatów choćby zbliżonych do twoich. Być może napiszesz do niego i powiadomisz go, jak to się robi?

– Niczego nie zrobiłem, milady – wyjaśnił Block. – Te rzeczy są tak stare, jak mauretańska glazura w łazienkowej szafie. To, co pani widzi, to blask sędziwego wieku. Jakżeż się raduję, widząc me szlachetne oblicze, kiedy przypadkiem spoglądam w dół na rękaw, dlatego też odmówiłem przyjęcia nowego stroju. Nasza praczka wie, jak je szorować, żeby zachowały połysk. Proszę się nie niepokoić. Zapewniam panią, że w moich szatach nie skrywają się żadne mole.

– Dziękuję, Block. Skontaktuję się z Willicombe'em i powiem mu, żeby po prostu nie przyjmował nowej garderoby. Zatem nasza praczka nie opuściła rezydencji?

– Ona i jej pomocnica przebywają zbyt daleko, by słyszeć śpiewy oraz obijanie się o meble starego hrabiego. Kucharka zwierzyła mi się, że dopóki karmi panią Bates i Chloe wybornymi nadziewanymi korpusami kurczaka, dopóty z ochotą tutaj pozostaną oraz będą prać i prasować.

Nicholas dosłyszał głęboki, melodyjny głos Petera Pritcharda.

– Stary hrabia śpiewał przed chwilą w bibliotece, milordzie. Wcześniej w ciągu dnia był pogrążony w lekturze, jak przypuszczam. Jeśli zechciałby pan, milordzie, zapewnić go, że ty i twoja małżonka przyjechaliście do rezydencji na dobre, być może opuści te progi i znów przeniesie się do sfer niebieskich.

– Być może – wysunął przypuszczenie Block – to właśnie możliwość podróżowania w obie strony zatrzymuje go tu na ziemi.

Rosalinda oderwała wzrok od jednej twarzy i skierowała na drugą – Petera Pritcharda.

– Co on śpiewa, panie Pritchard.

– Dawne przyśpiewki, milady. A przynajmniej brzmią one jak śpiewy człowieka, który przechadza się po pokładzie statku.

O ile Nicholas się orientował, jego dziadek nigdy w swoim życiu nie postawił stopy na pokładzie statku.

– Co czytał? – chciała jeszcze wiedzieć Rosalinda.

Peter ukłonił się przed nią z gracją.

– Proszę o wybaczenie, milady, jestem Peter Pritchard, rządca posiadłości hrabiego. Obawiam się, iż okazałem się nieco roztargniony.

Masz ducha w tej rezydencji. Nic dziwnego – pomyślała.

– Tak – podjął Peter. – W ciągu kilku minionych dni sprawy były w stanie kompletnego chaosu. A w zasadzie od chwili, kiedy jego lordowska mość przysłał posłańca z informacją o swoim zamiarze powrotu do domu wraz z małżonką. Proszę o wybaczenie, milady. Pytałaś mnie, co czyta stary hrabia. Na podłodze obok jego ulubionego fotela znajdują się sterty książek. Na samym szczycie leży traktat o czarodziejach pustelnikach, którzy zamieszkują groty w krainie Bulgar i unikają wszelkiego kontaktu z ludźmi.

– Skoro unikają wszelkiego kontaktu z ludźmi, to zastanawiam się, jakim sposobem ktokolwiek mógł napisać rozprawę im poświęconą – wyraziła zdziwienie Rosalinda.

Nicholas się roześmiał.

Rosalinda wsunęła swoją dłoń w jego.

– Z chęcią dotrzymam towarzystwa jego lordowskiej mości w drodze do biblioteki i zawrę znajomość z duchem dziadka mego męża.

Block westchnął głośno.

– Jak to fortunnie się składa, że nie wydaje się pani mieć wysoce płochliwej natury, milady. W rzeczywistości nadmierna pobudliwość mogłaby się okazać fatalna dla pani małżeńskiego szczęścia, uwzględniwszy odwiedziny naszego obecnego gościa.

– Mam równie niezłomne serce, co Lee Po.

– Ach, człowiek jego lordowskiej mości do wszelkich poruczeń. Lee Po opowiada najwspanialsze historie. Chodźcie teraz, kucharka schłodziła jedną z butelek francuskiego szampana z piwniczki starego hrabiego oraz przyrządziła wyborną tartę z agrestem. Jeśli zechcesz wstąpić, milady, przedstawiłbym ci pokojówkę, Marigold, która jest w tym samym wieku, co twoja służąca, *nota bene* sprawiająca wrażenie głęboko zaniepokojonej, co wnoszę po jej pobladłych ustach.

Rosalinda odwróciła się do Matyldy i uśmiechnęła.

– Wejdź, Matyldo, wszystko jest w najlepszym porządku.

Matylda przytaknęła, chociaż wcale nie myślała, że cokolwiek jest w najlepszym porządku i posłusznie podążyła w ślad za Rosalindą do wnętrza wielkiej i brzydkiej rezydencji, która sprawiała, iż przechodziły ją ciarki. Dobrze, że był tu przynajmniej pan Lee Po. Nikt i nic nie podejmie się próby skrzywdzenia jej, kiedy on jest w pobliżu.

Tylko jedna młoda dziewczyna, ubrana w ciemną suknię z muślinu, z białym czepkiem przesuniętym na bok głowy, stała na baczność pośrodku przestronnego wejściowego holu wyłożonego płytkami w biało-czarną szachownicę. Zobaczyła Nicholasa i Rosalindę, po czym z pośpiechem ukłoniła się nisko.

– O rety, jesteście tu, stoicie na wprost przed mymi oczyma. – Raz jeszcze dygnęła. – Mam na imię Marigold. Moja mama uwielbia żółty kolor, bardzo, dlatego właśnie dała mi na imię Marigold.

Pokłoniła się po raz trzeci.

– Marigold wybucha śmiechem, kiedy stary hrabia śpiewa. Albo przyłącza się do jego wokalnych popisów, zależnie od jej nastroju – rzekł Block.

– On śpiewa na tyle nie do taktu, że nie da się tańczyć – dodała Marigold. – Ale tworzymy razem doskonałą harmonię.

Rosalinda uśmiechnęła się do niej.

– To jest Matylda – przedstawiła. – Gdybyś była uprzejma zaprowadzić ją do jej pokoju, Marigold i przedstawić ją kucharce, pani Bates, Chloe oraz dodatkowej służącej.

– Tą pomocnicą do sprzątania i gotowania będzie pani Sweet, milady. Jest już wprawdzie nieco stara, ale wciąż potrafi wyglancować szafę na wysoki połysk. Nie taki lśniący jak garderoba pana Blocka, ale na tyle wysoki, by zasługiwało to na wzmiankę.

Rosalinda nie spotkała w życiu wielu pomocnic do sprzątania i gotowania, lecz nigdy nie słyszała o żadnej, która miałaby więcej niż szesnaście lat.

– Ile lat ma pani Sweet, Marigold?

– Jest starsza od mojej mamy, milady, w ustach zostały jej tylko trzy zęby, wszystkie z przodu. Na całe szczęście, jak mówi moja mama, bo inaczej musiałaby żuć jedzenie dziąsłami.

– Rozumiem. Chciałabym także, żebyś oprowadziła Matyldę po rezydencji. A ty, Matyldo, kiedy skończysz, przyjdź do mojego pokoju. Dziękuję ci, Marigold.

– Tak, milady. – Dziewczyna znowu dygnęła, tym razem jeszcze głębiej, niemal przewracając się na twarz. – Matylda to także ładne imię. Zapytam mamę, co o tym sądzi.

Po tych słowach wyszły.

Nicholas spoglądał w kierunku biblioteki, nasłuchując.

– Jak przypuszczam, nawet duch musi od czasu do czasu odrobinę odsapnąć.

W tym momencie usłyszeli mocny, głośny bas, który zaintonował:

Wyruszyłem na morze jako młode, małe koźlę.
Przemierzałem fale w maciupkiej łupinie.
Nauczyłem się pływać – wyjawię wam to!
I nigdy, nawet raz, nie założyłem kapelusza.
Hej ho. Hejże ho.
Słońce piekło, dostałem bąbli, lecz siedziałem wytrwale
I nigdy, nawet raz, nie założyłem kapelusza.

Były jeszcze trzy strofy wyjątkowo niewarte zapamiętania, a potem zapadła cisza. Głucha, grobowa cisza.

Peter uśmiechnął się krzywo.

– Włosy na rękach przestały już mi stawać dęba. Czy przywyknięcie do obecności ducha mego dawnego pana nie jest objawem, który świadczy o udręczonym umyśle? Faktem jest jednak, że on tutaj rzeczywiście jest i cóż można na to poradzić.

Nicholas dostrzegł siennik, leżący w narożniku. Posłanie Petera, jak się domyślał.

– Rosalindo, dlaczego nie przejdziesz się na górę wraz z Blockiem, a ja przywitam się z dziadkiem.

Jakby to miało stać się kiedykolwiek, pomyślała.

– Och, nie, pójdę tam z tobą. Wiesz, być może uda nam się zaśpiewać w duecie.

Peter Pritchard spojrzał na nią ze zdumieniem, potem roześmiał się i zakaszlał, zakrywając usta dłonią.

Nicholas skierował ostatnią czułą myśl ku ogromnemu łożu na piętrze, potem ruszył w stronę zamkniętych drzwi biblioteki usytuowanej przy końcu długiego korytarza.

– Zostawiam otwarte drzwi – powiedział Peter – lecz zjawa zawsze je zamyka. Zawsze. Początkowo byłem zaniepokojony, przestraszony nie na żarty, jeśli mam być w tym względzie szczery, ale teraz... – Wzruszył ramionami i obdarzył Rosalindę kolejnym uśmiechem. – Nie wydajesz się wcale zdjęta trwogą, milady.

– Och, nie, uwielbiam śpiewy – odrzekła Rosalinda i obdarzyła promiennym uśmiechem młodego mężczyznę o mądrych oczach oraz zmierzwionych włosach.

Rozdział 29

Cisza, grobowa cisza. Stosowna, pomyślał Nicholas, zważywszy, że jego dziadek był nieboszczykiem i rzeczywiście nie powinien mieć nic do powiedzenia.

Wkroczyli do ogromnej biblioteki, pogrążonej w takim mroku i tak długiej, że nie mógł dostrzec drugiego jej końca. Zgromadzono w niej więcej woluminów, niż Rosalinda widziała w całym swoim życiu zebranych w jednej bibliotece. Fakt ten o czymś świadczył, uwzględniając ogromny księgozbiór wuja Douglasa w Northcliffe Hall, nie wspominając już o rozległej kolekcji wuja Tysena na plebanii.

– Czy w tym pomieszczeniu są jakieś okna? – zapytała.

– Tak – odpowiedział Nicholas.

Ruszył ku frontowej ścianie, następnie odsunął ciężkie ciemnozłote kotary z aksamitu. Zawiesił grube, plecione kordonki na pozłacanych hakach. Potem otworzył okno. Światło i świeże, wiosenne powietrze zalały salę biblioteczną. Wdychał błogie, rześkie powietrze, potem obrócił się, chcąc powiedzieć...

Rozległ się jęk.

Nicholas i Rosalinda zamarli.

– Przepraszam, zapomniałem powiedzieć panu – mitygował się Peter, który wszedł teraz do biblioteki – ale przypuszczam, że on nie przepada za światłem. Być może, gdyby pan umarł dawno temu, przywykłby pan do ciemności. Jeśli zaczeka pan chwilę, kotary zostaną ponownie zaciągnięte.

Nicholas nie odrywał wzroku od starego, bujanego fotela dziadka.

– Czy w rzeczy samej widziałeś go kiedyś, Peterze?

– Nie, nie widziałem.

Nicholas skinął głową.

– Dziękuję. Zostaw nas teraz.

– Hm, jest pan tego pewien, milordzie? Obawiam się, że jej lordowska mość…

– Jej lordowska mość potrafiłaby stawić czoło zgrai portugalskich bandytów – przerwał mu Nicholas, uśmiechając się. – Nic jej nie będzie. Zostaw nas, wszystko jest w porządku. Mój dziadek powrócił tu z powodu jej przyjazdu, to powiedział nam Black, zatem pozwólmy mu ją poznać.

Kiedy Peter wyszedł z biblioteki, zostawił drzwi otwarte, demonstracyjnie, jak domyślała się Rosalinda. Na ich oczach drzwi zamknęły się same, bardzo powoli.

– No dobrze, dziadku – zwrócił się Nicholas do pustego fotela. – Wydaje się, że powodujesz tu całkiem spore zamieszanie. Mówiąc szczerze, nie chciałbym słyszeć więcej tych jęków. Chodź, porozmawiaj ze mną i z Rosalindą. Przecież dlatego właśnie tutaj jesteś, nieprawdaż? Żeby ją poznać?

Odpowiedziała im jedynie cisza, potem bardzo cichy, starczy głos zaintonował śpiewnym tonem:

Wreszcie dziewczę wraca do domu.
Wobec dziewczęcia, które nigdy nie należało
Do siebie, dług był do spłacenia.
Sprawiłeś się dobrze, mój chłopcze, sprawiłeś się.

Nicholas byłby się przewrócił, gdyby nie oparł się o gzyms kominka. Dług – pomyślał. – Cholerny dług.

Wciąż nie rozumiał całej tej sprawy z długiem, lecz tkwiło to w głębi jego duszy, objawiało się w sennych wizjach, które wypełniły jego młode lata. Popatrzył na Rosalindę. Przestała być małą dziewczynką z jego snu, lecz była jego długiem, ta kobieta, teraz jego żona.

Starczy głos znów zaintonował, zewsząd i znikąd, otaczając ich. Brzmiał jednak pusto, wiekowy, jak pożółkły pergamin.

Małe dziewczę niemal skonało,
Bestia prawie zatriumfowała,
Dług ktoś inny spłacił,
Lecz gonitwy to jeszcze nie kres.

Chropawy głos ucichł w łagodnym powietrzu i zostali sami, całkiem znienacka zupełnie sami, wiedzieli o tym oboje. Zasłon nikt nie zasunął.

Rosalinda zaśpiewała cicho w nieruchomym powietrzu, w kierunku pustego bujanego fotela.

Marzę o pięknie i niewidzialnej nocy,
Marzę o potędze i rozpalonej mocy,
Marzę o tym, że nie jestem sama znów,
Lecz wiem o jego śmierci i jej grzechu
brzemiennym.

Wiekowy fotel przewrócił się na bok.

Kotary same się zaciągnęły.

– No cóż, źródłem wszystkiego jest z pewnością ten stary łobuz – oznajmił Nicholas i przyciągnął ją do siebie. – Co sądzisz teraz o mojej rezydencji?

– Uważam – odpowiedziała, spoglądając na niego – że musimy doprowadzić do końca coś niezwykle istotnego.

– Tak – zgodził się. – Tak, musimy. Dasz wiarę, że nigdy wcześniej nie słyszałem, jak mój dziadek śpiewa? Pamiętam, jak pewnego razu zwierzył mi się, że jego głos wywołuje trwogę u małych dzieci i psów.

Rosalinda nic nie odpowiedziała, tylko wciąż wpatrywała się w pusty fotel leżący bokiem na dywanie.

Rozdział 30

Nicholas odgryzł kęs pieczonej wieprzowiny i szybko żuł. Kolacja była ostatnią rzeczą, jaka chodziła mu po głowie; lecz Block zatrzymał ich, gdy wychodzili z biblioteki.

– Teraz, kiedy jest pan w kraju, milordzie, musi pan dostosować się do godzin odmierzanych w tym kraju. – Ukłonił się. – Jest już sporo po godzinie szóstej po południu, w rzeczy samej dochodzi prawie siódma, a kucharka nie może się doczekać, kiedy zaserwuje panu swoje *peess de resistence*.

Cóż miał uczynić nieszczęsny, zewsząd oblegany mężczyzna, który dopiero co zszedł ze ślubnego kobierca.

Kiedy Rosalinda poznała kucharkę, panią Clopper, kobietę wysoką i kościstą, całą ubraną na biało, na której garderobie nie dało się dostrzec żadnej plamy, zaś pod jej nosem widniał wąsik podobny do cienkiego pasemka czarnego atłasu, Block poprowadził ich do przestronnej sali jadalnej.

Nicholasa nie wiązały żadne tkliwe wspomnienia z tym dusznym, ponurym pomieszczeniem, lecz stół został nakryty dla nich dwojga, a świece były już zapalone.

– Następne posiłki, Block – oznajmił – będziemy spożywać już w sali śniadaniowej. To pomieszczenie jest tak ciemne, że w cieniu mogłoby się kryć z pół tuzina złodziei. Nie życzę sobie przychodzić z bronią na kolację.

Block ukłonił się.

– Jak sobie życzysz, milordzie. Ach, teraz przyniosę zabielaną zupę naszej kucharki. Cieszy się sławą. Kucharka nigdy nie serwuje zupy w pierwszej kolejności, jak być może przypominasz sobie, milordzie, lecz dzisiaj doszła do przekonania...

Rosalinda nie słuchała, oddychała tylko dusznym powietrzem i wpatrywała się bacznie w mroczne cienie. Pojedynczy świecznik na dwanaście świec stał pośrodku stołu i rzucał dziwaczne odblaski na dużą czarę z winogronami, które wyglądały, jak ubrudzone błotem.

– Gdyby Grayson zobaczył ten stół, zapewne powiedziałby, że jest długi na co najmniej trzy trumny – zdobyła się na komentarz.

– Co najmniej – zgodził się i uścisnął jej dłoń, potem usłyszał, jak Block ponownie odchrząkuje. – Najedz się do woli, Rosalindo, albowiem planuję tyle zajęć, że zostaną z ciebie skóra i kości.

Uśmiechnęła się do niego, chociaż dostrzegł jej nieco rozszerzone trwogą oczy oraz odrobinę pobladłą twarz.

Oboje, gdyby ich zapytać, zapewne odrzekliby, że kolacja była całkiem smakowita, lecz gwoli ścisłości żadne z nich dwojga nie zwróciło uwagi na kolejność potraw wnoszonych przez Blocka.

– Pudding z fig smakuje naprawdę nie najgorzej – stwierdziła na koniec Rosalinda i nabrała łyżką małą porcję.

– Wydaje mi się, że to tarta z jabłkami.

– Ojejku.

– Figi, jabłka, to bez znaczenia. Jedz dalej. Przydadzą ci się siły witalne.

Wzięła kolejną porcję.

– Chyba masz rację, to są jabłka. Wiesz co, Nicholasie, zastanawiam się, czy twój dziadek złoży nam wizytę w twojej sypialni.

– Naszej sypialni. Jeśli dziadek przyjdzie zaśpiewać nam kołysankę, posłuchamy jej, jak sądzę, potem zgotujemy mu owację i poprosimy uprzejmie, żeby wyszedł. W przeciwnym razie czeka go nie lada szok, który wstrząśnie nim do szpiku kości.

– Jeśli okaże się, że znam tę kołysankę, mogę zaśpiewać razem z nim. – Spojrzała na niego spod długich rzęs.

Wyczuwała w nim jakąś niecierpliwość, słyszała ją w jego głosie, nawet jeśli pobrzmiewała w nim lekkość i rozbawienie. Mimo własnego podniecenia wiedziała, że jest to ziemia jeszcze nienaniesiona na mapy. Poczuła, jak jej wnętrzności podskakują z ekscytacji zmieszanej z przerażeniem.

– Nicholasie? Mam pytanie o te cielesne uciechy.

Zamienił się w słuch, całkowicie skupiając uwagę na niej.

– Tak?

Machnęła ręką dookoła siebie.

– To jest bardzo kulturalne, tak uważam, jemy tartę z jabłkami, ale teraz myślami jestem przy tym, co zamierzasz mi zrobić, skoro tylko zaprowadzisz mnie do sypialni.

Rzeczywiście snuł plany, cudowne, szczegółowe plany.

– Oglądałaś może ilustracje w tej książce, którą dała ci ciotka Sophie?

– Starałam się szybko ją przekartkować. Lecz żadna z ciotek nie dała mi na to nawet chwili czasu. Sądzę nawet, iż były zakłopotane i natychmiast pożałowały sprezentowania mi jej.

– Jeśli sobie życzysz, możemy razem obejrzeć te obrazki, kiedy już będziemy w naszej sypialni. Spodobałoby ci się to?

– Tak... Jednak nie. Nie uważam, żebym chciała to zrobić, kiedy ty będziesz zerkał mi przez ramię, a twoje oczy będą spoglądały na to samo, co moje. Te pary nie mają na sobie żadnej garderoby, Nicholasie. Nie ma tam żadnej halki, którą można by przesłonić i zakryć nagość.

– I na tych ilustracjach są dżentelmeni? Oni również są rozebrani?

– Spojrzałam na tyle, na ile mi się udało, kiedy ciotka Sophie usiłowała delikatnie wyjąć mi księgę z rąk. Myślę, że zdołałam rzucić okiem na kilka z nich, zanim... tak na wszelki wypadek... wsunęłam ją między halki w moim sakwojażu, żeby jej nie podwędziły. Dżentelmeni – odchrząknęła – no cóż, wyglądali bardzo osobliwie, zupełnie nie przypominając małych chłopców z Brandon House.

– Osobliwie w jaki sposób?

– Na ich przodzie, nisko na ich przodzie... wyglądali, jakby byli zdeformowani, było tam coś dużego i nadętego. No cóż, można by pomyśleć, że z ich podbrzusza sterczą konary drzewa.

Nicholas się roześmiał.

– W moich uszach brzmi to tak, jakby ilustrator był człowiekiem, który chciał imponować i ze sporą przesadą zmierzał do meritum sprawy.

Wyprostowała się na krześle.

– Jakiego meritum? Nie dostrzegłam meritum. Nie, nie chcę już dłużej rozmawiać o tej książce.

Uśmiechnął się do niej.
– Dokończ pudding z figami. Chodźmy do biblioteki i poprośmy dziadka, żeby nie składał nam żadnej weselnej wizyty. Potem będziemy cieszyć się sobą, Rosalindo. Obiecuję, że wszystko będzie dobrze. Jestem twoim mężem, a ty mi ufasz.
Przez chwilę żuła.
– Nicholasie, czy wiesz, dlaczego fotel twojego dziadka przewrócił się, kiedy zaśpiewałam? – zapytała ku jego zaskoczeniu.
– Pomówimy o tym jutro w południe, nie wcześniej.
Block wszedł do sali jadalnej, niosąc kolejny kandelabr z zapalonymi świecami. Światło otoczyło jego twarz dziwaczną poświatą, za której sprawą miał wygląd diabła o rumianych policzkach.
– Pomyślałem sobie, że być może życzy pan sobie teraz napić się porto, milordzie.
Czy w głosie Blocka kryła się ironia? Nicholas złożył serwetkę i położył ja obok swego talerza.
– Nie, dziękuję, Block. Pójdziemy teraz na górę. Czy dom jest spokojny i bezpieczny?
– Tak, milordzie. Czy wolno mi powiedzieć, że uznałem to za szczególnie delikatne, żeby pan Pritchard nie spożywał dziś kolacji razem z państwem. W końcu dzisiaj jest pierwszy państwa wieczór w Wyverly Chase, hm, a także pierwszy wspólny wieczór jako małżeńskiej pary.
– Nie, Block, nie wolno ci tego powiedzieć.
Rosalinda zakrztusiła się od śmiechu.
– Podziękuj, proszę, kucharce za wyborny posiłek, Block. Milordzie?
Nicholas odsunął od stołu jej krzesło i podał jej ramię.

– Dobranoc, Block. Aha, powiadom pana Pritcharda, żeby wynajął dodatkową służbę. Nie wyobrażam sobie, żeby kucharka sama zmywała wszystkie garnki i patelnie. Rozmówię się osobiście z każdym z nich i rozwieję ich obawy w związku ze zjawą.

– Bardzo słusznie, milordzie, lecz nie żywiłbym zbyt wiele nadziei na pozyskanie jakiejś pomocy. We wsi krążą pogłoski, musi pan wiedzieć, a ludzie przypominają sobie pańskiego dziadka oraz fakt, że… nie było ciała.

– Zapewniam cię, Block, że kiedy dziadek zmarł, pozostawił po sobie doczesne szczątki. W końcu jakiż miałby pożytek, zabierając swe ciało na tamten świat?

– Był pan tylko chłopcem, który niczego nie wiedział i nie rozumiał. Pamiętam dobrze, co mówił Ten, Który Powinien Wiedzieć.

– A któż to taki?

– Lekarz. Pamięta pan doktora Blankenshipa, milordzie, pedantycznego, małego człowieka o włosach koloru pszenicznego łanu i oczach tak jasnych, że mógł na ciebie patrzeć, a tyś nawet nie wiedział o tym? To on najwidoczniej szeptał swej siostrze, że w trakcie ostatniej jego wizyty stary hrabia nie zagrzewał miejsca w trumnie, jak to powinno, po bożemu, mieć miejsce. Pan, milordzie, wtedy już oczywiście wyjechał.

– Pamiętam Blankenshipa. Co się z nim stało?

– Jak mniemam, wyjechał do Francji, milordzie.

– No cóż, teraz już wiesz – dołączyła do rozmowy Rosalinda. – Pasuje jak ulał. Każdy, kto upiera się przy takich rzeczach, zasługuje na to, żeby skończyć we Francji.

Block przytaknął.

– Muszę przyznać, że doktor Blankenship był osobliwym człowiekiem, skromnej postury. Atoli, jak może pan sobie wyobrazić, opowieść o zaginionym ciele starego hrabiego rozpalała wyobraźnię. Jednakże podejmiemy próbę pozyskania większej liczby służby, mimo iż wiemy, że skończy się ona fiaskiem.

– Co się stało z siostrą doktora Blankenshipa, która rozpowiadała to wszystko?

– Cóż, wciąż mieszka w wiosce w domu swego brata i ciągle żywi się rozpowiadaniem plotki zasłyszanej od niego. Wydaje się, że nasi bliźni nigdy nie mają dość słuchania opowieści o rzeczach rodem z zaświatów. Niestety, zasiada do strawy w śliniaku. Osiągnęła bardzo sędziwy wiek.

Block towarzyszył im do biblioteki, czuwał przy drzwiach, kiedy rozmawiali krótką chwilę z pustym fotelem, ustawionym przed kominkiem.

Kiedy wyszli, Block odchrząknął, nie dając za wygraną.

– Milordzie, chodzi o Lee Po.

– Co z nim?

– I o kucharkę, milordzie. Podczas kolacji poprosiła go, żeby przygotował dla niej chińskie danie.

– Rozumiem.

– Wyjawił jej, że jest mistrzem w przygotowywaniu dań z makaronem, lecz niewiele ponadto, na co kucharka odparła, że słyszała, jakoby barbarzyńcy jedli surowe ośmiornice i żywe kalmary, jeszcze pełzające po talerzu. Lee Po roześmiał się na to, milordzie. Poinformował ją, że zawsze pozwalał ośmiornicom i kalmarom pierzchnąć, chociaż po częstokroć same zaplątywały się w nitki makaronu. Kucharka była wręcz wniebowzięta. Zatrzepotała do niego rzęsami. Coś takiego nie zdarzyło się od czasu, kiedy miała osiemnaście lat i ubrdała sobie, że kocha się w Williem, synu starego rzeźnika. – Block westchnął. – Nie mam pojęcia, co ona teraz zrobi. Jakby tego było mało, Marigold zapragnęła go dotknąć. Pozwolił jej lekko dotknąć dłonią swego policzka, by się przekonała, czy jej ręka zabarwi się na żółto. Nie zabarwiła się. Skomentowała to gardłowym głosem, że jego cera jest bardzo miła i delikatna, jak... potem zaczęła wymieniać kolory. Obawiam się, że może dojść do rywalizacji między kucharką a Marigold o względy Lee Po.

– On zdążył przywyknąć do adoracji ze strony kobiet, Block. Nie zawracaj sobie tym głowy – odparł Nicholas. – Pamiętam, że pewnego razu wywarł nawet wrażenie na cesarzowej, gdy po mistrzowsku skroił szatę z soboli.

Nicholas zmarszczył lekko brwi. Lee Po posiadł też umiejętność takiego kierowania biegiem zdarzeń, by były po jego myśli. Kiedyś zwierzył się Nicholasowi, że oni dwaj pasowali do siebie jak ulał, dzięki zdolnościom znacznie przewyższającym możliwości zwykłych ludzi. Nicholas niezbyt chętnie zastanawiał się nad tym, co Lee Po miał na myśli.

Cztery i pół minuty później on i Rosalinda mieli już w zasięgu wzroku główną sypialnię. Pędem pokonali tuzin ostatnich stopni. Nicholas zamknął drzwi i przekręcił klucz w zamku.

– Zamknięte drzwi wcale go nie zatrzymają, jeśli dziadek postanowi opuścić bibliotekę – powiedział.

– Nie wydaje mi się, żeby był w bibliotece.

– Być może zasnął.

Rosalinda nie odpowiedziała. Wpatrywała się jak zauroczona w ogromne łoże.

Rozdział 31

Nicholas roześmiał się, kiedy podeszła do kominka i zaczęła z desperacją rozgrzewać dłonie. Były tu przynajmniej ze trzy tuziny świec, które rozpraszały ciemność, lecz ciągle w niedostatecznym stopniu.

– Czy jest to pełen uroku pokój, Nicholasie, w którym słońce wpada rano przez okna? Są tu przecież okna, prawda?

– Jest ich nawet sporo. Duże okna, obiecuję. Wyobraź sobie, że jest miły i przytulny właśnie w tej chwili, dobrze? A teraz chodź do mnie, Rosalindo, a ja będę odgrywał rolę twojej pokojowej.

– Ale...

– Nie, nie kłopocz się Matyldą. Powiedziałem Blockowi, by poinformował ją, że ma wolne i może tego wieczoru zapoznać się z Marigold oraz z panią Sweet, kucharką i Lee Po.

– Widzę, że moja nocna koszula leży na łożu. Być może twój dziadek umościł się pod nią.

– Zapomnij o dziadku. – Nicholas chwycił jej koszulę i położył ją na oparciu uroczego fotela obitego brokatem, ustawionego przodem do kominka. – To był ulubiony fotel dziadka, kiedy tu mieszkałem; ten oraz tamten drugi w bibliotece. Za chłopięcych lat spędzałem wiele godzin, siedząc na tej podniszczonej poduszce i słuchając, jak opowiada o wielkim czarodzieju Sarimundzie. Powiedział mi, że Sarimund miał małżonkę, chociaż nikt nigdy jej nie widział. Wieść niosła, że jego oblubienica była wyłącznie wytworem jego wyobraźni, snuł swoją opowieść, że nie była kobietą z realnego świata. A potem pewnego dnia kroczył dumny jak paw i żądał, by wszyscy składali mu gratulacje z powodu narodzin córeczki. Oświadczenie to spotkało się jednak ze sceptycyzmem. Nikt nigdy nie widział również córki.

Rosalinda uśmiechnęła się do niego.

– Czy istnieje jakieś źródło pisane na jej temat?

Nicholas wzruszył ramionami, ujął w dłoń jej podbródek i zadarł jej głowę.

– Nie wiem, lady Mountjoy.

Nachylił się i ją pocałował. Nie był to pocałunek z rodzaju tych, które burzą krew i sprawiają, że serce bije jak bitewny werbel; było to raczej lekkie muśnięcie. Jego język sondował teraz kontur jej ust. Nie przerywał do momentu, kiedy przylgnęła dłońmi do jego torsu. Wyczuła, jak jego serce bije mocno i szybko pod jej dłońmi.

Ku zachwytowi i uldze Nicholasa Rosalinda przytuliła się do niego, obejmując rękoma jego plecy.

Wiedział, że musi uzbroić się w cierpliwość, co było ciężkim wyzwaniem dla mężczyzny w noc poślubną po tygodniach abstynencji. Był świadom, że ona czuje go na swym łonie, była teraz tak blisko, on zaś zastanawiał się, czy dawała wiarę temu, że tym, co ją uwierało, był oglądany na obrazkach konar drzewa. Obsypał ją mnóstwem pocałunków i lekko podgryzał w ucho. Jej dłonie przesunęły się na jego barki i zacisnęły na nich mocno.

– Rozchyl usta, Rosalindo, spróbujmy jeszcze raz tej przygody z językiem.

– Spenetrowałeś mnie językiem już całą. Nawet podbródek mam wilgotny.

Będzie w tobie bez porównania więcej wilgotnych miejsc – pomyślał, lecz zdołał to przemilczeć.

Otworzyła usta, on zaś wybuchnął śmiechem.

– Nie, nie na całą szerokość, tylko odrobinę. Drocz się ze mną.

– Jesteś tego pewien, Nicholasie?

– Och, tak. – I wsunął język do jej ust.

Dłońmi wyczuwał jej kibić, chociaż jej ciało oddzielało od jego rąk co najmniej pięć warstw garderoby. Przysiągłby, że czuł także jej podniecenie. Pragnął posiąść ją tu na podłodze, w tym dokładnie momencie. Poczuł, jak poderwała się zaskoczona, potem odrobinę ochłonął.

Rosalinda usłyszała jęk. Nie wydobył się z krtani Nicholasa. Odniosła wrażenie, że dobiega z niej, z głębi jej gardła, z miejsca, o którym nawet nie wiedziała, że istnieje. Potem doszło coś jeszcze... Cichy rechot, skądś z tyłu za nimi.

Nicholas odwrócił się, gotów zabić.

Nikogo tam nie było.

Znów rozległ się rechot.

– Dziadku, odejdź – powiedział możliwie spokojnie.

W odpowiedzi znów usłyszeli to samo.

Nicholas rzucił długą wiązanką przekleństw, z dużą wprawą.

– Jesteś w tym bardzo biegły – zauważyła.

– Dziękuję.

Wziął ją na ręce, chwycił też nieduży kandelabr z zapalonymi świecami i podszedł do drzwi. Udało mu się jakoś przekręcić klucz w zamku, co było nie lada wyczynem.

– Starcze, zabieram moją oblubienicę do innej komnaty – rzekł przez ramię. – Ty natomiast udasz się potulnie z powrotem do biblioteki albo, przysięgam, rankiem ruszymy w drogę powrotną do Londynu. Cała służba i czeladź też opuści wtedy włości i nie zostanie ci nikt, kto podziwiałby twoje żałosne przyśpiewki.

Kiedy otworzył drzwi po drugiej stronie ciągnącego się bez końca korytarza, wniósł żonę do komnaty na tyle niewielkiej, że jeden kandelabr rozproszył mrok w każdym kącie. Pośrodku stało wąskie łoże, przy przeciwległej ścianie natomiast znajdowały się szafa oraz biurko. Przed niewielkim kominkiem leżał granatowy chodnik o szerokiej zielonej bordiurze, mocno już poprzecierany, a na nim stało bardzo stare krzesło, z wysokim oparciem i zapadniętym siedzeniem. W ciągu wielu lat zasiadało na nim niemało pośladków.

– Podoba mi się ta sypialnia – powiedziała Rosalinda.

Potem umilkła natychmiast, kiedy położył ją na plecach pośrodku łoża.

Oddychał teraz ciężko, niezdolny skupić się na jej słowach, na czymkolwiek.

– Zaczekaj, Nicholasie!

– Co? Co znowu?

– Ten pokój, cóż, sądzę, że bardziej mi odpowiada niż tamta wielka komnata hrabiego – zwłaszcza w obecności twojego dziadka.

Cholera, czuła trwogę. Musiał okiełznać własne chucie, choć wiedział, że to niemal go zabije. Jego dziadek zasłużył na cios w nos.

Postawił kandelabr na małym stoliku obok łóżka.

– To była moja sypialnia w chłopięcych latach, spędziłem tu wiele szczęśliwych chwil. Tej nocy zamierzam przeżyć ich jeszcze więcej.

Tama została przerwana. Jego dłonie były już przy zapinkach jej sukni. Palce zachowały zwinność, ku wielkiej jego uldze, a kiedy ściągał suknię z jej ramion i rąk, pozbawiając ją swobody ruchów, leżała na plecach, spoglądając na niego.

– Nicholasie?

– Hm?

– Te odgłosy, które słyszeliśmy w twojej sypialni – może słyszeliśmy na przykład kurczaka, nie twojego dziadka?

Z jego ust dobiegł śmiech. Nicholas przewrócił się na plecy, trzymając się za brzuch. W końcu się uspokoił, pochylił się i przyciągnął Rosalindę do siebie.

– Jakim cudem mężczyzna ma wypełniać małżeńskie obowiązki – szepnął jej w policzek – kiedy zrywa boki ze śmiechu...

– Sądzę raczej, że był to kurczak.

Pocałował ją, potem ponownie położył na plecach.

– Możliwe – odparł.

– Nicholasie, nie. Zaczekaj. Rozebrałeś mnie w połowie, a ty wciąż tkwisz w tym cholernym surducie.

W rekordowym czasie był w negliżu.

– Rosalindo?

Spojrzał na siebie jej oczyma. Był nagi. Co robić? Nie mógł przecież chwycić za narzutę i owinąć się w nią; świadczyłoby to o braku finezji. Mówiąc szczerze i bez ogródek, nie byłoby to godne mężczyzny. Stał więc z rękoma opuszczonymi wzdłuż ciała i nie ruszał się.

– Jestem mężczyzną, Rosalindo, po prostu mężczyzną. Przykro mi, jeśli jesteś rozczarowana, że z mego podbrzusza nie sterczy konar drzewa.

A jeśli ona czuje odrazę, co wtedy? Jeśli uważa go za najohydniejszy stwór na świecie?

Oddychała głośno; słyszał to i zastanawiał się, co myślała, co czuła. Wciąż tam stał, spoglądając na wielki palec u stopy, w który uderzył się, wychodząc pospiesznie z sypialni hrabiego. Poczuł pulsujący ból. To ostudziło w nim gorączkę. Co sobie myślała?

Uniosła się na łokciach, nie odrywając od niego wzroku.

– Jesteś piękny, Nicholasie. Nigdy sobie nie wyobrażałam, że mężczyzna może wyglądać tak jak ty, cały taki prężny i gładki. To znaczy...

Tu przerwała, przełknęła ślinę, a jej wzrok podążył ku jego męskości.

Męskość ta była w wzwodzie, nie mógł nic zaradzić temu. Czy był piękny? Odchrząknął.

– Uważasz, że cały jestem piękny? Czy tylko niektóre części? Albo może tylko moje stopy? Powiedziano mi kiedyś, że mam stopy Dawida, wiesz, posągu dłuta Michała Anioła. Jak sądzisz?

Cokolwiek sądziła, pozostało to niewypowiedziane. Sprawiała wrażenie całkowicie pochłoniętej, a jej oczy wcale nie spoglądały na okolice jego twarzy. Ponieważ był mężczyzną, ponieważ na nim skupiała się ciekawość kobiety, urósł. Tam.

Nagle usiadła, przerzuciła nogi nad łożem i wyciągnęła ku niemu rękę. Wtedy jej twarz spłonęła rumieńcem i opuściła dłoń, zasłaniając łono. Jaka szkoda, pomyślał.

– Ojej, chociaż prezentujesz się tak fascynująco, nie sądzę, że coś z tego wyjdzie. Bardzo mi przykro, Nicholasie.

– Zobaczysz, że wyjdzie, obiecuję ci.

Podszedł do łoża. Ona zapiszczała, przeturlała się i o mały włos nie spadła po drugiej stronie.

– Czy nie widziałaś w twojej księdze, że to się udawało? I że ci dżentelmeni byli obdarzeni przez naturę o wiele szczodrzej niż ja?

Przycisnęła poduszkę do piersi.

– No cóż, tak. Przypuszczam, że tak. Ale ty nie jesteś ryciną, Nicholasie, jesteś mężczyzną, z krwi i kości, i stoisz tu przy moim łożu.

– Będziemy działać powoli – zapewnił, modląc się zarazem w duchu, żeby był w stanie podołać temu ciężkiemu zobowiązaniu.

Będzie z tym trudno, ale nie zamierzał tego zepsuć.

– Chodź do mnie, kochanie, pozwól mi na ciebie popatrzeć. Zamierzasz być w tym względzie uczciwa, czyż nie?

– Nie.

– Stoję tu nagi, jakim mnie Pan Bóg stworzył, a ty wciąż jesteś ubrana, jakbyś wybierała się na bal.

Obdarzyła go długim spojrzeniem.

– Dobrze – zgodziła się i przysunęła do niego.

Leżała teraz na plecach, z rękoma po bokach i z zamkniętymi oczami.

I znów nie mógł się powstrzymać, parskając śmiechem.

– Gdybyś złożyła dłonie ponad piersiami, mógłbym wsunąć lilię między twoje palce. O Boże, Rosalindo, wyglądasz jak ofiarne cielę, w połowie roznegliżowane.

Jej oczy wciąż były mocno zaciśnięte.

– Zgadza się.

Śmiał się, kiedy rzucił jej suknię obok nóg łoża. Przyglądał się bezmiarowi jej halek w kolorze dziewiczej bieli, spod których wystawały stopy obute w pantofle. Musiał zachować ostrożność, żeby nie porwać białej halki ozdobionej na rąbkach misterną koronką. Zdjął jej pantofle, potem ściągnął pończochy, uśmiechnął się na widok ręcznie szytych, jasnoniebieskich podwiązek. Spojrzał na jej długie, wąskie stopy i kształtne podbicie. Zapragnął polizać palce jej stóp.

Otworzyła oczy, kiedy uniósł jej bosą stopę do swych ust.

– Co ty wyprawiasz?

Liżąc ją i pieszcząc przesuwał się ku jej kolanom.

– Chyba naprawdę ci się spodobało.

Na całe szczęście nie ruszała się, ale ponieważ jego słuch był wyczulony na każdy dźwięk, dosłyszał, jak jej oddech nieco się rwał. Wyprostowała się raptownie i skoczyła na niego z tyłu. Sturlali się z łoża i wylądowali na posadzce, na szczęście pod nią. Pod pośladkami miał wprawdzie chodnik, ale plecy spoczywały na gołych dębowych deskach, chropawych i zimnych.

Któż by się tym przejmował?

Obsypała pocałunkami jego nos, podbródek i uszy, lizała jego twarz; był bliski agonii, kiedy wsunęła mu język do ust.

Ponownie zajął się skłębionymi halkami – w sumie pięcioma – po chwili wyglądały jak małe zaspy śniegu rozrzucone po niewielkiej sypialni. Kiedy nie miała już na sobie nic oprócz ulubionej – ostatniej – halki i leżała na nim, całując go, ostrożnie wsunął dłonie pod materiał i omal nie wyzionął ducha dotykając jej łona.

– Teraz już nic nas nie rozdziela – rzekł.

Rozdział 32

Uniosła się i wytrzeszczonymi oczyma patrzyła, jak ugniata jej łono. Wydała z siebie jęk, z wyrazem przerażenia na twarzy.

– Nicholasie – szepnęła, potem znów go pocałowała.

Jego palce gładziły wewnętrzną stronę jej ud, przesuwając się ku górze, aż wreszcie dotarł do celu. Przestał oddychać. Ostrożnie wsunął w nią palec i, ku jego radości, ten szczęśliwy gest wyzwolił istny kataklizm. Zaczęła raptownie na niego napierać, doprowadzając go niemal do szału. Wsunął palec głębiej i zaparł się nim o jej błonę dziewiczą.

Wiedział, że ją ma, jak wszystkie dziewice, chociaż nigdy nie był tak blisko żadnej jak teraz.

Pochwycił Rosalindę i legł na niej.

Oddychał ciężko, niemal wprost w jej usta.

– Rosalindo, powiedz mi, że pragniesz mnie w tej właśnie chwili.

– Pragnę cię. Ale wciąż mam na sobie halkę.

Zaklął, uniósł się i zdarł z niej ostatnią przeszkodę.

– A niech to, Nicholasie. Nie będziemy mogli przyznać ciotce Sophie, co stało się z halką jej roboty. Być może...

Ukląkł między tymi cudownie białymi nogami, rozsunął je szeroko, uniósł jej biodra i zanurzył usta w jej łonie.

Krzyknęła tak głośno, że z pewnością usłyszała ją kucharka.

Podciągnęła kolana do podbródka i naciągnęła na siebie narzutę.

Nicholas dyszał ciężko. Chciało mu się płakać. Co miał powiedzieć? Nie wyglądała na przestraszoną. Z jej twarzy emanowało przerażenie. W tej sytuacji musi okazać się człowiekiem obytym, biegłym i pewnym siebie. Czy będzie go na to stać? Odchrząknął.

– Posłuchaj mnie, Rosalindo. To dla mnie bardzo ważne. Całowanie ustami twego łona jest dla mnie wielce istotne, mężczyzna musi tak czynić, żeby potem czerpać rozkosz z cielesnego zbliżenia. Z pewnością o tym wiesz, nieprawdaż?

– Nie, nigdy nie słyszałam o czymś takim. Nie możesz mieć racji, Nicholasie, to pomyłka, twój cel jest błędny. Chciałeś pocałować mnie ponownie z tyłu kolana albo być może pragnąłeś polizać od spodu moją stopę, nie... ojej!

– Zamierzasz odmówić mi rozkoszy naszej nocy poślubnej? W ogóle się o mnie nie troszczysz?

Widziała go między swymi nogami, jego usta, jego język, i niemal chciała zapaść się pod ziemię.

Westchnął głęboko.

– Jak widzę, nie ufasz mi, że robię to, co jest słuszne i właściwe.

Ponownie westchnął, nie patrząc na nią, lecz na duży palec u stopy, który znów pulsował bólem.

– Ach, nie, Nicholasie. To nie tak, chodzi o...

Mężczyzna podejmuje decyzję i działa – pomyślał.

Chwycił ją, położył ponownie na plecach, rozsunął jej nogi i usiadł między nimi na swych piętach.

– Posłuchaj – przekonywał – sprawi ci to rozkosz.

Znów całował ustami jej łono. Kiedy, za co Bogu niech będą dzięki, szok ustąpił miejsca zdumionej rozkoszy, Rosalinda jęknęła, zgniotła pościel w zaciśniętych dłoniach i ponownie zajęczała. Gdyby mógł pomyśleć o jakichś słowach, wyśpiewywałby hymn pod niebiosa. Kiedy jej dłonie jak szalone przesuwały się po jego nagich plecach, po jego biodrach, a jej paznokcie wpiły się w jego ciało, był całkowicie i gotów ruszyć na podbój świata.

Uderzyła go pięściami w barki, wsunęła palce w jego włosy i mocno je pociągnęła. Nagle, zupełnie nagle, uniosła się w górę, wygięła w kabłąk plecy i krzyknęła, gdyż targnęły nią spazmy rozkoszy. Było to cudowne, bardziej niż cudowne i rozkoszował się tym, przytulając ją mocno w tych cudownych chwilach. Czuł, jak jej ekstaza przenika go na wskroś. Teraz kochał ją delikatniej, gdyż poczuł w niej odprężenie. Na koniec, kiedy stała się wiotka jak pościel, uniósł głowę i zobaczył, że ona wpatruje się w niego oczyma jeszcze bardziej błękitnymi, o ile to możliwe, rozmarzonymi i zdumionymi.

Cofnął się i wszedł w nią, mocno, szybko i głęboko. Kiedy znowu krzyknęła, zakrył dłonią jej usta. Wyczuwał jej ból, lecz nie przestał, dopóki nie dotarł męskością do końca. Serce waliło mu jak młotem, drżał jak człowiek rażony apopleksją, lecz w tym momencie niezłomna konsekwencja była rzeczą najważniejszą.

– Twoja błona dziewicza... – zdołał wyszeptać w jej skroń. – Musiałem przebić się przez nią. Przysięgam, że już nigdy nie poczujesz z jej powodu bólu. Leż spokojnie i dopasuj się do mnie. Rozluźnij mięśnie. Nie, nie przeklinaj mnie, bo tylko pobudzasz mnie do śmiechu. Oddychaj głęboko. Poczuj mnie w sobie, Rosalindo. Dobrze?

Rozluźnić się? Z tą częścią męskiego ciała głęboko w niej? Jakże to było możliwe? Wzbierała w niej chęć rzucenia przekleństwami, lecz zdołała je powstrzymać. Uniosła się i ugryzła go w ucho. Wcale nie z miłością, ale było to w sam raz i ostudziło go.

– Nie będę się ruszał, obiecuję – szepnął. – Proszę, spróbuj się odprężyć.

Znów go ugryzła. Tym razem jednak nie tak mocno. Cmoknął ją w policzek, potem w czubek nosa. Odczuwał przenikliwy ból, a jego mięśnie mogły doznać wiekuistego skurczu, o ile nie ruszy się i to szybko.

– To z pewnością najtrudniejsza rzecz, na jaką porwałem się w życiu. Na pewno czyni to ze mnie mężczyznę bardzo wyrafinowanego. Leż spokojnie, tak ma być, po prostu leż spokojnie.

Jakim cudem jego głos brzmiał tak kojąco, tak łagodnie, skoro była nadziana na niego, jak na rożen? Mężczyźni wnikali w ciało kobiet, nie była przecież głupia, lecz mimo to nigdy nie wyobrażała sobie, w jaki sposób. Czuła go w sobie, a to dziwaczne coś było twarde i gładkie. Jak to możliwe?

Leżał na niej, ciężki, rozgrzany i spocony. Nie ruszał się. Ona też nie.

– Rosalindo.

Mózg tracił jasność widzenia, wszystkie odczucia skoncentrowały się na niej. Wnikał w nią, aż w końcu wykrzyczał przenikającą go rozkosz.

Opadł na nią. Cóż za błogość, wciąż był żywy i na tym świecie, ona zaś obejmowała go, zaciskając mocno ramiona na jego plecach.

– Wyczuwam ciebie w sobie – powiedziała Rosalinda z ustami przy jego barku. – To bardzo dziwne coś, Nicholasie.

Nigdy nie był w stanie pojąć, skąd kobiety brały w sobie czelność i trzeźwość myśli, by prowadzić rozmowę po cielesnym zbliżeniu. Nie, to nie było zwyczajne cielesne zbliżenie, lecz miotanie się w chaosie i eksplodowanie, tyle jaskrawych barw przepełniało jego umysł.

Była to najwspanialsza rzecz, jaka mu się kiedykolwiek przydarzyła.

– Jesteś teraz wilgotna od mego nasienia. Czy krzyczałem głośniej od ciebie?

Podniosła głowę i ugryzła go w bark, potem polizała to miejsce.

– Krzyczałam, prawda – odparła głosem nieco zdeprymowanym. – Nie mogłam się powstrzymać; krzyk po prostu wyrywał się z moich ust. Tak czy owak, coś w tym rodzaju. A to co pozwoliłeś mi poczuć... gdy całowałeś moje łono... to coś, czego nigdy sobie nie wyobrażałam.

Poruszyła w nim potężne uczucia, jakie wzbierały do postaci rozkoszy w głębi duszy, wypełniając wszelkie puste zakamarki w jego jestestwie. Zdołał unieść się na łokciach. Pragnął powiedzieć coś mądrego, coś, co świadczyłoby o jego obyciu w świecie, lecz zamiast tego gapił się na nią, na jej zarumienione w świetle świec policzki, na jej intensywnie czerwone włosy na tle białej poduszki i na jej oczy, tak bardzo błękitne i niezgłębione. Nie, nie, czas mijał, a on wychodził na durnia. Oczy kobiety nie były wcale niezgłębione. Przełknął ślinę.

W tym momencie pojął, że ta kobieta należała do niego. Była mu poślubiona aż po grobową deskę. Jeśli jej oczy były niezgłębione, niech tak zostanie. Poczuł, jak jej mięśnie zaciskają się na jego męskości, a potem rozluźniają. Mężczyzna mógł wyzionąć ducha w pełnym błogostanie.

Uśmiechnęła się do niego.

– Pocisz się, Nicholasie.

– Ty też.

Na jej obliczu pojawił się wyraz zamyślenia.

– Czy wiesz, że nigdy nie lubiłam się pocić, ale teraz? – znów posłała mu olśniewający uśmiech. – Któż by się teraz tym przejmował? To było cudowne do chwili, kiedy będąc już we mnie…

– To było twoją nagrodą za to, że wypełniłaś rolę posłusznej małżonki i że pozwoliłaś mi się kochać… ustami.

– A niech to!

– Rosalindo, jestem teraz w tobie; moim nagim ciałem dotykam twego nagiego ciała. Nie ma więcej powodów, żebyś odczuwała zawstydzenie.

Spojrzała na niego.

– Zawsze to jakieś zadośćuczynienie. To bolało.

– Wiem, ale czy teraz też boli?

– Cóż, nie, nie tak bardzo. Ale ty jesteś bardzo rosły, Nicholasie. Ja zaś nie jestem. Z pewnością tamci mężczyźni na rycinach, choć obdarzeni szczodrze przez naturę, z pewnością nie są tak zbudowani jak ty.

Czyli?

– Mówiąc szczerze, mimo twoich rozmiarów wcale nie było tak źle.

Uniosła głowę i pocałowała go w usta, a był to nieśmiały pocałunek. Nagle zmęczenie gdzieś umknęło. Chciał znów się z nią kochać, właśnie w tej chwili, lecz nawet nie drgnął. Z trudem przyszło mu okazać wrażliwość wobec faktu, że musiała odczuwać ból.

– Dziękuję, że mi wyjaśniłaś wszystko tak przejrzyście.

– Mam nadzieję, że twój dziadek nie stoi w kącie i nas nie obserwuje.

Uśmiechnął się tylko do niej i znowu ją pocałował w usta, trochę nabrzmiałe.

– Jesteś teraz moją żoną w majestacie prawa.

– A ty jesteś teraz moim mężem w majestacie prawa.

– Ach, jestem kimś o wiele więcej niż mężem, Rosalindo. Jestem mężczyzną, który odnalazł cię w Londynie, mężczyzną, który wiedział, kim jesteś w chwili, kiedy cię zobaczył, nawet zanim cię zobaczył, mężczyzną, który musi odgadnąć... – przerwał na moment, przeklął sam siebie, potem uświadomił sobie, że to nie ma znaczenia.

Rosalinda zasnęła. Odsunął się od niej ostrożnie, żeby ułożyć się na boku obok niej. Głaskał ją po włosach, rozplątując poskręcane loki.

– Tak – szepnął jej do ucha. – Jest teraz moją małżonką w majestacie prawa.

Przygarnął ją do siebie, kładąc dłoń na jej brzuchu, i pocałował ją w kark. Smakowała jak jaśmin.

W ciągu minionych lat słyszał, jak mężczyźni mówili o swoich kochankach i żonach. Największa różnica, twierdzili, śmiejąc się przy tym, polega na tym, że żona podąża za mężczyzną aż do grobu lub tam właśnie go doprowadza, podczas gdy kochanka siłą rzeczy pieści to, co mężczyzna jej rozkaże i, jak należy mieć nadzieję, będzie go opłakiwać może przez tydzień, zanim znajdzie nowego protektora.

Żony, jak zazwyczaj mawiano, należało brać szybko, bez zbędnego gadania i światła świec, w zacisznym mroku; mężczyzna robi szybko, co jego, i odchodzi, z zachowaniem wszelkiej skromności. Natomiast kochanka jest stworzona ku jego uciesze, by mógł się rozkoszować swoją władzą nad nią.

Zawsze uważał mężczyzn za głupców.

Tego wieczoru udowodnił to. Wyobraził sobie, że Ryder Sherbrooke zgodziłby się z nim w pełnej rozciągłości.

Zastanawiał się, jakie byłoby to uczucie, gdyby Rosalinda wzięła jego przyrodzenie do ust. O mały włos nie stoczył się z łóżka.

Zasnął, mając w nozdrzach jej woń i smak.

Nie kochał jej, nie mógł jej kochać, albowiem mężczyzna nie mógł kochać długu. Czy mógł?

Rozdział 33

Nicholas podał jej wiekowy skórzany wolumin.

– Oto egzemplarz księgi *Reguły Krainy za Ostrokołem* należącej do mojego dziadka. Sądząc po niewielkiej liczbie stron, wydaje się, iż jest to jedynie fragment.

– Być może to coś w rodzaju wstępu, w którym znajdują się wyjaśnienia.

Lecz z jej głosu nie emanowała zbyt duża nadzieja.

Rosalinda usiadła w fotelu dziadka, obok kominka. Siedzisko było ciepłe, wyczuwała to nawet przez halki i suknie, co wzbudziło w niej zdziwienie. Ale ponieważ nie usłyszała żadnych jęków czy stęknięć, kiedy siadała, bez trudu odsunęła od siebie myśl, iż usiadła na… zjawie. Miała nadzieję, że stary hrabia grasował tego ranka gdzie indziej, być może wciąż jeszcze unosił się w swej dawnej, mrocznej sypialni albo stał po innej stronie pomieszczenia, obserwując ją.

Otworzyła cienki wolumin na chybił trafił. Zapisany był tym samym kodem, rozpoznała go. Była w stanie czytać go z równą łatwością jak drugi egzemplarz. Zaczęła więc:

– Czarnoksiężnicy i czarownice, którzy zamieszkują na Górze Olyvan, to pozbawiona skrupułów zgraja nieskończenie swarliwa i próżna. Rzucają uroki i klątwy na siebie nawzajem, tak zjadliwe i bezwzględne, że niebiosa aż się gotują.

W końcu zdałem sobie sprawę, iż nie są w stanie opuścić Góry Olyvan, być może nie potrafią nawet postawić kroku poza Krwawą Skałę, chłodną i ponurą fortecę, która wydaje się starsza niż sama Kraina za Ostrokołem. Żaden z jej mieszkańców nie wydaje się wiedzieć, skąd wzięła się nazwa warowni, ani też sama twierdza. Zapytałem Belenusa, on zaś odpowiedział wymijająco: „Ach, pochodzimy z tego okresu, zanim czas zdecydował się posuwać do przodu". Cóż za typowa dla czarodzieja odpowiedź, pomyślałem i nabrałem ochoty, by kopnąć go w zadek.

Innym razem zadałem Belenusowi pytanie, jak stary jest on sam, on zaś przeciągnął dużymi palcami po rudej brodzie, pokazał mi swoje białe zęby i na koniec odpowiedział: „Lata są jedynie pozbawioną znaczenia miarą, stworzoną przez ludzi, którzy musieli je liczyć, by się upewnić, iż uzyskują należną im część, czego zresztą nigdy nie czynili, ponieważ zabijanie się nawzajem znacznie bardziej zaspokaja ich potrzeby niż prowadzenie spokojnego żywota". W tym względzie przyznałem mu całkowitą rację.

Zapytałem też Latobiusa, celtyckiego boga gór i nieba, czy rzeczywiście jest bogiem, czy jest nieśmiertelny, on zaś uniósł rękę i z czubka jego palca wystrzeliła ognista włócznia, która rozbiła na kawałki marmurową rzeźbę kunsztow-

nej roboty, ustawioną po drugiej stronie przestronnej komnaty. Ktoś mi powiedział, że posąg pochodził z pałacu króla Agamemnona w Mykenach. Pamiętam, jak odłamki leciały na zewnątrz, czemu towarzyszyły kaskady jaskrawych kolorów.

Pomyślałem wtedy, jesteś czarodziejem, nie bogiem, i skierowałem przed siebie palec. Wystrzeliła z niego ognista włócznia, trafiając w kinkiet zawieszony na ścianie. Gwoli prawdy, odetchnąłem z ulgą, widząc, jak się rozpada. Obaj staliśmy tam, patrząc na ciężkie odłamki marmuru uderzające o posadzkę i rozsypujące się w różne strony. Nie odezwał się nawet słowem. Choć przyszło mi to z trudem, ja również nic nie powiedziałem.

A Epona? Matka mojego syna? Nie widziałem jej już nigdy więcej po szóstej nocy, jaką spędziłem w jej łożu.

Kim są te drugie istoty?

Wiedziałem, że są tam służący, lecz byli oni jedynie niczym błyski świtała i cienia, jak gdyby poruszali się w nieco innym czasie i miejscu, w innej fazie, jak księżyc zawieszony tuż poza polem widzenia. Z pewnością utrzymywali porządek w twierdzy, jej mieszkańcy byli starannie ubrani, lecz służba była oddzielona od czarodziejów i czarownic, a także oddzielona ode mnie. Czy przychodzili oni skądś spoza fortecy? Być może byli strażnikami albo gwardią przyboczną. Byli tu także kucharze, ponieważ posiłki smakowały wybornie.

„Gdzie są służący?" – zapytałem pewnego razu Eponę. Ona nosiła się tylko na biało, jej szaty były nieskazitelnie czyste. Także jej sypialnia

była całkowicie biała i wydawało mi się, iż powietrze wokół niej także ma kolor mleka. „Przywołujemy ich tylko wtedy, kiedy są nam potrzebni", odpowiedziała, lecz mnie wcale nie wydawało się to zgodne z prawdą. „Zatem tak naprawdę ich tutaj nie ma. Dokąd odchodzą? Skąd przybywają?" Ale ona tylko pokręciła głową, pogłaskała białą dłonią moje włosy i zaczęła mnie całować, przesuwając się w dół w stronę podbrzusza. I zastanawiałem się, zanim z mojego umysłu nie zniknęły wszelkie myśli: Czy masz jakieś pojęcie, kim lub czym są te stwory, które ci usługują?

Rosalinda uniosła twarz.

– Nicholasie, ta książka nie stanowi urywków z tamtego egzemplarza, jej treść jest całkowicie inna.

Jego serce biło bardzo mocno.

– Tak, można odnieść takie wrażenie. Czytaj dalej, Rosalindo, zostało tylko niewiele stron.

Kontynuowała:

– Nadeszła noc, kiedy Krwawa Skała zatrzęsła się w posadach i wypluwała skały wysoko ku niebu. Języki ognia strzelały w stronę czarnego, pozbawionego księżyców nieboskłonu, zaś trzy krwistoczerwone księżyce w niedający się wytłumaczyć sposób zniknęły z firmamentu. Usłyszałem krzyki i piski tak przeraźliwe, jakby wydawały je demony z najgłębszych otchłani Piekieł. Czy byli to czarnoksiężnicy i czarownice? A może inne stwory, o których nic nie wiedziałem. Skały staczały się w dół po stromych zboczach Góry Olyvan. Nie słyszałem jednak, żeby uderzały o ziemię i zacząłem się obawiać, iż nie by-

ło już ziemi w dole, nie było już doliny poniżej. Wybiegłem na mury i szykowałem się stawić czoła śmierci. Nie umarłem jednak, Krwawa Skała nie osunęła się w dół Góry Olyvan. Kataklizm ustał równie raptownie, jak się zaczął. Zrobiło się niesamowicie cicho, jak gdyby samo powietrze obawiało się choćby drgnąć.

Nie chciałem pozostawać tu dłużej, zatem wysłałem milczące błaganie do Taranisa, Smoka znad Jeziora Sallas, który sprowadził mnie na Krwawą Skałę. Wkrótce też przybył, z gracją pikując ku szańcom fortecy. Żaden czarnoksiężnik i żadna czarownica nie pożegnali się ze mną. W rzeczy samej nie widziałem żadnego z nich po wstrząsach, jakie targnęły wnętrznościami warowni, moimi zresztą również. Czy wszyscy zginęli?

Taranis uniósł z ziemi swe wielkie ciało z gracją i odleciał z Góry Olyvan. Kiedy spojrzałem do tyłu, wszystko wyglądało tak jak wcześniej. Znów się zastanawiałem nad ich imionami celtyckich bogów i bogiń, ponieważ żadne z nich nigdy nie oddawało czci niczemu – moje myśli pobiegły też ku Taranisowi, Smokowi znad Jeziora Sallas, którego imię pochodziło od celtyckiego boga gromów, boga, który żądał dla siebie ofiar z ludzi. Czy Taranis wywołał chaos i zamęt na Górze Olyvan? Był nieśmiertelny, jak mi wyjawił, w odróżnieniu od tych wiecznie knujących czarnoksiężników i złośliwych czarownic z Krwawej Skały. Zapytałem go, czy czarnoksiężnicy i czarownice przeżyły. Taranis odpowiedział mi, że stwory z warowni na Krwawej Skale skryły się tchórzliwie za własnymi zaklęciami, bojaźliwa zgraja. Chciałem go zapytać o mego syna, czy rzeczywiście powiła go Epona ze swego ciała. Czy faktycznie kiedykolwiek istniał, lecz Taranis wybrał ten moment, by dać nura w stronę ziemi, ja zaś straciłem resztę myśli w głowie, a moje trzewia znów zostały wystawione na ciężką próbę.

Znów podniosła wzrok.

– Sarimund od czasu do czasu bawi się w tej relacji. Jest całkiem inna niż tamta księga. Zastanawiam się, co tak naprawdę się wydarzyło. Albo czy cokolwiek z tego rzeczywiście miało miejsce.

– Być może czarnoksiężnicy i czarownice z Krwawej Skały wyzwolili wszelkie swe moce.

– Wyzwolili wszelkie swe moce przeciw czemu? Warowni? Samej górze? Przeciwko sobie nawzajem?

– Nie wiem.

– Zastanawiam się, czy Sarimund kiedykolwiek wiedział, co się wydarzyło. Być może istnieje jeszcze trzeci cienki wolumin. O Boże, czy sądzisz, że jego syn przetrwał? Syn Epony? Czy w ogóle się narodził? To bardzo frustrujące, Nicholasie.

– Przeczytaj ostatnie strony, Rosalindo.

Spróbowała odwrócić kartkę, lecz była sklejona. Nie chciała się rozdzielić.

Rosalinda spojrzała na męża.

– A niech to, Nicholasie. Wydaje się sklejona z ostatnią stronicą. Przypominasz sobie, jak w tym drugim egzemplarzu *Reguł* nie byłam w stanie przeczytać szyfru na ostatnich stronach? W przypadku tej cienkiej księgi one nie dają się rozdzielić.

Od stron drzwi biblioteki dobiegło pukanie.

Rosalinda zerwała się na równe nogi.

– Zobaczmy, co się teraz wydarzy.

Był to Peter Pritchard, jego młoda twarz, wymizerowana, jego blade oczy podbiegnięte cieniami, zjeżone ciemne włosy... Jednak ubranie wyglądało na świeżo uprasowane, a buty wyglansowane były na połysk. Z tyłu za nim w przestronnym wejściowym holu stało sześć kobiet i czterech mężczyzn. Wszyscy czekali, jak powiadomił ich Peter, by Nicholas przekonał ich do powrotu do pracy w Wyverly, co z pewnością było okazją, jaką tylko dureń by odrzucił…

– Daj nam chwilę, Peterze – zwrócił się do niego Nicholas i zamknął drzwi biblioteki przed jego nosem.

Całkiem o tym zapomniał. Nie miał teraz ochoty zajmować się przekonywaniem czeredy wieśniaków do pracy, i Rosalinda to dostrzegła. Dojrzała również jego usta, ach, jego usta, kiedy ją całował, kiedy ją pieścił. Targnął nią dreszcz, gdy przypomniała sobie, jak się przebudziła, a jego nie było. Kiedy przeciągnęła obolałe mięśnie, z czego nie zdawała sobie sprawy, przywołała w myślach, jak przytulała się do niego we śnie i budziła się, by go całować, pozwalając mu… Cóż, pocałowała go przy stole podczas śniadania w niewielkiej, naprawdę pełnej uroku sali z ogromnymi oknami, które wychodziły na frontowy podjazd. Całowała go do chwili, kiedy do pomieszczenia weszła chwiejnym krokiem Marigold, balansując ciężkimi posrebrzanymi tacami. Zatrzymała się w pół kroku i wpatrywała się w nich dłuższą chwilę, potem uśmiechnęła od ucha do ucha.

Po śniadaniu, kiedy Rosalinda myślała, że Nicholas zaniesie ją być może do sypialni z jego lat dziecinnych, on tego nie uczynił. Zaprowadził ją do biblioteki i wręczył cienki, oprawny w skórę wolumin. Wiedział, że to ważne, wiedziała to, ale...

Uśmiechnęła się teraz do niego, rzuciła mu cienką księgę.

– Dlaczego nie wymkniesz się do ogrodów, Nicholasie, i nie przemyślisz tego. Przekonaj się, czy uda ci się rozdzielić końcowe strony. Zwróciłeś uwagę, że nie było już dalszych reguł? Tak, idź do ogrodów. Ponieważ jestem teraz panią posiadłości Wyverly, jedyną słuszną rzeczą będzie, bym zajęła się służbą. – Pogłaskała go po ręku. – Jestem bardzo uzdolniona, jeśli chodzi o przekonywanie ludzi do robienia tego, czego ja chcę.

Spojrzał na księgę, otworzył usta, lecz ona lekko dotknęła opuszkami palców jego warg.

– Księga znajdowała się tu przez bardzo długi czas. Zapewne teraz też nie wyleci przez okno. Postaraj się rozdzielić ostatnie strony, chociaż nie żywię w tym względzie zbytniej nadziei. A teraz pozwól mi się przekonać, co mogę zrobić. Musimy przywrócić rezydencji Wyverly jej dawną świetność. Ach, przecież kiedyś rezydencja kwitła, nieprawdaż?

– Tak, rzeczywiście, do czasu, kiedy mój ojciec zachorował, gdy stanął wobec własnej śmiertelności i pojął, że rezydencja i ziemia przejdą na mnie. Przeniósł się wtedy z rodziną do Londynu i zostawił wszystko tutaj na zatracenie. Dzięki Bogu nie tak dawno temu. Miałem dużo szczęścia, że Peter Pritchard był pod ręką.

– Przykro mi, Nicholasie. Cóż za niegodziwiec z twego ojca. Żałuję, że go tutaj nie ma, bym mogła mu sprawić solidne lanie.

Roześmiał się, pochylił i ofiarował jej mocny, namiętny pocałunek; potem wyszedł przez oszklone drzwi do niewielkiego, zarośniętego ogrodu. Usłyszał, jak w zaroślach czmychają jakieś zwierzątka.

– Potrzebni nam będą ogrodnicy – zawołał w jej stronę przez ramię.

Otworzyła drzwi biblioteki i wpuściła Petera.

– Peterze – powiedziała, odwracając się ku niemu. – Sądzę, że powinnam porozmawiać z nimi wszystkimi naraz. Ufam, że dopilnowałeś, iż żadne z nich nie ma ochoty wykradać sreber?

– Stary hrabia powiedział memu ojcu, a ten powtórzył mnie, że Nicholas kiedyś wykradł trzy srebrne łyżeczki z czasów królowej Elżbiety, by je sprzedać w Grandham i kupić sobie kucyka. Stary hrabia, jak opowiedział mi ojciec, pomyślał, że chłopiec postąpił bardzo słusznie. Kucyka traktowano tu w Wyverly Chase niczym księcia. W rzeczy samej kucyk jest wciąż w stajniach, zadowolony, że się go czesze i karmi marchewkami. Bardzo mi przykro, ale niewiele jesteśmy teraz w stanie zrobić. O ile mogę zapewnić, nie ma w tej grupie złodziei.

– W porządku, Peterze. Wprowadź naszych ludzi.

– Oni nie są jeszcze nasi, milady, i wątpię...

Rosalinda tylko pokręciła głową.

Kiedy wszyscy stanęli przed nią w szeregu, wielu wyglądało na zdjętych prawdziwym strachem. Wiedzieli, że znaleźli się w bibliotece starego hrabiego, gdzie, jak głosiły plotki, pojawiał się duch. Kilku ludzi starało się odegnać obawy. Rosalinda uśmiechnęła się do każdego z przybyłych po kolei.

– Jestem lady Mountjoy – odezwała się. – Mój mąż i ja dopiero co przybyliśmy do Wyverly Chase. – Przybliżyła się do nich. – Niech mi będzie wolno powiedzieć wam zgodnie z prawdą... ostatniego wieczoru grałam w szachy z duchem starego hrabiego i wiecie co? Pokonywałam go za każdym razem. On zrzędził, rzucił kilkoma pionkami po bibliotece, lecz w sumie przyjął to całkiem godnie.

Rozległo się kilka ciężkich westchnień oraz parę zduszonych oddechów.

– Stary hrabia znajduje się gdzieś pośrodku, jak przypuszczam. Nie ma go tutaj, ani tam, lecz obecnie bardziej tutaj niż tam, jeśli wiecie, co mam na myśli. Nie jest niebezpieczny, w żadnym też razie nie budzi trwogi. Zauważyłam, że w rzeczywistości jest dobrym słuchaczem i z radością śpiewam razem z nim w duecie. Czy któreś z was umie śpiewać?

Rozdział 34

Grobowa cisza.

Starsza kobieta powoli uniosła dłoń.

– Ja umiem, milady. Pastor powiedział mi, że w całej jego trzódce mam najsłodszy głos.

– W takim razie niewątpliwie zaśpiewa pani w duecie ze starym hrabią, gdyż jego głos wcale nie zachwyca. Czy to się pani spodoba, pani...?

– McGiver, milady. Pan Pritchard rozmawiał ze mną o posadzie ochmistrzyni.

– Stary hrabia zna trochę przyśpiewek, pani McGiver.

– On nie jest starym hrabią, on jest duchem – odezwał się jeden z mężczyzn. – Cholerną zjawą, która nie trafiła do nieba. To nic dobrego. Całe to gadanie o graniu w szachy z duchem... to zło i konszachty ze złem. Tak wszyscy mówią. Nic dobrego z tego nie wyniknie dla tych, którzy tu zostaną.

Rosalinda skinęła głową w stronę starszego mężczyzny o białych włosach związanych w koński ogon.

– Rozumiem pańskie obawy, panie...?

– Macklin, milady. Horace Macklin. Byłem głównym ogrodnikiem, zanim stary hrabia powrócił i zaczął tu straszyć.

– Ogrody dramatycznie potrzebują pańskiej pomocy, panie Macklin. A teraz posłuchajcie mnie. Omówiłam to ze starym hrabią, on zaś zapewnił mnie, iż nie ma w nim zła, a nawet w rzeczy samej odczuwa błogostan. Przyczyną tego szczęśliwego stanu jest fakt, że bardzo raduje się powrotem wnuka i jego ożenkiem. Opowiedział mi o wielu z was, jacy jesteście mili i bystrzy, jacy wszyscy jesteście dobrzy. Wyjawił mi również swą nadzieję, że wszyscy tu powrócicie i weźmiecie się ostro do roboty, dzięki czemu da się przywrócić rezydencji Wyverly Chase jej dawną świetność.

Wciąż spoglądali niepewnie, na co najmniej dwóch twarzach ciągle rysował się przestrach.

Rosalinda przysunęła się bliżej do zebranych i ściszyła głos.

– Powiem wam, co następuje. Hrabia urozmaici wam żywot. Sprawi, że będziecie się uśmiechać, kiedy przywykniecie do jego tubalnego głosu. Ośmielę się stwierdzić, że już wkrótce będzie śpiewać z nim do wtóru, kiedy będzie intonował swoje przyśpiewki. Któż spośród was jest na tyle wystraszony, na tyle wylękniony, żeby odrzucić tak niezwykłą sposobność? Czyż to nie jest przygoda? Coś, o czym będziecie bajać swoim wnukom? Waszym znajomym? Ośmielam się stwierdzić, że będą spijać słowa z waszych ust i będą stawiać wam kufle piwa *ale*, żeby tylko usłyszeć waszą opowieść.

Ach, większość twarzy nie miała już tak zdecydowanie kamiennego wyrazu.

– Wszystkie wspaniałe rezydencje mają swoje duchy – kontynuowała wątek. – Bez duchów i zjaw wielkie rezydencje po prostu się nie liczą. Ponadto duch starego hrabiego nie jest zbyt wiekowy, dlatego jeszcze nie zdecydował, czy chce, czy też nie chce tutaj osiąść. Jak już powiedziałam, wciąż grasuje, lecz bardzo pragnie wszystkich was powitać. Czy tutaj pozostanie? Tego nie wiem. Przekonamy się.

Cofnęła się i pozwoliła przybyłym zebrać się w ciasnej grupie. Głosy był ściszone, lecz rozmawiali ze sobą i to był dobry znak. Ich oczy biegały płochliwie po bibliotece, lecz stary hrabia zachowywał się cicho, o ile w ogóle tutaj był.

Na koniec kobieta o słodkim głosie, pani McGiver, wystąpiła do przodu o krok.

– Wszyscy z wyjątkiem Roberta przyjdą – oznajmiła. – Robert jest podszyty strachem, co jest żałosne, jak na mężczyznę...

– Gdzieżby tam! Wcale się nie boję!

Pani McGiver uśmiechnęła się do niego szyderczo.

– W takim razie podpisz, mój ty chłopie z jajami. Nie zyskasz nawet szansy usłyszeć, jak stary hrabia śpiewa, ani zaśpiewać z nim do wtóru, ponieważ będziesz rwał chwasty w ogrodach. Jesteś zbyt przestraszony, by to zrobić?

Rozległy się dalsze pomruki, potem Robert przytaknął.

– W porządku. Zostanę w rezydencji, lecz nigdy moja noga nie postanie w tym gnieździe rozpusty. Zjawa w bibliotece... to zdecydowanie za wiele, jak dla mnie.

Na całe szczęście gniazdo rozpusty starego hrabiego postało ciche, a powietrze nieporuszone i ciepłe.

Rosalinda usłyszała, jak Peter Pritchard zwraca się do swoich ludzi, kiedy wyprowadzał ich z biblioteki:

– Gdybyście wszyscy rozpoczęli już dziś, jego lordowska mość i jej lordowska mość byliby bardzo zadowoleni. Czy wiecie, że ja również śpiewałem w duecie ze starym hrabią? On nie dysponuje zbyt dobrym głosem, muszę to przyznać, ale naprawdę dokłada starań. Istnieją jakieś niebiańskie przyczyny, dla których śpiewa, zamiast po prostu mówić, tak sądzę. Co pani o tym sądzi, pani McGiver?

– On nigdy nie miał dobrego głosu, a przynajmniej nie jestem w stanie wyobrazić sobie, żeby miał. Prawdę powiedziawszy, nigdy nie słyszałam, żeby śpiewał.

– No cóż, stary hrabia jest nieboszczykiem, nieprawdaż? Któż śpiewałby dobrze z grobową ziemią w ustach – wtrącił Robert.

Rozległa się stłumiona aprobata. Dzięki miłosiernemu Bogu nikt nie wspomniał, iż w trumnie starego hrabiego brakowało ciała.

Rosalinda uśmiechnęła się szeroko, kiedy dołączyła do Nicholasa w ogrodzie. Powietrze było delikatne, słońce prażyło z czystego, bezchmurnego nieba.

– Podoba mi się mój nowy dom, Nicholasie. Mamy już dodatkową służbę. Wszystko dobrze się ułoży. Naszą nową ochmistrzynią jest pani McGiver i będę musiała dać jej jakąś nagrodę. Naprawdę ma charakter, oprócz cudownego głosu.

– Nie wiem, jak ty i pani McGiver zdołałyście tego dokonać, ale jestem pod wrażeniem.

Pocałował ją i położył na trawie. Między pocałunkami pytała go, czy hrabia kiedykolwiek odwiedzał to miejsce.

– Nie, nigdy. Nienawidził kwiatów, nie cierpiał jaskrawego słońca – opowiedział Nicholas, nie dając się wyprowadzić na manowce. – Musisz wiedzieć, że z ciężkim sercem opuściłem ciebie dzisiejszego ranka, zgrzytając zębami. Kopnąłem nawet krzesło, wychodząc przez próg. Czy wiesz, że objęłaś mnie kurczowo i nie chciałaś puścić, gdy usiłowałem wyjść? Ach, a teraz bądź już cicho.

– W takim razie dlaczego wyszedłeś?

– Wciąż jeszcze musisz być obolała – odparł między pocałunkami. – Nie chciałem sprawić ci bólu. Ale teraz czujesz się lepiej, prawda, Rosalindo?

– Och, tak – powiedziała wprost w jego usta. – Czuję się idealnie.

Peter Pritchard, kiedy usłyszał głosy w ogrodzie, natychmiast zawrócił, ponieważ również nie był głupcem, i poszedł z powrotem do biblioteki starego hrabiego. Pobiegł myślami do wdowy Damson, jej uroczego uśmiechu i wielkich jak poduchy piersi. Postanowił, że nadeszła pora złożyć jej wizytę.

Dwadzieścia minut później Nicholas pomógł Rosalindzie wstać i wygładzić suknię.

– O Boże, jak wyglądam?

Czuł się zaspokojony i bardzo zadowolony, żadna troska nie nękała jego myśli.

– Wyglądasz jak królowa.

Ponieważ nie była to do końca prawda, Rosalinda wymierzyła mu kuksańca. Uśmiechnął się do niej szeroko i ponownie pocałował w usta, ponieważ nie był w stanie się powstrzymać.

– Wyglądasz na szczęśliwą i zadowoloną z siebie – zauważył. – Jednocześnie wyglądasz głupawo i ślicznie. Taki wygląd pasuje świeżo upieczonej małżonce. Nie martw się, nikt się nie dowie, czego się dopuściłaś w ogrodzie na trawie. Jestem z ciebie bardzo zadowolony, Rosalindo. Bardzo zadowolony.

Rosalinda nie podniosła na niego wzroku.

– Ja także jestem z ciebie bardzo zadowolona, Nicholasie. Wiem, że powinnam być zszokowana tym, czego z taką ochotą pragnęłam... rzeczy, które robiłeś ku mej najgłębszej satysfakcji... ale nie byłam zszokowana. Są rzeczy... których chciałabym spróbować – szepnęła mu do ucha. – Lecz ty nie dałeś mi szansy.

Przywołał w pamięci jej długie nogi, wysmukłe mięśnie, ściskające go po bokach, i spojrzał na zegarek. Dochodziła dziesiąta rano. Być może po obiedzie zabierze ją na konną przejażdżkę do niewielkiego zagajnika, gdzie wśród traw płynął strumień, a słowiki śpiewały słodko na gałęziach klonu.

Uśmiechnął się do niej promiennie.

– Dam ci na to szansę. Poprosimy kucharkę, żeby przygotowała dla nas piknik.

Przypomniał sobie, że ma w kieszeni księgę. Odchrząknął.

– Nie zdołałem odkleić ostatnich stron. Jak sądzę, tam znajdują się odpowiedzi, lecz coś lub ktoś nie pozwala, byśmy je odnaleźli.

I ponownie ją pocałował.

Tym razem to ona posiadła go na trawie w ogrodzie. Po czym powiedziała:

– Myślę, że nadeszła pora, byś posłużył się raczej mózgiem niż innymi częściami ciała, milordzie – i się roześmiała.

Wrócili do biblioteki.

Oboje zatrzymali się raptownie na progu, gdyż usłyszeli chrapliwy, starczy głos:

Grzechy ciała,
Grzechy ciała,
Jakże nudny i beznamiętny świat byłby
Bez grzechów ciała.

Rosalinda pogroziła pięścią w stronę pustego fotela.

– Nie popełniliśmy grzechu. Jesteśmy małżeństwem. Ty zaś z pewnością jesteś lubieżnym starym upiorem. Uspokój się.

– Szkopuł w tym – rzekł Nicholas, kiedy przez kilka chwil nie usłyszał dalszych strof śpiewanych przez starego hrabiego – że mój dziadek nigdy w swoim życiu nie zaśpiewał nawet jednej nuty. Dlaczegóż więc zaczął śpiewać po swej śmierci?

– Słucham?

– Nie przypominam sobie, abym, będąc chłopcem, słyszał kiedykolwiek jego śpiew. Zastanawiałem się, dlaczego nieboszczyk śpiewa teraz, skoro chodząc po ziemskim padole nigdy tego nie czynił.

– Ale on nie robi nic innego, tylko wyśpiewuje jedną durnowatą rymowankę za drugą.

– Cóż, ta ostatnia była całkiem trafna i miała puentę. Zastanawiałem się sporo nad tą kwestią. I nie uważam, że to jest mój dziadek.

– W takim razie kto?

– Sądzę, że musimy cofnąć się do stulecia Sarimunda; do kogoś, kogo znał. Musimy cofnąć się do czasów pierwszego hrabiego Mountjoy. Jestem zdania, że naszym duchem jest zmarły wieki temu kapitan Jared Vail.

– Ale dlaczego zjawił się tutaj? Dlaczego mnie powitał?

Dwa dobre pytania, pomyślał Nicholas.

– Czy rzeczywiście jesteś kapitanem Jaredem Vailem?

Rozległ się cichy rechot zza boazerii, a może dobiegł zza pustego miejsca nad siedemnastowiecznym obrazem przedstawiającym Vaila z bardzo starannie ułożonymi lokami czarnej peruki, trzymającego w dłoni dojrzałą brzoskwinię, i na tle antycznych ruin.

– Zatem, jeśli jesteś kapitanem Jaredem Vailem, dlaczego tak się cieszysz na mój widok? – zapytała Rosalinda.

Odpowiedzi nie było; nieruchome powietrze nie zostało poruszone przez najdrobniejszy ruch czy głos.

Potem obraz się przechylił, jak pod dotknięciem niewidzialnej dłoni.

Rozdział 35

Dwie godziny później Rosalinda poszła szukać Nicholasa. Zatrzymała się, kiedy usłyszała bogaty kontralt pani McGiver dobiegający z biblioteki: przyśpiewkę o młodej dziewczynie z Leeds, która zakochała się w synu bednarza i o tym, jak sprawy poszły w złym kierunku z powodu beczki piwa.

Rosalinda podeszła bliżej drzwi biblioteki, nasłuchując. Po chwili rozległ się wreszcie chropawy starczy głos, który śpiewał:

Trzy dziewki mieć łacniej niż dwie,
Dwie dziewki mieć łacniej niż jedną,
Gdy jedną weźmiesz, rad jesteś,
Gdy dwie weźmiesz, w niebieś jest,
Gdy trzy i więcej posiądziesz,
Ryczysz jak lew, jak lew.

Chwała niech będzie, niech będzie,
Zawsze trzy brałem do czasu,
Kiedym się w końcu ożenił
I grubą krowę mam w łożu,
Niestety, mój kogut zdechł, całkiem zdechł.

Usłyszała ostry głos pani McGiver.

– Cóż za okropne rzeczy wyśpiewujesz, milordzie! Było to wprawdzie dość zabawne... ale musisz przyznać, że twoich słów pastor nie uznałby za przyzwoite. I cóż to za strofa o krowie, która robi za żonę? Twoja małżonka nigdy nie była tłusta. Była chudą i drobną kruszynką, o ile pamiętam. Wstydź się.

W następnej chwili pani McGiver wyszła z biblioteki zamaszystym krokiem z rumieńcem na pulchnych policzkach. Zatrzasnęła za sobą z impetem drzwi. Zatrzymała się raptownie, gdy dostrzegła Rosalindę.

– Ach, milady, czy słyszała pani tego paskudnego, starego...

– Słyszałam, jak uroczo pani śpiewała, pani McGiver – odparła Rosalinda. – I słyszałam także odpowiedź hrabiego.

Nie było potrzeby wtajemniczać pani McGiver, który to stary hrabia. Liczący z górą dwieście lat duch mógłby nie zostać zaakceptowany z równą łatwością jak ten zaledwie dziesięcioletni. Mimo to pani McGiver była najwyraźniej oburzona, nie z powodu tego, że słyszała ducha, lecz z uwagi na słowa jego sprośnej przyśpiewki. Rosalinda nie zdołała się powstrzymać i parsknęła śmiechem. Szybko odchrząknęła.

– Proszę mi wybaczyć – powiedziała pospiesznie. – Ale czy nie widzi pani tego? Nasz duch słuchał pani śpiewu. Prawdopodobnie był zauroczony pani głosem i starał się wymyślić przyśpiewkę, którą by się pani przypochlebił, rozbawił panią, ale niestety, te odstręczające, nieprzyzwoite strofy okazały się wszystkim, co był w stanie wymyślić. Proszę nie zapominać, pani McGiver, że przecież był mężczyzną, a wie pani, jacy są mężczyźni.

Sama Rosalinda nie wiedziała zbyt wiele o tym, jacy są mężczyźni, ale w końcu była mężatką, zatem mogła sobie pozwolić na takie słowa.

Ku jej zaskoczeniu i uldze oburzenie pani McGiver osłabło.

– Naprawdę podobała się pani moja pieśń? Ale *grubą krowę mam w łożu* – to znaczy, jakie to złośliwe – cóż, być może racja jest po pani stronie, może nasz stary hrabia nie jest w stanie wymyślić bardziej podnoszącej na duchu przyśpiewki. Osobliwą rzeczą jest wszakże to, że nie przypominam sobie, by stary hrabia tak często zwracał uwagę na uciechy ciała. Nie sądzisz, pani, że duchy...

– Nie, z pewnością nie. On zdaje sobie sprawę, że panią denerwuje, pani McGiver. Być może następnym razem dobierze skromniejszą treść.

Ku zdumieniu Rosalindy pani McGiver zachichotała. Potem odchrząknęła.

– No dobrze, w tej kwestii muszę stwierdzić, że przemyślałam to i jestem rozbawiona. Teraz, gdy go zostawiłam, milady, cała wzburzona, być może jego duchowe jestestwo skręca się ze wstydu i zażenowania. Ja zaś uświadomiłam sobie, że muszę wrócić do biblioteki i zetrzeć kurze. Pani Sweet powiedziała mi, że ma ciarki na myśl, iż musiałaby pracować w bibliotece, zwłaszcza po tym, jak fotel hrabiego przechylił się z jednej nogi na drugą i przesunął bliżej kominka, na jej oczach.

– Wiem. Stanowi pani wzór dla całej służby, pani McGiver.

– Cóż, być może tak jest. Powiedziałam pani Sweet, że ponieważ on jest duchem, zostało mu teraz niewiele przyjemności, jeśli w ogóle jakakolwiek, czy zatem nie mógłby mieć nieco więcej ciepła?

– Ale w kominku nie jest napalone.
– Tak, to prawda, i przyznaję, że przez chwilę wstrzymałam dech, ale na szczęście pani Sweet zaaprobowała moje wyjaśnienie. Tak, oprócz tego, że śpiewam jak anioł, jestem bardzo odważną kobietą i to właśnie powiedział mi ojciec, kiedy wyszłam za pana McGivera. Oczywiście nie trzeba było zbyt wielkiej odwagi, żeby rozbić głowę panu McGiverowi glinianym garnkiem, kiedy zamierzył się na mnie pięścią, przyzna pani?
– Była pani szybsza?
– O tak, wystarczyło tylko kilka razów w policzki, no i pan McGiver przemienił się we wzorowego męża. Jak pani powiedziała, milady, stary hrabia był przecież mężczyzną, czymkolwiek jest teraz.
– Hm.
Pani McGiver obróciła się na pięcie, słysząc niski, męski głos, który rozgrzał Rosalindę aż po palce u nóg. Służąca dygnęła pospiesznie.
– Och, milordzie. Zatem jesteś tutaj i nigdzie indziej. Dobrze, takie rzeczy muszą zdarzać się od czasu do czasu, jak przypuszczam. Mimo wszystko szkoda, że byłeś w pobliżu, jeśli przypadkiem usłyszałeś coś z tego, co nie powinieneś był usłyszeć.
Pani McGiver raz jeszcze ukłoniła się i odeszła.
– Znalazłem je w starym kufrze na drugim piętrze. – Powiedział Nicholas i podszedł bliżej. – To dzienniki kapitana Jareda Vaila, Rosalindo.
– Ojej!
Książki, które trzymał, były oprawione w starą, popękaną skórę koloru czarnego, pokrytą grubą warstwą kurzu i wyglądały tak, jakby miały się zaraz rozpaść.
– Rzeczywiście są bardzo stare. Opowiadałeś mi, że twój dziadek wspominał o dzienniku prowadzo-

nym przez kapitana Jareda, ale skąd wiedziałeś, gdzie go szukać?

– Chodź do biblioteki. Nie chcę, żeby któryś ze służących nas usłyszał. Uważają, że jestem całkowicie pomylony, i mogliby posłać po sędziego pokoju. Zaraz, zaraz, ja jestem sędzią pokoju. Mogę skazać siebie samego na pobyt w Bedlam, szpitalu dla obłąkanych.

Obdarzył ją uśmiechem i poprowadził do biblioteki, potem zamknął drzwi i przekręcił klucz w zamku.

– Nie wiem, jaką wprawą dysponuje kapitan Jared w otwieraniu zamkniętych drzwi. Być może się dowiemy. – Spojrzał na księgi, które spoczywały na jego dłoni. – Być może zechce zaśpiewać o dziennikach.

Nie powiedziała mu, że dopiero co duch zaśpiewał sprośną rymowankę.

– Ale jak je znalazłeś, Nicholasie?

– Jak sądzę, kiedy stary drab pojął, iż się zorientowałem, kim naprawdę jest, wiedział, że pora zaprowadzić mnie do dzienników. Być może uwierzysz, kiedy ci powiem, że wiedziałem, po prostu wiedziałem, że coś znajduje się w kącie jednej z komnat na drugim piętrze we wschodnim skrzydle. I rzeczywiście, był tam wiekowy kufer wsunięty pod parapet i nakryty stosem równie starych kotar, do tego stopnia zjedzonych przez mole, że rozpadły się na strzępy, kiedy uniosłem wieko. W tym pomieszczeniu nie było niczego poza tym. Wewnątrz kufra leżała sterta materiałów, a na jego dnie znajdowały się te trzy woluminy owinięte obszarpaną, pożółkłą halką. – Uśmiechnął się. – Jakie to cudowne, że nie są zaszyfrowane. Mogę je odczytać.

Rosalinda spojrzała na niego z marsową miną.

– Nie rozumiem, Nicholasie. Będąc chłopcem, musiałeś zajrzeć w każdy zakątek Wyverly. Dlaczego wtedy nie natrafiłeś na kufer?

Spojrzał w kierunku drzwi biblioteki. Teraz były odrobinę uchylone. Nie słyszał odgłosu klucza przekręcanego w zamku, nie usłyszał niczego. Jakim cudem kapitan Jared zdołał je otworzyć? Podszedł do drzwi, zamknął je ponownie i raz jeszcze przekręcił ogromny, stary klucz w zamku.

– Tak, odwiedziłem każdy zakątek tego miejsca – powiedział do niej przez ramię – w ciągu siedmiu lat, kiedy tu mieszkałem. Podobnie jak mój dziadek; zwykł przechwalać się, że wie, gdzie znajdowała się każda drzazga, każdy skrzypiący stopień schodów. Ale chociaż słyszał o dziennikach kapitana Jarda, nie miał pojęcia, gdzie się podziewają. – Rozejrzał się po pomieszczeniu, wymachując przy tym kluczem. – Chodź i weź to, stary wilku morski – powiedział i wsunął klucz do kieszeni surduta.

– Zatem kufer z dziennikami po prostu jakoś się pojawił? To się robi raczej niepokojące, Nicholasie.

– Kto wie? Sądzę, że powinienem zawinąć te woluminy w cienkie płótno i zabrać je ze sobą na nasz piknik. Będziemy mogli zagłębić się w nie bez świadków, żaden duch ani służący nie będą zerkać nam przez ramię.

Rozdział 36

Godzinę później Nicholas pomógł jej zsiąść z grzbietu Old Velvet w klonowym młodniku posadzonym na tyłach posiadłości Wyverly. Rosalinda niosła owinięte w cienkie płótno dzienniki z taką ostrożnością, jakby były niemowlęciem.

Old Velvet, gniada klacz o urokliwych białych skarpetach, miała zostać skojarzona z Beltane. Niestety ogier nie wykazywał zainteresowania, co stanowiło cios zarówno dla Nicholasa, jak i dla Velvet, która zaczęła obżerać się owsem przy każdej sposobności i stała się niemal gruba.

– Wciąż się ignorują – powiedział i pogłaskał chrapy klaczy.

Kiedy uwiązali konie, Nicholas przyniósł piknikowy kosz oraz duży koc z wzorem w kratę, dziedzictwem dalekich kuzynów z Highlands w Szkocji.

Poprowadził ją w głąb klonowego zagajnika.

Powietrze było równie wilgotne, jak nozdrza Old Velvet. Wokół unosił się zapach dzikich róż i krzewu *trachleospermum*. Czy woń, którą wyczuwała, to bez? W zaroślach coś szeleściło. Jakieś zwierzęta? Samotny słowik wyśpiewywał na wysokiej gałęzi klonu.

Rosalinda rozejrzała się, dotknęła liści krzewu dzikiej róży.

– Jakie cudowne miejsce. Jest idealne.

Przytaknął. Stał nieruchomo, z zamkniętymi oczami.

– Kiedy byłem chłopcem, zawsze sądziłem, że bardzo dawno temu żyła tu jakaś dobra i szlachetna istota. Czymkolwiek lub kimkolwiek była, zostawiła za sobą ślad słodyczy. I radości – dodał, po czym się zaczerwienił.

Ten twardy i bezwzględny mężczyzna, pomyślała, który do wszystkiego doszedł własnym trudem, pomyślał o śladach słodyczy. I radości. I spłonął rumieńcem, bowiem mężczyzna z pewnością nie powinien wysławiać się tak poetycznie.

Patrzyła, jak Nicholas rozkłada kraciasty koc, a potem ustawia na nim jedzenie. Stała tam, wciąż przyciskając ostrożnie do kibici stare dzienniki, i zachwycała się nim. I przeznaczeniem. A także duchem, który liczył sobie dwieście pięćdziesiąt lat, i książkami, które za jego sprawą odnalazł Nicholas.

Uśmiechnął się do niej, wygładzając koc.

– Chodź, usiądź.

– Muszę być bardzo ostrożna, żeby nic się nie stało dziennikom.

– Z pewnością nie rozpadną się tu przy nas – rzekł z całkowitym przekonaniem – ponieważ ja... my... mieliśmy je odnaleźć. Podaj mi księgi, Rosalindo.

Położył je na szkockiej kracie.

– Zjedzmy najpierw, umieram z głodu, chyba że...

– Chyba że co?

Wzruszył ramionami, najzupełniej obojętnie, sięgnął po udko pieczonego kurczaka i wgryzł się w nie.

– Chyba że – dopowiedziała sama – będziesz być może łaskaw najpierw mnie pocałować?

– Bardzo miły pomysł.

Roześmiała się głośno i rzuciła się na niego. Upadł na plecy, odrzucił kurczaka ponad głową i usłyszał, jak małe zwierzątka pobiegły pędem, by pochwycić udko.

Nigdy nie znużę się obsypywaniem jej pocałunkami – pomyślał. – Nigdy.

Kiedy po pewnym czasie leżała cicho, z głową opartą na jego ramieniu, a jej oddech się uspokajał, Nicholas westchnął.

– Jestem mężczyzną bezinteresownym, mężczyzną na tyle szlachetnym, że ignoruje własne potrzeby i znajduje ukontentowanie w rozkoszy, jaką daje swej żonie. Ach, Rosalindo, jeśli cię nakarmię, znajdziesz w sobie dość sił, by wypełnić swoje małżeńskie obowiązki?

– Ale, ty... – Cofnęła się i obdarzyła go promienistym uśmiechem. – Ach, rozumiem. Oczekujesz ode mnie spełnienia małżeńskiej powinności więcej niż jeden raz.

Przywołała w pamięci jedną z rycin z książki, podarowanej przez ciotki, na której pokazana była kobieta na klęczkach przed stojącym mężczyzną, który zaciskał dłonie w jej włosach, kiedy ona napierała twarzą na jego podbrzusze. Wtedy przynajmniej sądziła, że było to jego podbrzusze i nie rozumiała cóż było w tym na tyle interesującego, że poświęcono temu całą stronę. Ale teraz znała prawdę. Spojrzała na niego takim wzrokiem, że aż poczuł ucisk w dołku.

Po dzienniki sięgnęli dopiero po upływie kolejnej godziny. Nicholas wyciągnął się wygodnie na kocu, nagi, rozrzuciwszy uprzednio gdzie popadło koszulę, spodnie oraz buty z cholewami. Zamknął oczy przed ostrym słońcem wędrującym przez liście klonu, pławiąc się w rozkoszy i wspominając chwilę, gdy ona upadła przed nim na kolana.

– Powiedz mi, co mam robić – powiedziała, on zaś poczuł jej gorący oddech na swej męskości i wcale nie musiał nic mówić.

– Nicholasie?

Pocałowała go. Bez pośpiechu otworzył oczy i popatrzył na żonę.

– To było bardzo wyrafinowane, Rosalindo.

Była z siebie dumna, naprawdę ogromnie dumna. Gdyby miał dość sił, wybuchnąłby śmiechem.

– Byłeś równie dziki, jak ja, Nicholasie.

Ich spojrzenia spotkały się.

– Być może – odparł. – Być może. Przypuszczam, że życzysz sobie, bym się jakoś pozbierał, prawda?

– Tak. Właśnie patrzyłam na dzienniki i przysięgam ci, że przesunęły się bliżej nas.

Nicholas żywił szczerą nadzieję, że duch kapitana Jareda nie popchnął woluminów bliżej, ponieważ znaczyłoby to, że stary nicpoń napatrzył się upiornym okiem, ile wlezie.

Nicholas uniósł rękę i dotknął jej warg.

– Kocham twoje usta.

Ubrał się, potem pomógł zapiąć guziki jej wygniecionej sukni, tu i ówdzie ubrudzonej trawą. Wiedział, że praczka domyśli się bez trudu, co się stało.

– Jest druga po południu, Nicholasie, dopiero drugi dzień naszego związku, a ty kochałeś się ze mną już kilka razy. – Uśmiechnęła się do niego szeroko. – I ja kochałam się z tobą.

– Czy nie chciałabyś…

Uniosła twarz ku niebu.

– Będę niezłomna; skoncentrowałam się i nie pozwolę się rozproszyć. Och, jaki ty jesteś piękny, Nicholasie.

Musiał odchrząknąć trzy razy, zanim jego umysł zdołał skupić się na lekturze pierwszego dziennika. Pismo pełne było zawijasów i ledwie czytelne, gdyż minione lata zamazały litery i spowodowały wyblaknięcie atramentu.

– Ten wpis jest datowany na ten sam rok, co jego małżeństwo z dziedziczką Wyverly – stwierdził.

– Na Boga, pamiętasz to?

– Nie, kapitan Jared napisał o tym tutaj.

– Czytałeś już te dzienniki, Nicholasie?

– Zaledwie kilka stron, na wyrywki. Na pierwszej opowiada o tym, co stało się w tamtym czasie – jak decyzja o poślubieniu dziedziczki okazała się trafna, ponieważ jego kieszenie były tak puste, że wiatr wiał przez nie na wylot. Wierzyciele deptali mu po piętach i naciskali coraz bardziej. Spodoba ci się ten ustęp: *Jest chętna, co jest smakowitą rzeczą jak na dziewicę w wieku siedemnastu lat, i chociaż ma tyłek wielki jak krowa*...

– Cóż za okropne rzeczy wypisuje, zwłaszcza że uratowała mu skórę.

– Tak, to prawda – zgodził się Nicholas. – Opisuje ze szczegółami budowę Wyverly, z nużącymi detalami, oraz mularzy, którym chciał skopać tyłki. Ach, wydaje się, że miał obsesję tylnej części ciała. No dobrze, idźmy dalej. Teraz opisuje to, co mu się przydarzyło rok wcześniej, kiedy stracił wszystko na Morzu Śródziemnym, statek, ładunek, załogę. Tylko on ocalał. Oto, co pisze:

– Wiedziałem, że coś jest nie tak. Leżałem na plecach i nie mogłem się ruszyć. Pojedyncze światło padało wprost na moją twarz, lecz nie było na tyle silne, by mnie oślepić. Światło było

osobliwe, miękkie i blade, ponadto zdawało się słabo pulsować jak bijące serce.

...Nie wiem, kim jest ta istota, ale rzeczywiście obiecałem spłacić swój dług, żeby móc żyć dalej.

...Mała dziewczynka pojawiła się przede mną, jej włosy były poprzetykane promieniami słońca, zaplecione w luźny warkocz na plecach. Miała błękitne oczy jak irlandzki potok, jej nosek pokrywały piegi. Mała dziewczynka o wąskich dłoniach i stopach. Zaśpiewała.

– Co zaśpiewała, Nicholasie?

Wiedziała dobrze, co zaśpiewała ta mała dziewczynka.

Przeczytał dalej:

Marzę o pięknie i niewidzialnej nocy,
Marzę o potędze i rozpalonej mocy,
Marzę o tym, że nie jestem sama znów,
Lecz wiem o jego śmierci i jej grzechu
brzemiennym.

Podniósł wzrok na żonę. Żadne z nich nie odezwało się słowem.

– Co napisał dalej? – zapytała szeptem Rosalinda.

– Dziecięcy głos, słodki i szczery; wzbudzał uczucia, z których istnienia nie zdawałem sobie sprawy, uczucia łamiące mi serce. Lecz te osobliwe słowa – cóż one znaczyły? Czyja śmierć? Czyj brzemienny grzech?

...Przemówiła ponownie; tym razem jej słowa zabrzmiały dosadnie w moim umyśle: Ja jestem twoim długiem.

Rozdział 37

Zebrali resztki pikniku i wrócili w milczeniu do Wyverly. Nicholas wyczuwał w niej trwogę, podobnie jak czuł strach we własnych trzewiach. Nie podobało mu się to i usiłował skierować jej uwagę na inne sprawy. Mówił o dzierżawcach oraz remontach, jakie poczynił w czworakach, o nowych sprzętach, jakie dostarczył do uprawy ich pól. Niemal zupełnie ochrypł od tego gadania, kiedy wreszcie znów zasiedli w bibliotece, a wzrok obojga skierował się na fotel hrabiego. Pozostawał w całkowitym bezruchu i, jak mieli nadzieję, nikt w nim nie zasiadał.

– Zastanawiam się, dokąd chadza nasz duch, kiedy nie ma go w tym pomieszczeniu – rzekła Rosalinda

– Nie przejmuj się – odparł raptownie.

– To przecież niemożliwe – podjęła Rosalinda. – Nigdy nie odczuwałam takiego strachu. Nie, odkąd miałam osiem lat i ocknęłam się, słysząc, że omal nie umarłam i nie mogłam sobie przypomnieć, kim jestem. Co gorsza, wciąż nie wiem, kim jestem. Wiem tylko, że stanowię dług. – Grzmotnęła pięścią w oparcie fotela. – Czyj cholerny dług?

Raptem przed oczyma stanęły jej słowa wyraziście jednej ze śpiewanek kapitana Jareda. Wyrecytowała je powoli na głos.

Wreszcie dziewczę wraca do domu,
Wobec dziewczęcia, które nigdy nie należało
Do siebie, dług był do spłacenia
Sprawiłeś się dobrze, mój chłopcze, sprawiłeś się.

Małe dziewczę niemal skonało,
Bestia prawie zatriumfowała
Dług ktoś inny spłacił,
Lecz gonitwy to jeszcze nie kres.

Jakim cudem mogła pamiętać te słowa? Podniosła wzrok i zobaczyła, jak Nicholas przygląda się jej bacznie, z palcami złożonymi niczym do modlitwy.

– Tak – przemówił. – Pamiętam je. Wszystko to się zaczęło, kiedy jakaś istota, której tożsamości nie znamy i której tożsamości również nigdy nie poznał kapitan Jared, istoty, która ocaliła mu życie, zabrała go w tamto nieznane miejsce i oznajmiła mu, że musi spłacić dług, ponieważ, jak ten ktoś mu powiedział: *Przysiągłem się nie wtrącać. Istnieje klątwa, która każe mi być posłusznym wobec danego przeze mnie słowa.*

– Jaka istota poprzysięgła, że nie będzie się wtrącać, Nicholasie? To przecież czyni czarodziejska istota – wtrąca się, prowadzi rozgrywkę lub sieje zniszczenie. A ja stanowię dług, tak, zaakceptuję to, chociaż stanowiłam ten dług przypuszczalnie już ponad dwieście lat temu. Lecz jak to możliwe? Kim jest ten, komu trzeba spłacić czarodziejski dług? Nie wiem niczego o długu, nie wiem nawet, kim jestem. Znam tylko tę nieszczęsną piosnkę.

Zawsze była gdzieś we mnie; wiesz, to były pierwsze słowa, jakie w końcu wypowiedziałam, po tym jak wuj Ryder zabrał mnie do swego domu. Nie wiem, kim jest potwór, o którym mówi piosnka. Oczywiste jest, że to wuj Ryder mnie uratował. *Lecz gonitwy to jeszcze nie kres.* A zatem wciąż istnieje ten potwór, ta tajemnica, konieczność spłaty długu, czymkolwiek on jest. A potem, kiedy ty przyszedłeś, znaleźliśmy księgę Sarimunda, *Reguły Krainy za Ostrokołem*. A raczej Grayson odnalazł. Co ta przeklęta księga ma z tym wspólnego? Dlaczego potrafię ją czytać, a nie ty czy Grayson? Któż się przejmuje tym czerwonym Lasisem, który zabija Tibery w ognistych dołach? Nic z tego nie ma nawet krzty sensu i powiadam ci, Nicholasie, niedobrze mi się robi od tego wszystkiego.

Zerwała się na równe nogi, chwyciła poduszkę i rzuciła nią w fotel starego hrabiego. Bardzo ciężkie siedzisko odchyliło się odrobinę, potem ponownie znieruchomiało.

– Och, idź precz, ty żałosne, stare straszydło! Nie uderzyłam w fotel z dostateczną siłą, żeby się poruszył. Jestem teraz zwyczajną niewiastą, nie jakimś tam zmaterializowanym snem sprzed stuleci. Czy jestem długiem czarodzieja, na litość boską?

Fotel znów się odchylił, potem wrócił do poprzedniego położenia.

Oboje wpatrywali się w mebel. Rosalinda wydała z siebie głęboki gardłowy pomruk i rzuciła drugą poduszką w Nicholasa. Chwycił ją w locie, tuż przed swoją twarzą.

– Usiądź, kochanie. Nadeszła pora…

Jego umysł na chwilę przestał pracować. Ale musiał to powiedzieć, musiał teraz wyjawić jej prawdę. Nie miał wyboru.

– Pora na co?

– Nadeszła pora, żebym był wobec ciebie całkowicie szczery. Czas, żebym powiedział ci, kim jestem i co o tym wszystkim wiem.

Działo się tu coś bardzo złego i miała pewność, że wcale nie chciała wiedzieć co. Jej serce szarpnęło się, potem zaczęło walić jak młotem, wolnymi, mocnymi uderzeniami. Usiadła obok Nicholasa i ścisnęła go za rękę.

– Co masz na myśli? Czy naprawdę coś wiesz? Powiesz mi, kim jesteś? Powiedz mi, co się dzieje, Nicholasie?

Pogłaskał jej długie palce.

– Miałem jedenaście lat, kiedy po raz pierwszy śniłem o tobie – odparł, wpatrując się w kominek. – Byłaś małą dziewczynką, szczuplutką, ze wspaniałymi rudymi włosami związanymi w warkocze, z nosem przyozdobionym mnóstwem piegów. Miałaś takie słodkie oblicze. Potem zaśpiewałaś mi swoją piosnkę. Po tym, jak zaśpiewałaś, zamilkłaś i patrzyłaś na mnie, smutna i obojętna, i powiedziałaś: *Jestem twoim długiem*. Kiedy ten sen przyśnił mi się kilkanaście razy, opowiedziałem o nim w końcu dziadkowi. Ku memu zdziwieniu dziadek odparł, że on również miewał ten sam sen, kiedy był chłopcem, ale przestał go śnić, gdy miał jakieś szesnaście lat. Lecz nigdy nie zapomniał o tobie i o poczuciu porażki. Wyjawił mi, że od swego ojca usłyszał to samo, jednak ten nigdy nie pojął, czym jest dług, a sny również ustąpiły, kiedy był młodym mężczyzną. Wyglądało na to, stwierdził dziadek, że ten ktoś lub to coś, co sprowadzało sen, po prostu rezygnowało. Dziadek przypuszczał, że ciągnęło się to przez pokolenia, chociaż nie wiedział, jak daleko sięgało. Zawsze spotykało to najstarszego syna i on również śnił ten sen. Pozostawało poczucie straty, odczucie, że coś ważnego nie zostało spełnione. Zapytałem go o mojego ojca. Dziadek powiedział mi, że ojciec był drugim synem, zatem nie doświadczył takich snów, w odróżnieniu od jego starszego brata, pierworodnego syna. I tym sposobem przeszło to na mnie. Wtedy wyrecytował słowa tej piosnki i popatrzył na mnie smętnie. „Nigdy nie uczyniłem niczego, Nicholasie. Nigdy nie uczyniłem niczego, gdyż nie wiedziałem, co czynić, tak jak nie wiedzieli inni mężczyźni w naszym rodzie. Ale teraz przyszła kolej na ciebie. Od ciebie będzie zależała spłata długu". Wyznał też, że wierzy, iż mała dziewczynka istnieje jakoś poza czasem i że przekraczało to ludzkie pojęcie, ale wiedział, że ona się ukaże, kiedy nadejdzie na to właściwa pora, nie wcześniej. Dodał jeszcze, że być może teraz nadszedł ten czas i ona przyjdzie tu dla mnie; nie wiedział tego, chociaż żywił taką nadzieję.

Nicholas zamilkł.

– Czy sen odszedł, kiedy stałeś się młodym mężczyzną?

Zaprzeczył ruchem głowy.

– Nie i właśnie dlatego wiedziałem, że to ja jestem tym Vailem, który ma spłacić dług. Śniłem ten sam sen być może ze dwa razy na miesiąc. Po tym, jak ciebie spotkałem, śniłem o tym każdej nocy, aż do naszego ślubu. Lecz nie ostatniej nocy.

– Być może wszystko to wiąże się z *Regułami Krainy za Ostrokołem* – rzekła bez pośpiechu. – To twój dziadek powiedział ci o czarodzieju Sarimundzie oraz o Rennacie, Tytularnym Czarnoksiężniku Wschodu. Śniłam o Rennacie, on zaś powiedział mi, że stanę na własnych nogach i że powinnam stosować się do *Reguł*. Powtarzał to uporczywie.

– Rennat ukazał się tobie? Powiedział, że się usamodzielnisz? Takie były jego słowa?

Przytaknęła, spoglądając mu badawczo w twarz.

– W takim razie *Reguły* muszą jakoś pasować do całego tego zamieszania. O co w tym wszystkim chodzi, Nicholasie? Kim jestem?... Czym jestem?

Nicholas pogładził kciukiem jej dłoń.

– Wciąż o tobie śniłem, o małej dziewczynce z bujnymi rudymi włosami i oczami tak błękitnymi, jak niebo latem. I o pięknym, zapadającym w pamięć głosie. Wiedziałem, Rosalindo, wiedziałem na wskroś mej duszy, że odnajdę cię i ocalę, ponieważ byłaś teraz moim długiem. Nadszedł czas, jak widzisz, nadszedł właściwy czas. Zatem przyszedłem po ciebie.

– Żeby spłacić dług kapitana Jareda?

– Tak.

– Przyjechałeś do Londynu, zobaczyłeś mnie, rozpoznałeś i poślubiłeś. Dług to jedno, ale – dlaczego ożeniłeś się ze mną, Nicholasie?

Na myśl nie przyszło mu nawet jedno słowo.

– Nie uległeś przecież miłości od pierwszego wejrzenia, *coup de foudre*, jak mawiają Francuzi, prawda? Ujrzałeś mnie na drugim końcu sali balowej, lecz serce wcale mocniej ci nie zabiło? Powiedziałeś, że mnie rozpoznałeś, Nicholasie. I przyszedłeś do mnie. Dlaczego po prostu nie powiedziałeś mi, kim jesteś i o co w tym wszystkim chodzi?

– Nie mogłem, ponieważ sam nie miałem pojęcia, co powinienem uczynić. Co miałem ci powiedzieć? Poza tym, cokolwiek bym powiedział, uznałabyś mnie za szaleńca. Twój wuj Ryder z pewnością potraktowałby mój zadek trzewikiem i mnie wykopał.

– Zatem tak bardzo wierzyłeś w ten cały dług, iż poślubiłeś dziewczynę, której nawet nie znasz?

Rozdział 38

– Było w tym coś więcej, Rosalindo.

– Tak, doszły jeszcze *Reguły Krainy za Ostrokołem*. Oraz Sarimund i twój dziadek... który przypadkiem znalazł się w posiadaniu innego egzemplarza *Reguł*, napisanych przez tego samego Sarimunda. Musiałeś być bardzo podekscytowany, kiedy okazało się, że potrafię rozczytać tę cholerną księgę... ale nie wyjawiła nam niczego, podobnie jak gryzmoły Sarimunda, które znajdowały się w posiadaniu twego dziadka. On również nie potrafił ich rozczytać. Tak mi przynajmniej powiedziałeś.

– Nie, nie potrafił. I to doprowadzało go niemal do obłędu. Godziny spędzone na usiłowaniach rozszyfrowania kodu. Przypominam sobie, jak siedział długo w noc i zgłębiał szyfr.

– Ale nie zdołał tego uczynić, ponieważ nie jest to w rzeczywistości szyfr. To czary, pewien rodzaj zaklęcia.

– Tak, być może. Kto wie?

– Ponieważ jestem jedyną osobą, która potrafi czytać to cholerstwo, również muszę być czarodziejką. Zgodzisz się? – Zbyła śmiechem jego milczenie. – Och, tak, jestem tak wielką czarodziejką, że omal nie zatłuczono mnie na śmierć. Jestem taką czarodziejką, że nawet nie potrafię przypomnieć sobie, kim jestem oraz jakim to sposobem mogę być czyimś długiem.

Zerwała się na równe nogi i zaczęła przemierzać bibliotekę z jednego końca na drugi.

– Te odwiedziny Rennata, Tytularnego Czarnoksiężnika Wschodu, w moim śnie – i w ogóle co, swoją drogą, oznacza ten groteskowy tytuł? – *Stanę jeszcze na własnych nogach*. Skąd mógł o tym wiedzieć? Dlaczego mnie odwiedził? Czego ode mnie chce?

– Być może Rennat jest istotą, która ocaliła życie kapitanowi Jaredowi. W końcu nie jest zwyczajnym czarnoksiężnikiem, lecz Tytularnym Czarnoksiężnikiem Wschodu. Być może to on wywołał sztorm, jest istotą, która sprowadziła ogromną falę na statek kapitana Jareda i wszystkich jego ludzi. Ukartował to wszystko, żeby kapitan Jared zyskał przekonanie, iż ma wobec niego ogromny dług.

– Uważasz, że Rennat sprowadził sztorm? To znamionuje moc, jakiej żadne z nas nie potrafi pojąć, Nicholasie. Czy czarodziej jest w stanie tego dokonać, nawet czarnoksiężnik z takim cholernym tytułem?

– Nie chcę w to wierzyć, ale wydaje się, że nie mam innego wyboru. Oznacza to również, że jest to istota niezwykle potężna, skoro zdołała wziąć w karby kapitana Jareda. Może to oznaczać wyłącznie, że Jared Vail jest jedynym człowiekiem, który musiał spłacić ten dług. Jeśli nie był to Rennat, czy był to zatem Belenus, czarnoksiężnik z Krwawej Skały, o którym pisał Sarimund? Albo Taranis, Smok znad Jeziora Sallas. W końcu był bogiem, przypuszczalnie nieśmiertelnym i wszechpotężnym. Czy dlatego zostaliśmy doprowadzeni do *Reguł Krainy za Ostrokołem*? Ale znowu, dlaczego Grayson, a nie któreś z nas?

Podeszła do wielkiego biurka z mahoniu, zatrzymując się na chwilę obok fotela ducha. Pochyliła się, by szepnąć w niewidzialne ucho.

– Mógłbyś spróbować okazać nam trochę pomocy. Być może przydatna by była przyśpiewka, która nie będzie sprośna, piosenka rzeczywiście coś znacząca...

Fotel nie zareagował.

Rosalinda usiadła przy biurku.

– Pozwól mi sięgnąć po arkusz papieru i ołówek. Zamierzam sporządzić listę tych wszystkich pytań. Potem spróbujemy udzielić na nie odpowiedzi, kolejno, jedno po drugim.

Usiadła i zaczęła pisać.

Obserwował ją w milczeniu do chwili, kiedy wreszcie spojrzała na niego.

– Pytanie na samym początku mojej listy, Nicholasie – powiedziała bardzo rzeczowo – brzmi: dlaczego ożeniłeś się ze mną? Jesteś jedyną osobą, która zna odpowiedź na to pytanie. Powiedz mi teraz.

Jego umysł, pracujący do tego momentu z szaleńczą prędkością, nagle stanął.

– Bardzo dobrze – podjęła głosem kompletnie beznamiętnym. – Tak naprawdę nawet nie obwiniam cię za to, że milczysz. Twoja odpowiedź nie byłaby nazbyt pochlebna dla świeżo upieczonej małżonki, nieprawdaż? Zatem pozwól mi odpowiedzieć za ciebie. Poślubiłeś mnie, ponieważ wiedziałeś, że jeśli kiedykolwiek masz rozwikłać sprawę tego długu, dowiedzieć się dokładnie, jakie są wobec mnie zobowiązania, pojąć, co dokładnie musisz zrobić, żeby pozbyć się tego snu oraz tego ogromnego poczucia obowiązku, jakie odczuwasz, a które mężczyźni z twego rodu odczuwali przez wiele pokoleń, to muszę być blisko ciebie, muszę zostać z tobą. Tak, potrafię zrozumieć, że czułeś grozę na myśl, iż mogę oddalić się od ciebie. Zatem, jak widzę, ożeniłeś się ze mną, ponieważ czułeś, że musisz. – I zapisała to na papierze.

Wstał.

– Jasna cholera, nie!

Spojrzała mu w oczy lodowatym wzrokiem. Podniosła się powoli, wciąż trzymając ołówek w dłoni.

– Tak wiele się wydarzyło, odkąd cię poznałem – powiedział. – Tak wiele rzeczy, których nie da się wytłumaczyć. Idę o zakład, że dzieje się tak, ponieważ dwoje głównych graczy jest w końcu razem.

– Pamiętasz, jak zapytałam, czy twój dziadek był czarodziejem, a ty powiedziałeś, że nie wiesz?

– Pamiętam. Było w nim coś magicznego. Mogę to stwierdzić teraz, nie czując pogardy do siebie samego. Ta magia sięga wstecz przez wszystkie pokolenia aż do kapitana Jareda Vaila, po prostu musi, i w tobie również jest ta magia. Nie, nie sprzeczaj się.

– A zatem wierzysz, że istota, która uratowała kapitana Jareda, jest jakimś moim przodkiem?

– To możliwe.

– No dobrze, skoro kapitan Jared jest czarodziejem, a Rennat, Tytularny Czarnoksiężnik Wschodu, ocalił go, chcąc wymusić na nim zobowiązanie, to sens ma również i to, że widział, iż jestem w tarapatach – albo będę w tarapatach – i trzeba mnie będzie ratować, kiedy nadejdzie właściwy czas. Ty wiesz, kiedy przydarzy mi się coś złego.

Skinął głową bez pośpiechu.

– Czy wierzysz, że jestem czarodziejką, Nicholasie? Czy wierzysz, że ktoś usiłował mnie zabić, ponieważ rozpoznał, kim byłam, wywiedział się, że pochodzę z długiej linii czarodziei, i obawiał się, że któregoś dnia mogę mu zaszkodzić? Zatem ten ktoś usiłował unicestwić czarodziejkę lub próbował zgładzić potomstwo czarodzieja z dawnych czasów?

– Nie wiem. – Podszedł do miejsca, gdzie stała, i położył dłonie na jej ramionach. – Po prostu nie wiem, Rosalindo. Ale wiem, że wszystko staje się bardziej klarowne.

– Nic nie jest bardziej klarowne, Nicholasie, z wyjątkiem tego, że podobnie jak w przypadku dziedziczki Wyverly, poślubiłeś mnie, ponieważ odczuwałeś taki przymus.

– Poślubienie ciebie było najważniejszą rzeczą, jakiej dokonałem w życiu.

– Nie miało dla ciebie znaczenia, czego ja pragnę.

– Pragnęłaś mnie. To właśnie mi powiedziałaś. To jest małżeństwo za obopólną zgodą, Rosalindo. Nie zmusiłem cię do niczego, czego byś sobie nie życzyła.

– Lecz powody, którymi się kierowaliśmy, zawierając ten związek, są całkowicie odmienne. To w każdym razie nie podlega dyskusji. Nie obchodziło cię, kim jestem, skąd pochodzę, w co wierzę.

– Nie bądź niemądra. Oczywiście, że mnie obchodziło.

– Skąd miałeś tę pewność, że to ja byłam tą małą dziewczynką, kiedy zobaczyłeś mnie tamtego wieczoru na balu, Nicholasie? Z pewnością w znikomym tylko stopniu przypominam tamto dziecko.

Wzruszył ramionami.

– Wiedziałem. Po prostu wiedziałem, nic więcej nie mogę ci powiedzieć.

– Zgoda, zatem odnalazłeś małą dziewczynkę, o której śniłeś, zostałeś zaprowadzony prosto do niej…

Przytaknął.

– Była teraz kobietą i z tym wiążą się liczne komplikacje. Ale twoim rozwiązaniem było poślubienie jej – mnie.

– Tak. Ale to wcale nie wszystko, Rosalindo. Od samego początku byłaś dla mnie bardzo ważna.

– No cóż, oczywiście jestem dla ciebie ważna. Gdybym nie pragnęła ciebie z taką desperacją, byłbyś skazany śnić ten przeklęty sen do końca twoich dni.

– Tak – odparł. – To prawda.

– A jeśli rzeczywiście jestem czarownicą, Nicholasie, co wtedy? Pamiętasz, jak Rennat powiedział mi, że stanę na własnych nogach, cokolwiek miałoby to znaczyć?

Wziął głęboki oddech i zacisnął mocniej dłonie na jej ramionach.

– W takim razie jesteś czarodziejką i moją małżonką, i będziemy razem się z tym zmagać.

– Kiedy stanę na własnych nogach, cóż wtedy uczynisz, Nicholasie?

– Nie wiem. Skąd mam wiedzieć o czymś, co się dopiero wydarzy? O ile się wydarzy? Lub jaki będzie tego skutek?

Spojrzała na niego, zgłębiała tę twarz, którą tak bardzo ukochała w tak krótkim czasie. Odczuwała otępiający ból. Z trudem przychodziło jej zmusić słowa, by przedarły się przez zaciśniętą krtań.

– Najważniejszym faktem spośród tego wszystkiego jest to, że ty mnie nie kochasz, Nicholasie.

– Rosalindo…

Wyciągnęła ku niemu rękę.

– Jesteś człowiekiem honoru. Daj mi klucz.

– Ale musimy przestudiować dzienniki kapitana Jareda, sprawdzić, czy nie ukrył jakichś informacji, które mogłyby nam dopomóc…

– Daj mi klucz, Nicholasie.

Puścił ją i wręczył jej klucz.

Odsunęła się od niego szybko, potem się odwróciła.

– Wiem, że mnie pożądasz – powiedziała. – Wiem dobrze, że kochanie się ze mną sprawia ci radość. Jednakże sądząc po tym, co słyszałam, mężczyzna potrafi zadowolić się każdą niewiastą, która mu się napatoczy. Musi być po prostu chętna.

– Nie… No cóż... Być może jest w tym nieco prawdy. Ale ty, Rosalindo, jesteś dla mnie kimś jedynym, jesteś…

Uniosła dłoń.

– Nie kochasz mnie, Nicholasie. Taka jest prawda. Jak mężczyzna może pokochać dług?

Otworzyła drzwi biblioteki i wyszła.

Nicholas z tyłu za sobą dosłyszał głębokie westchnienie.

– Idź do diabła – warknął i ruszył do ogrodu.

Rozdział 39

Dwie godziny później poszedł jej szukać. Znalazł ją w końcu w długiej galerii portretów we wschodnim skrzydle, wpatrującą się w kapitana Jareda Vaila, pierwszego hrabiego Mountjoy. Spoglądała na mężczyznę w kwiecie lat, mężczyznę rosłego, który miał na nogach obcisłe rajtuzy z epoki elżbietańskiej, a ponadto szerokie ramiona i wyrazisty podbródek. Drgnęła, kiedy spojrzała mu w oczy. Wyglądały tak znajomo. Widziała już gdzieś te oczy, czyż nie? Nie, to nie wydawało się możliwe. Jego oczy były cudownie niebieskie, jasne, przepełnione przekorą i nieskończonymi marzeniami i cudami, i żądzą przygód.

Wyczuła, że Nicholas wszedł do galerii. Dostrzegła w nim napięcie. Stali zaledwie metr od siebie, lecz tak naprawdę dzieliła ich niezmierzona otchłań.

– Cóż to był za mężczyzna – odezwał się, spoglądając na portret.

– Mówiłeś, że po prostu wiedziałeś, kim jestem – odrzekła. – Po prostu wiedziałeś, że jestem dzieckiem, które towarzyszyło ci w snach przez całe twoje życie. Dość tego, Nicholasie. Teraz wyjaśnij, jak naprawdę udało ci się mnie rozpoznać? Byłam kobietą, nie dzieckiem, o którym śniłeś.

– Powiedziałem ci prawdę. Po prostu wiedziałem. Zdaję sobie sprawę, że wydaje ci się to niemożliwe, ale wiedziałem, że będziesz na balu, wiedziałem to wszystko gdzieś w głębi mej duszy. Czy to nic dla ciebie nie znaczy, Rosalindo? Nie widzisz tego? Naszym przeznaczeniem było spotkać się i być razem.

Skrzyżowała ręce na piersiach.

– Posłuchaj mnie, Nicholasie. Pomimo wszystkiego, co się tutaj dzieje, mimo wszystkich tych pytań, tych tajemnic, tu chodzi o moje życie. Moje. Ty zaś poślubiłeś mnie, uciekając się do oszustwa.

Tak, to prawda, cóż ze mnie za dureń – pomyślał.

Wyciągnął rękę, chcąc wziąć jej dłoń, lecz nie odwzajemniła gestu.

– Rosalindo, zrobiłem to, co musiałem. Bez względu na to, czym jest ten dług, wiem na wskroś mej duszy, że my oboje, razem, musimy to rozwikłać. Musimy to rozwikłać, ponieważ wiem, że moim przeznaczeniem jest ocalić ciebie.

– Ach, zatem teraz jesteś przekonany, iż ten dług każe ci ocalić mi życie? Najpierw ocalił mnie wuj Ryder, a teraz przyszła kolej na ciebie?

– Nie, nie jestem pewien, czym jest ten dług, ale wydaje się, że na pewno stanowi część tego.

Przez dłuższą chwilę nie odzywała się, przenikając go wzrokiem, on zaś nie miał pojęcia, co widziała, o czym myślała.

– Tamtego pierwszego wieczoru – rzekła wreszcie – rzuciłam na ciebie ukradkowe spojrzenie przez ramię, gdy Grayson prowadził mnie do tańca. Będę teraz szczera, Nicholasie. Zafascynowałeś mnie od pierwszej chwili. Wyglądałeś tak tajemniczo, tak groźnie. – Znów skierowała wzrok na kapitana Jareda. – Sprawiłeś, że poczułam coś, o istnieniu czego nie miałam pojęcia. Sprawiłeś, że w duszy chciałam krzyczeć z radości. Przyciągałeś mnie ku sobie. Gdzieś głęboko wiedziałam, że jesteś mi przeznaczony. Ucieszyłam się, kiedy wuj Ryder oznajmił mi, iż przyjdziesz z wizytą następnego ranka. I przyszedłeś. – Przerwała na moment. – A teraz ty mi mówisz, że ja również rozpoznałam ciebie, rozpoznałam ciebie jako kogo... mego rycerza? Mego męża? Kogo?

– Zastanawiałem się – odparł – dlaczego nie potrafisz przeczytać ostatnich stron *Reguł Krainy za Ostrokołem*.

– No dobrze, zatem nie jesteś gotów udzielić odpowiedzi na moje pytania. Ciotka Sophie twierdzi, że mężczyzna, o ile jest sprytny, umie z wielką wprawą odbiegać od tematu, unikać stawienia czoła czemuś, co mu nie pasuje. Być może zechciałbyś udzielić odpowiedzi na następujące pytanie: Gdyby Grayson nie został doprowadzony do *Reguł Krainy*, przez kogokolwiek czy też cokolwiek, gdybyśmy w ogóle nie wiedzieli o Sarimundzie i o jego przeklętych regułach, to nie byłoby niczego, na czym moglibyśmy skupić uwagę, niczego, co przyciągnęłoby nas ku tej tajemnicy. Cóż byś wtedy uczynił? Czy po prostu krążyłbyś w pobliżu mnie w nadziei, że coś złego chciałoby mnie uprowadzić, a ty byś to ukatrupił?

– Nie wiem. Nie myślałem o tym, prawdę mówiąc. Wszystko działo się tak szybko. Wiedziałem jedynie, że w końcu, w tym przedziale niemal trzystu lat, to ja, Nicholas Vail, nie zaś kapitan Jared czy którykolwiek z następujących po sobie pierworodnych synów rodu Vail, byłem tym, który znalazł się we właściwym miejscu i właściwym czasie. I byłaś tam ty, pośrodku tego wszystkiego. Czekałaś na mnie.

– Nie czekałam na nikogo ani na nic, poza powrotem pamięci. Nie wiedziałem, że był ktoś mi przeznaczony. Nie, to nieprawda... piosnka zawsze była ze mną, oczekiwanie wynikało z jej słów...

– Tak, właśnie tak. Nawet bez księgi ta piosnka skupia na sobie uwagę. Twoim zdaniem, Rosalindo, skąd się wzięła?

– Powiedziałabym chyba, że zawsze była zapisana w mym umyśle i w mej duszy. Utrata pamięci nie wpłynęła w żaden sposób na zatarcie jej słów.

– Podobnie jak wiedza o tobie, zdolność rozpoznania cię były ukryte głęboko w mym umyśle; zawsze tam były.

– Ale, Nicholasie, musisz przyznać, że ja nie wiem nic więcej. Śpiewam tę piosnkę, ale nie wiem, co ona znaczy, na dobrą sprawę nie przejmuję się tym, nie po upływie tylu lat. Gdybyś się nie pojawił, nie byłoby żadnej tajemnicy, żadnego długu, o którym wiem, o którym wie moja przybrana rodzina. Spoglądając w szerokiej perspektywie, cóż może mieć z tym wspólnego prosta piosnka?

– Richard usiłował cię porwać.

– Tak, rzeczywiście. I to jest całkiem interesujące. Zastanawiam się, dlaczego to uczynił. Żeby nie dopuścić do naszego małżeństwa? Żebym nie urodziła ci potomka? Żeby mógł zgładzić cię bez pośpiechu, a potem przejąć tytuł i posiadłość? Dopiero co się poznaliśmy, Nicholasie. Dlaczego Richard działał z takim pośpiechem w sprawie, która prawdopodobnie nigdy by się nie wydarzyła?

– Nie znam Richarda, nie rozumiem go. Czy to był jego motyw? Brzmi to logicznie, uwzględniwszy fakt, że jest człowiekiem bardzo porywczym, być może bardzo złym, aczkolwiek zbyt młodym, żeby do tego stopnia być zaprawionym w grzechu.

– Obaj rzeczywiście wyglądacie jak bracia, niemal jak bliźniaki, choć ty jesteś starszy. On ma dopiero dwadzieścia jeden lat; czy nie jest za młody, żeby myśleć o zabijaniu?

– Widziałaś, jakim szubrawcem jest Lancelot. Potrafisz wyobrazić sobie, jaki będzie, kiedy dojdzie do trzydziestki? Jeśli pożyje tak długo. Co do Aubreya, któż może powiedzieć? Na weselnym śniadaniu był z pewnością interesujący i bystry, jak na osobę tak młodą.

– Zgadzam się, że Bóg nie pobłogosławił cię miłym rodzeństwem – odparła Rosalinda. – Czy sądzisz, że Richard pragnął mnie dla siebie – z powodu, którego jeszcze nie znamy? Albo być może zobaczył mnie i jest jednym z tych, którzy postradali rozum z miłości? Niesławne *coup de foudre*? Musiał mnie posiąść albo zginąć, podejmując tego próbę?

– To raczej zbyt romantyczna interpretacja.

Nicholas zrobił krok w jej stronę. Rosalinda spojrzała mu prosto w oczy, potem popatrzyła na jego wyciągniętą dłoń.

– Nie – oznajmiła.

Wziął głęboki oddech, lecz nie cofnął się. Opuścił rękę do boku. Dostrzegła w jego oczach błysk gniewu.

– Faktem jest, że jesteś dla kogoś kimś bardzo ważnym. Ludzie, którzy usiłowali zamordować dziecko, wciąż są gdzieś blisko. Czy rozpoznali cię, tak jak uczyniłem to ja? A Rennat, Tytularny Czarnoksiężnik Wschodu – kim on jest dla ciebie? Przodkiem sprzed wieków? Albo po prostu dobrotliwą istotą, której przeznaczeniem jest sprawować nad tobą pieczę? Jeśli tak, to nie popisał się, kiedy miałaś osiem lat. Kim są twoi rodzice? Czy wciąż żyją? Gdzie się podziewają?

– Wiesz przecież, że nie znam odpowiedzi na te pytania. Wiesz także, że kiedy w końcu przemówiłam, władałam biegle angielskim i włoskim.

– Powiedziałem ci, że roześlę zapytania, i tak właśnie uczynię.

– Tylko o co zamierzasz pytać?

– To przecież proste... o jakąś znamienitą i zamożną rodzinę, która przed dziesięcioma laty w tajemniczych okolicznościach straciła dziecko. Nie, nie powątpiewaj w to. Jak inaczej mówiłabyś biegle dwoma językami? Twój angielski to z pewnością język, jakim posługują się damy; to samo odnosi się, czego jestem pewien, do twego włoskiego. Cóż, przekonajmy się.

Przemówił do niej po włosku, nie językiem ludzi wykształconych i szlachetnie urodzonych, lecz mową, której nauczył się od swej włoskiej kochanicy z Neapolu. Potrafił rozpoznać literacki włoski, kiedy go słyszał. Odpowiedziała słowami wyższych sfer.

Nicholas przytaknął.

– Ryder opowiadał mi, że twoja odzież była dobrej jakości, chociaż podarta na strzępy. I jest jeszcze twój medalion. Ktoś go rozpozna. – Powiedział to z całkowitym przekonaniem. – Kiedy zostawiłaś mnie samego z duchem starego hrabiego, dokończyłem lekturę dzienników kapitana Jareda. Powiedziałem mu, że jego pomoc nie była warta splunięcia, że nie napisał choćby jednej pomocnej rzeczy. On zaś nawet nie przechylił fotela.

– Być może był zawstydzony.

– Sądzę, że on sam po prostu nie wie nic, gdyż nigdy nie odnalazł małej dziewczynki, wobec której zaciągnął dług.

– Moim zdaniem – podsunęła myśl – to zawsze będzie sprowadzać się do tego, dlaczego ktoś usiłował zamordować dziecko.

– Nie zapominaj, że ktokolwiek to jest, nie dokończył swego dzieła. Zawiódł. Warto to przemyśleć, nieprawdaż?

Uświadomiła sobie, że miał rację.

– Z pewnością uśmiercenie dziecka nie jest niczym trudnym. Nie jest, ponieważ dziecko nie potrafi się bronić.

– I dlaczego w porcie w Eastbourne? Powiedzmy, że jesteś Włoszką, dlaczego więc znalazłaś się tu, w Anglii? Czy byłaś ze swoimi rodzicami? Czy uprowadzono cię od nich tutaj? Nie, tak nie mogło być. Twoi rodzice podnieśliby głośny raban, a Ryder Sherbrooke usłyszałby o tym. Nie, przypuszczalnie zostałaś porwana we Włoszech. Przez kogo? I dlaczego on czy ona, czy ktokolwiek chciał cię zamordować tu, w Eastbourne?

– Jeśli już o tym mówimy, to dlaczego nie wyrzucono mnie za burtę statku do kanału La Manche?

Grzmotnął pięścią w ścianę tuż obok portretu kapitana Jareda; na jego twarzy rysował się groźny wyraz; jego oczy zrobiły się mroczne, mętne i emanowały nienawiścią.

– Cholera jasna, nie gniewaj się na mnie, Rosalindo! Zrobiłem to, co musiałem zrobić.

Westchnęła.

– Wiem.

Poczuł przypływ nagłej ulgi, a wściekłość w nim nieco zmalała.

– Naprawdę?

– Oczywiście. Powiedz mi, Nicholasie, kiedy już wszystko to się rozwikła, pojedziesz z powrotem do Makau? Czy prawo tam jest na tyle odmienne, iż pozwoli ci mieć jedną żonę w Anglii, a drugą w portugalskiej kolonii?

Skamieniał. Wyraz jego twarz stał się jeszcze bardziej zatwardziały i zimny.

– Jesteś moją cholerną żoną. I pozostaniesz moją cholerną żoną aż do dnia, kiedy umrzemy.

– Nie – odparła z beznamiętną twarzą. – Jestem twoim długiem.

Usłyszała, jak przeklina.

Ruszyła długą galerią.

* * *

Kiedy tego wieczoru Nicholas wszedł do głównej sypialni, Rosalindy nie było tam, gdzie powinna – w łóżku. Nie spodziewał się, że będzie chciała się z nim kochać, ale wierzył, że ją zastanie, być może udającą, że śpi. Nie wiedział dlaczego, ale liczył na to. Być może dlatego, że bała się knowań ducha, jego towarzystwo byłoby lepsze niż żadne.

Przy kolacji rozmawiała ze spokojem, omawiając plany, jakie poczyniła z Peterem oraz z panią McGiver w sprawie poprawek w domu oraz prac w terenie. Grała na pianinie i odchyliła głowę do tyłu, zamknąwszy oczy, by słuchać. A kiedy do pieśni dodała swój głos, westchnął z rozkoszą. Kiedy z impetem zagrała ostatnie akordy sonaty Beethovena, oboje podnieśli wzrok, gdy usłyszeli owacje dobiegające z korytarza na zewnątrz salonu. Peter Pritchard wsunął głowę, uśmiechając się i wskazując na służbę zgromadzoną w charakterze publiczności.

Zagrała pieśń, akompaniując pani McGiver i zabrzmiało to w rzeczy samej bardzo pięknie. Potem cała służba zebrała się na odwagę i zaśpiewała. Urządzili sobie improwizowany wodewil. To było całkiem przyjemne – pomyślał.

Gdzie, do diabla, podziewasz się, Rosalindo?

Tak, zachowywała spokój, za każdym razem, kiedy zwracała się do niego lub nań spoglądała.

Jeśli miał w sobie magię, sięgającą aż po kapitana Jareda, to dlaczego przymierał głodem, mając dwanaście lat?

Przypomniał sobie sztorm na Pacyfiku, w pobliżu Morza Japońskiego, kiedy jeden z jego marynarzy niemal wypadł za burtę, a Nicholas, jedynie dzięki ślepemu trafowi – lub z innej przyczyny – zdołał założyć pętlę na rękę tego człowieka, co graniczyło z absolutną niemożliwością, i wciągnął go z powrotem. Marynarz najpierw przeżegnał się dobre sześć razy, podobnie zresztą jak inni członkowie załogi i od tej pory żaden z nich nie patrzył już na Nicholasa tak jak wcześniej. W głębi duszy, na jej dnie, odczuwali przed nim strach.

Płomyki świec zamigotały.

– Odejdź – powiedział.

Światełka uspokoiły się. Wilk morski sprzed wieków był gotów dotrzymać mu towarzystwa, lecz nie jego małżonka.

Podszedł do drzwi przylegającego pokoju i nacisnął klamkę. Zamknięte. Na klucz, żeby nie mógł wejść.

Zapukał.

– Rosalindo, wpuść mnie. Chcę z tobą porozmawiać.

Nic.

– Do cholery, jestem twoim mężem. Winna jesteś mi posłuszeństwo. Natychmiast otwórz te przeklęte drzwi.

– Dobrze wiem, kim jesteś, milordzie. Jednakże nie mam ci nic więcej do powiedzenia. Odejdź. Dobranoc.

Zapragnął wyważyć drzwi. Zamiast tego ruszył szybkim krokiem w stronę głównego korytarza. Tam drzwi również były zamknięte. Czuł się jak dureń. Oparł się o przeciwległą ścianę, skrzyżowawszy ręce na piersiach, i w końcu zdołał się uspokoić.

Niech się trochę podenerwuje. Nich zmarznie w nocy, nie mając go przy swoim boku. Niech się wystraszy wszystkiego, co nieznane, i doświadczy tego na własnej skórze. Niech będzie przeklęta.

Kiedy w końcu zasnął, samotny i nagi, ogarnęło go głębokie przygnębienie. Łaknął gwałtu, przemocy, nad którą potrafiłby zapanować; czegokolwiek, byleby nie uprzejmej obojętności.

Wydało mu się, że słyszy jakiś starczy głos, który coś nuci, lecz przezornie to zignorował.

Rozdział 40

Dokładnie o trzeciej nad ranem Nicholas siedział wyprostowany w łóżku przy akompaniamencie ogłuszającego huku. Okna dzwoniły, komnata kołysała się. Grzmot, pomyślał; to tylko piorun. Chociaż było to dziwne, ponieważ nie zbierało się na burzę. Kiedy znów się położył, jego łożem wstrząsnęło kolejne uderzenie pioruna. Nagle błyskawica w kształcie miecza złamanego w zygzak trafiła wprost w sypialnię; zanurzył się w światłości. Z tym, że światłość nie znikała. Było to tak, jak gdyby słońce zostało uwięzione w pokoju.

Coś tu jest nie w porządku, zupełnie nie w porządku.

Spojrzał w kierunku okien i wyskoczył z łóżka. I czekał, lecz nie było już więcej błysków, okna przestały drżeć, a komnata już się nie kołysała. Lecz wciąż pogrążona była w nieskazitelnej jasności.

Nie, to jest bielsze od światła słońca. To coś całkowicie innego – pomyślał.

Tylko że nie miał zielonego pojęcia, co się działo. *Kraina za Ostrokołem* – przemknęło mu przez myśl. – To przesłanie od Rennata.

Stał wciąż obok swego łoża, oddychając ciężko, zastanawiając się, co tu się działo, usiłując nie dopuścić, by serce wyskoczyło mu z piersi.

– Jesteś tu, kapitanie Jared? – zapytał. – Jeśli jest to jedno z twoich osobliwych przedstawień, natychmiast je przerwij, słyszysz mnie?

Żaden dźwięk, absolutnie nic, tylko ta pusta, jaskrawa biel. Śmiertelna bladość, jak śmiertelnie blada była twarz bandyty, którego w poprzednim roku zabił niedaleko Makau.

Usłyszał krzyk Rosalindy.

Pobiegł do drzwi przyległej komnaty, kopnął stopą w drewno blisko zamka, lecz drzwi nie ustąpiły. Zaklął, potem potarł zranioną stopę. Kości całe, dzięki Bogu. Walnął w drzwi pięścią.

– Rosalindo! Otwórz!

Drzwi otworzyły się na oścież, Nicholasa zaś poraził oślepiający blask. Sypialnia hrabiny była pogrążona w jeszcze jaskrawszej bieli niż jego rozległa komnata. Widział bez trudu każdy kąt pomieszczenia, każdy szczegół. Nawet cienka warstwa kurzu na toaletce lśniła tą samą śmiertelną białością, jak gdyby była zasklepiona w lodzie.

Rosalinda stała obok łoża, w białej nocnej koszuli, która sięgała od szyi po stopy. Jej płomiennie rude loki były teraz białe jak komnata i splątane opadały na ramiona i plecy. Rysy jej twarzy skamieniały. Wiedział, że on musi wyglądać tak samo.

– Rosalindo? Nic ci nie jest?

Nie poruszyła się, nie odpowiedziała. Jakby nie zdawała sobie sprawy z jego obecności. Jakby w ogóle go nie słyszała, a tym bardziej nie widziała. Zdjęty grozą zbliżył się do niej i zobaczył, że trzyma sztylet. Ociekający krwią. Lecz krople krwi miały kolor bieli.

Przyjrzał się z bliska jej twarzy, jej włosom bielszym od włosów staruszki. Dlaczego ta biel nie znikała? Jego małżonka ściskająca ociekający krwią sztylet również odbiegała daleko od tego, co naturalne.

Skąd wzięła się ta krew?

Patrzył, jak biała kropla rozbryzguje się na jej lewej stopie. Biel na bieli. Straszny widok.

Nie dotknął jej, wyciągnął jedynie ku niej rękę.

– Już dobrze, kochanie. Jestem tutaj. Daj mi sztylet.

Nie spojrzała na niego, nie zareagowała. W końcu wyciągnęła dłoń w jego stronę. Łagodnie rozprostował jej palce na rękojeści.

Dość szybko zorientował się, że widział już taki sztylet w małej szkatule na jednym z regałów, zamkniętej przed małym chłopcem, który kiedyś usiłował ją otworzyć. Należał do jego dziadka czy może sięgał aż do samego kapitana Jareda Vaila? Tego nie wiedział. Sztylet był nieco w stylu mauretańskim, wykrzywione ostrze przypominało bułat, rękojeść zdobiły klejnoty. Nie pamiętał, jakie to były szlachetne kamienie, i nie mógł ich rozpoznać, gdyż wszystkie miały teraz całkowicie białą barwę.

– Jeśli to nie ty, kapitanie Jaredzie – odezwał się uniesionym głosem – to czy jesteś Rennatem? Wszystko mi jedno, przez kogo dzieje się to wszystko... przerwij to natychmiast. Mam już dość wszystkich tych sztuczek, słyszysz? Przerwij to natychmiast!

Ku jego uldze oraz, co musiał przyznać, ku zaskoczeniu, w komnacie powoli zaczęło się ściemniać, aż w końcu zapanował w nim nieprzenikniony mrok nocy. Nicholas odwrócił się w stronę okna i zobaczył krople deszczu spływające po szybie. Zdał sobie sprawę, że gromy przestały bić.

Ostrożnie położył sztylet na nocnym stoliku obok łoża. Nie ociekał już krwią, co nie było niczym dziwnym, gdyż coś przerwało czary.

Ścisnął ramiona Rosalindy w swych dłoniach i lekko nią potrząsnął.

– Rosalindo, wracaj. Już po wszystkim.

Powoli uniosła głowę i spojrzała na niego.

Jej oczy, wcześniej szeroko rozwarte, były teraz normalne i znowu niebieskie, a jej włosy – ogniście rude, z twarzy zniknęła zaś śmiertelna bladość, lecz wciąż nie było na niej kolorów.

– Kochanie – wyszeptał jej w skroń – wszystko będzie dobrze. Jestem tu z tobą.

Przyciągnął ją blisko siebie, naparł dłonią na jej głowę, aż spoczęła na jego ramieniu.

Oddychała powoli.

Ukołysał ją tam, gdzie stali, całował jej włosy i zaczął je głaskać.

– Możesz mi powiedzieć, co się wydarzyło?

Przylgnęła do niego. Obejmował ją mocno, czuł, jak jej paznokcie wpijają się w jego plecy.

– Już dobrze – rzekł i powtórzył to jeszcze raz i znowu.

– Śniło mi się, że spotkałam człowieka, którego nigdy wcześniej nie widziałam – odezwała się słabym, cichym głosem. – Był bardzo przystojny, Nicholasie, jak złoty anioł, o najpiękniejszych, jasnoniebieskich oczach, lecz wiedziałam, że za tymi jasnymi oczyma kryje się jakiś mrok. Choć brzmi to dziwnie, to prawda. Zbyt wiele ciemności i ta zapalczywość... Czułam jego zapalczywość we własnej duszy. Chociaż spoglądał na mnie, wydawało się, że wcale nie wiedział, iż tam jestem, chociaż stałam wprost przed nim, po drugiej stronie ogromnego ogniska. Warzył coś w dużym kociołku, a ja pomyślałam, że powinien zachować ostrożność, inaczej poparzą go płomienie, które skakały w górę, wystrzeliwały z nagła, potem skręcały się w wiry i przybierały dziwaczne kształty. Nigdy wcześniej w moim życiu nie widziałam takiego ognia. Powiedziałam mu, żeby uważał, lecz on mnie nie słyszał. Dla niego mnie tam nie było. Wyglądało to tak, jakby między nami była ściana, przezroczysta tylko z mojej strony. Wciąż mieszał w kociołku za pomocą metalowej warząchwi z długą rączką. Uświadomiłam sobie, że coś monotonnie śpiewa i pomyślałam: Dlaczego on mnie nie słyszy, skoro ja mogę go słyszeć?

Zamilkła, zacisnąwszy dłonie w piąstki. Nie przestawał przytulać jej mocno do siebie, przesuwając dłonie w dół i górę jej pleców.

– Między nami jest przezroczysta ściana – pomyślałam, gdy patrzyłam na niego, ale to w moich oczach nie miało sensu, zatem wyciągnęłam rękę, żeby jej dotknąć. Niczego tam nie było. Odeszłam w bok od ognia i znów wyciągnęłam rękę. – Wyczuł w niej drżenie. – Dotknęłam jego ramienia. Wzdrygnął się zaskoczony. Wierz mi, tak właśnie uczyniłam. Przestał mieszać, przestał wypowiadać zaklęcia i spojrzał wprost na mnie, i wiedziałam, że teraz mnie widzi. Nicholasie, uśmiechnął się do mnie.

– Co zrobił?

– Uśmiechnął się do mnie i odezwał się niskim głębokim głosem: „Jesteś moja. Czyż to nie osobliwe, że światło zawsze przynosi jasność?". Potem obejrzał się za siebie przez ramię, jak gdyby usłyszał, iż nadchodził ktoś lub coś, co wzbudziło w nim niepokój. Wpatrywał się we mnie. Dostrzegłam coś dziwnego i budzącego trwogę w jego oczach, lecz to szybko znikło. Jego oczy były żarliwe, Nicholasie, i takie władcze; poczułam, że zagląda w głąb mej duszy. Wyszeptał: „Bądź ostrożna, zajrzyj do księgi, a będziesz tutaj, już niebawem, już niebawem...".

Spojrzała teraz na niego, on zaś zobaczył, że jej oczy wyrażały coraz większe skupienie.

– Co się stało wtedy?

– Nagle było tak, jakbym została wrzucona do ogromnej studni wypełnionej bielą, niczym w zadymce, lecz nie wiał wiatr, nie poruszało się w ogóle nic. Nie było chłodu, niczego oprócz oślepiającej białości. Wtedy ty wziąłeś mnie w ramiona, ja zaś powoli wróciłam do siebie. Czy to ta oślepiająca biel wzbudziła w nim trwogę? Albo to on był tym, kto powstrzymał czary, kiedy tego zażądałeś? Nicholasie, co znajdowało się w kociołku? Co on miał na myśli, mówiąc, że muszę być ostrożna?

– Chociaż raz istota ze snu mówi coś, co ma sens. Ta istota jest przekonana, że jesteś w niebezpieczeństwie i cię ostrzega.

– Lecz kim on jest?

– Tego się dowiemy.

– I ta księga, mam zajrzeć do księgi. Musi tu chodzić o *Reguły* Sarimunda albo o jego krótki wolumin, który należał do twojego dziadka. Zgoda, mogę to zrobić. Mogę raz jeszcze przeczytać obie księgi, możemy przestudiować je bardziej dogłębnie.

– Tak, przyjrzymy się również szwom ksiąg, zobaczymy, czy coś nie kryje się za okładkami. Kolejna przydatna wskazówka. Dotrzemy tam, Rosalindo.

– Cóż miał na myśli, kiedy powiedział, że znajdę się tam już niebawem? W Krainie za Ostrokołem?

– Tak, bardzo prawdopodobne – odparł, chociaż wcale mu się to nie podobało. – Co do światła, które przynosi jasność, wymaga to jeszcze przemyślenia. Wszystko jednak rozwikłamy. – Wskazał na sztylet. – Kiedy wszedłem, trzymałaś go. Krew skapywała z czubka ostrza, lecz krople te były białe, jak wszystko inne. Wiesz, skąd się wziął?

Wyglądała na przerażoną.

– Nie, nie. Nigdy go wcześniej nie widziałam. Nie było go w moim śnie. Trzymałam sztylet i skapywały z niego krople białej krwi? – Z jej głosu przebijała trwoga, on zaś nie winił jej za to. – Ale zaczekaj, Nicholasie, mylisz się, na sztylecie nie ma wcale krwi, ani białej, ani czerwonej.

Miała rację – nie było tam żadnej krwi, nawet śladu, że krew znajdowała się tam kiedykolwiek. Ostrze lśniło srebrzystym blaskiem. Natychmiast puścił ją i ukląkł, chcąc przyjrzeć się z bliska dywanowi. Też żadnej krwi.

Nicholas wstał bez pośpiechu. Nie mógł ścierpieć, że działo się tu coś, czego nie potrafił pojąć. Nie mógł ścierpieć tego, że nic nie rozumiał, że nie wiedział, co to było. Czuł się bezradny i bezsilny. A jeśli ona była razem z nim? Czy śniła ten sam sen, co on? Czy był to ten sam grom, porażająca białość przepełniająca wszystko? Czy widziałby sztylet, który pojawił się w jej dłoni?

– Zaczekaj – rzekł. – Widziałem kroplę, która spadła na twoją bosą stopę.

Uniosła stopę. Niczego tam nie było, nawet śladu. Uniosła drugą stopę. Nic.

– Dobrze – powiedział, usiłując się skupić. – Nazwałaś to snem. Wydaje się jednak, że zanurzyłaś się w wizji.

Rosalinda roześmiała się, lecz nie był to wesoły śmiech, a gdy przemówiła, jej głos przybrał na sile.

– Nie wiem, skąd wziął się ten sztylet. Nigdy w życiu nie widziałam go na oczy.

– Jest przechowywany w szklanej gablocie w bibliotece.
– Nicholasie?
Odłożył nóż z powrotem na nocny stolik i ponownie przygarnął ją do siebie. Pocałował w ucho. Zaczął głaskać przez miękką koszulę nocną.
– Mówiłam ci, że nie widziałam, go nigdy wcześniej.
Złożył pocałunek na jej skroni. I czekał. Czuł, jak jego serce bije mocno i powoli.
– Uśmiechnął się do mnie. Znał mnie. Powiedział: „Jesteś moja".
Wciąż czekał.
Odsunęła się w tył, pozostając w jego ramionach i spojrzała mu w twarz.
– Teraz też wszystko pojmuję. Wiem, kim jest człowiek, który był w moim śnie. To Sarimund.
W jej głosie było teraz więcej konsternacji niż trwogi.
– Odkąd spotkałem ciebie, Rosalindo – rzekł, usiłując nadać głosowi lekki ton – muszę przyznać, że moje życie z pewnością przestało być nudne. Zaś fakt, że to Sarimund tkwi pośrodku tej niepojętej gmatwaniny i chaosu, wcale mnie nie zaskakuje.
– Najpierw przyśnił mi się Rennat, Tytularny Czarnoksiężnik Wschodu, a teraz Sarimund. Cóż to, do diaska, ma znaczyć?
Uśmiechnął się, słysząc, jak przeklina, dotknął opuszkiem palca jej podbródka.
– Rozwikłamy to wszystko do końca.
– Cała ta jaskrawa biel, sztylet ociekający białą krwią, Sarimund, który przemawia do mnie... Masz rację, to nie był sen, Nicholasie, to była wizja.

– Tak – zgodził się. – Sądzę, że to wizja.

Doświadczenie wizji brzmiało całkiem przekonująco, lecz wciąż nie znajdował żadnej racjonalnej czy rozsądnej odpowiedzi, a to doprowadzało go niemal do czarnej rozpaczy.

– I ten sztylet. Czy jest to przesłanie, że dojdzie do aktu przemocy? Czy było to dodatkowe ostrzeżenie, żebym zachowała ostrożność?

– Zamierzam zapewnić ci bezpieczeństwo, kochanie, przysięgam. Co do całej reszty... – Przerwał na chwilę i spojrzał na nią. – Ale nie teraz, nie teraz.

Pochylił się i pocałował ją w usta. Poczuł, jak wzdrygnęła się zaskoczona, wyczuł w niej początkowy opór, potem się do niego przytuliła.

– Sarimund był wizją – szeptała – lecz ty nią nie jesteś. Jesteś moim mężem, Nicholasie, i jesteś nagi.

Zupełnie o tym zapomniał, prawdę powiedziawszy. Jej dłonie przesuwały się teraz w górę i w dół po jego plecach. Przysunęła się jeszcze bliżej, o ile to było możliwe. Był gotów posiąść własną żonę na tym łożu, choć tuż obok nich leżał sztylet, który zaledwie pięć minut wcześniej ociekał białą krwią. Odepchnął te myśli i zamknął oczy; jej dłonie przycisnęły się do niego między ciałami ich obojga, a jej palce dotknęły jego męskości. Szarpnął nim gwałtowny dreszcz.

– Czy sprawiłam ci ból?

Roześmiał się.

– Och, nie. Mój mózg jest teraz martwy, lecz nic poza nim. Błagam cię, Rosalindo, nie ruszaj dłońmi. Dobrze, pokieruję nimi. Dotykaj mnie. Teraz liczmy się my, tylko my i tak bardzo ciebie pragnę.

Kiedy po upływie niedługiej chwili Nicholas leżał na plecach, a zwinięta w kłębek Rosalinda spała wtulona w jego bok, wpatrywał się w ciemny sufit, nasłuchując uderzeń lekkiego deszczu o okienne szyby.

Nagle zdał sobie sprawę, że nie podobała mu się woń tej komnaty. Nie było czuć stęchlizną.

Woń, którą wyczuwał, była zapachem krwi.

Wziął żonę na ręce i przeniósł ją do komnaty sypialnej hrabiego, zamykając po drodze nogą drzwi do sypialni hrabiny.

Obudziła się na moment, kiedy położył ją na zimnej pościeli.

– Cii! – wyszeptał między pocałunkami. – Już wszystko dobrze. Przytul się do mnie.

– Sarimund powiedział – mruknęła mu w kark, kiedy znów się w niego wtulała – że już niebawem będę z nim, że niebawem pójdę do niego.

Pocałował jej powieki.

– Rosalindo, dostrzegasz jakieś podobieństwo między sobą a nim?

Poczuł, jak drgnęła.

– Czy jestem do niego podobna? Och, nie, Nicholasie. Powiedziałam ci, że był piękny, niczym anioł, cały ze złota, oczy miał jasne, jasnoniebieskie.

– Co, twoim zdaniem, miał na myśli, kiedy rzekł do ciebie: „Jesteś moja”?

– Czy mogło to oznaczać, że jestem jego potomkiem? Sarimund żył w szesnastym wieku, w tym samym czasie, co kapitan Jared. A teraz jest tutaj, przynajmniej jego głos.

Potomkini Sarimunda – przypuszczał, że to tłumaczyłoby wiele, lecz nie był w stanie stwierdzić, czy to prawda.

Znów ją pocałował, przyciągnął ją bliżej.

– Pozwoliłam ci kochać się ze mną – szepnęła mu w tors. – Nie powinnam była tego uczynić.

– Czujesz się teraz lepiej?

– Tak, wiesz, że czuję się lepiej, lecz nie o to chodzi.

– Wszystko inne może iść sobie do czarta.

Pocałował ją w czoło.

Zasypiał już prawie, kiedy poczuł jej wargi na swoim barku, i jakimś sposobem, chociaż wymamrotała te słowa wtulona w jego ciało, wiedział, co powiedziała.

– Kraina za Ostrokołem… oto, dokąd wszystko to nas prowadzi.

Zasnął ukołysany monotonnym uderzeniami deszczu o szyby, mając w głowie obraz czerwonego Lasisa.

Następnego ranka jaskrawe światło słońca, które padało mu na twarz, wyrwało go raptem ze snu, lecz dopiero głośne krzyki pani McGiver sprawiły, że wyskoczył z łoża, o mały włos nie zrzuciwszy Rosalindy na podłogę.

Rozdział 41

– Nicholasie, jesteś nagi! – krzyknęła Rosalinda.

Zatrzymał się przy drzwiach, obrócił na pięcie, chwycił szlafrok, który mu rzuciła. Ściągnęła prześcieradło z łoża i owinęła się nim.

Pobiegli oboje długim korytarzem.

Znów rozległ się głośny krzyk.

Zbiegli w dół po głównych schodach i zatrzymali się gwałtownie. Pani McGiver stała nad ciałem Petera Pritcharda.

W mgnieniu oka Nicholas był już przy Peterze i starał się wyczuć puls, przystawiwszy palce do jego szyi. Odetchnął z głęboką ulgą; puls był słaby, ale miarowy. Peter miał na sobie spodnie i koszulę, a na nogach tylko skarpety. Buty leżały obok niego. Prawdopodobnie wszedł do rezydencji i ściągnął buty, nie chcąc nikogo budzić.

– Wciąż żyje, Bogu dzięki.

Był nieprzytomny. Nicholas próbował dojrzeć jakąś ranę, lecz wydawało się, że nie miał żadnych obrażeń. Wziął go na ramię i zaniósł do salonu, gdzie położył go na sofie.

– Pani McGiver, co się stało? – zapytał przez ramię.

– A niech to, milordzie. Szłam właśnie zobaczyć się z kucharką w sprawie owsianki – wczoraj były w niej grudy, co nie powinno mieć miejsca... zatem, tak, zobaczyłam pana Pritcharda, jak tu leżał. I natychmiast do niego podbiegłam, milordzie, i sądziłam, że nie żyje, ponieważ nie reagował wcale, nawet kiedy uszczypnęłam go w ramię powyżej łokcia po wewnętrznej stronie, jak czynię to wobec moich wnucząt, kiedy stają się nieznośne.

– Co stało się potem?

Wzięła głębszy oddech i wyrzuciła z siebie:

– Pomyślałam sobie, że ten niegodziwy duch zamordował go. Przestraszyłam się, milordzie.

– Kto jest lekarzem w tej okolicy?

– Andrew Knotts, milordzie. Och, nadszedł już pan Block.

Nicholas zobaczył, jak Block naciąga swój czarny surdut na białą koszulę z płótna, której nie wsunął jeszcze w spodnie. Zdążył wszakże założyć buty.

– Block, natychmiast wezwij lekarza. Śpiesz się, człowieku.

Peter ocknął się kilka minut później. Oboje, Nicholas i Rosalinda, teraz już w sukni, którą przyniosła jej pani McGiver, pochylali się nad nim, lecz jej stopy, podobnie jak jego, wciąż były bose. Rosalinda pocierała jego czoło chusteczką zmoczoną w wodzie różanej.

– Peterze?

Powoli otworzył oczy.

– Milordzie?

– Jak się czujesz?

– Widziałem pana w trzech osobach, teraz już tylko w dwóch, zatem mój stan się poprawia.

– Tak, już ci lepiej. Co się stało? Pani McGiver znalazła cię nieprzytomnego na podłodze.

– Milordzie!

To była Marigold, oddychająca pośpiesznie, która nadbiegła pędem i zatrzymała się przy drzwiach salonu.

– Przybywają goście. Jadą tu z pośpiechem, czy nawet zuchwale, jeśli pan woli, a przecież dopiero świta.

– Nie ruszaj się, Peterze! Rosalinda przyrządzi ci filiżankę mocnej herbaty. Zaraz wracam.

Poszedł do holu i zobaczył na wprost siebie swą macochę, odzianą w lawendowe szaty, aż po słomkowy kapelusz na czubku głowy. Uniosła brodę i wyglądała jak kogut rasy bantamskiej, gotów zmierzyć się ze wszystkimi. Z tyłu za nią w szyku stali jej trzej synowie – Richard, Lancelot i Aubrey.

Nicholas splótł ręce na torsie.

– No cóż, to prawda, że nie było mnie w Anglii przez długi czas, czyż jednak to nie nazbyt wczesna pora na składanie porannej wizyty?

– Nie jesteś ubrany – odparła Miranda. – Stoisz na bosaka.

Wzruszył ramionami.

– Czemu zawdzięczam wizytę?

Richard wystąpił naprzód.

– Zamierzaliśmy nawet przybyć tu wczoraj wieczorem, ale nasz powóz zepsuł się i z konieczności spędziliśmy noc w Meckley-Hinton.

Jego matka przesunęła się obok niego i znów stanęła na wprost Nicholasa. Jak gdyby chciała chronić syna przed jego najstarszym bratem.

– Byliśmy zmuszeni spędzić noc w tym obskurnym, małym zajeździe, który zwą Raving Rooster, położonym pośrodku wioski, jaka nawet nie powinna istnieć, gdyż nie ma nic do zaoferowania.

– I wstaliście przed brzaskiem, żeby złożyć mi wizytę? Wolno mi zapytać dlaczego?

Richard Vail, ubrany w czerń, z czarnym szczeciniastym zarostem na brodzie, przesunął się delikatnie przed swoją matkę.

– Jesteśmy tu, by cię ostrzec – rzekł bez żadnych wstępów.

Miranda wystawiła głowę zza jego ramienia.

– Powiedziałam mu: dlaczego mamy sobie zawracać tym głowę? Darzysz nienawiścią całe nasze plemię, któż by się troskał, gdybyś wyzionął ducha?

– Matko – rzekł Richard.

– Ostrzec mnie? – Głos Nicholasa był ospały i przesycony arogancją, on zaś wiedział, że to doprowadza Richarda do pasji.

Lecz Richard wcale nie wyglądał, jakby chciał go zamordować; był blady i sprawiał wrażenie... przestraszonego. Nicholas spojrzał na niego spod zmarszczonych brwi.

– Zdaję sobie sprawę, że nikt z was czworga nie uroniłby nawet łzy, gdybym leżał pod ziemią, a mimo to stawiliście się wszyscy, jak jeden mąż, w moim domu tuż po świcie, żeby mnie ostrzec?

– Tak – potwierdził Lancelot, a jego oblicze poety poczerwieniało od gniewu, zaś głos niemal się załamywał. – Ale ja nie chciałem jechać. Nie chciałem mówić ci o tej cholernej sprawie, lecz Richard uparł się, niech go szlag. Nie wiem, co sądzi Aubrey.

– Zamknij się, Lance – wtrącił Richard, nie spoglądając na niego; młodszy brat zdusił w sobie przekleństwo.

Aubrey, z rudą czupryną i jasnymi, inteligentnymi oczami, niemal wyskoczył do przodu.

– Ja chciałem przyjechać, Nicholasie. Nawet ciebie nie znam, dlaczegóż więc miałbym darzyć cię nienawiścią? Ty i twoja oblubienica byliście bardzo mili dla mnie podczas waszego ślubu. Posłuchaj, Nicholasie, faktem jest, że jesteśmy tutaj. Matka jest zmęczona, chociaż ma w sobie więcej energii niż trzech druidzkich kapłanów. Nie zaprosisz nas?

– Milordzie!

Block usiłował przecisnąć się obok jego przyrodnich braci, ciągnąc za sobą bardzo wysokiego i bardzo wymizerowanego mężczyznę.

– Jest pan lekarzem, *sir*?

Mężczyzna ukłonił się przed nim niechętnie.

– Jestem doktor Knotts. Gdzie mój pacjent? Żywię nadzieję, że przypadek jest dostatecznie poważny, by usprawiedliwić sprowadzenie mnie tutaj o tak niechrześcijańskiej porze. Rzekłbym, że tu w holu zrobiło się całkiem tłoczno. Pani, muszę stwierdzić, wyglądasz, jakby zbierało ci się na mdłości. Być może to z powodu ogromnej ilości lawendy, którą nosi pani na sobie. Milordzie, zechce mnie pan zaprowadzić?

Nicholas zmierzył wzrokiem macochę.

– Pani oraz jej szczenięta, zechcecie łaskawie towarzyszyć Blockowi do biblioteki, gdzie poda wam herbatę. Zjawię się tam w niedługim czasie.

– Ale...

Nicholas nie spojrzał już na nią. Poprowadził doktora Knottsa do salonu. Usłyszał z tyłu za sobą pochrząkiwanie, lecz nie odwrócił się.

Kiedy stanął w drzwiach salonu, patrzył, jak doktor Knotts usuwa delikatnie Rosalindę ze swej drogi.

– Chodź ze mną, Rosalindo – zawołał do żony. – Ty i ja musimy się przyodziać. Mamy niespodziewanych gości.

Nie upłynęło nawet dwanaście minut, kiedy wrócili do salonu i zobaczyli, jak doktor Knotts stoi obok Petera z rękoma skrzyżowanymi na piersiach. Zwrócił się do Nicholasa, kiedy ten wszedł.

– Milordzie, nie stało się tu nic, co wymagałoby przystawienia pijawek – z jego głosu przebijało rozczarowanie.

– Czy wie pan, co spowodowało utratę przytomności przez pana Pritcharda?

– Nosi w sobie przekleństwo młodości, którym jest głupota, lecz zapewnił mnie, że nie był pijany. Nie mam pojęcia, co sprawiło, że zemdlał, chociaż to właśnie go spotkało, w czystej i prostej postaci. Nie dostał ataku ani nagłej boleści głowy czy kończyn. Muszę więc przyjąć, że stracił przytomność z tej banalnej przyczyny, iż jest młody, niedoświadczony i...

– Jest starszy ode mnie, doktorze Knotts – przerwał mu Nicholas.

– W takim razie musiało to być zwężenie kiszek. Nie jest to rzadka przypadłość, zwłaszcza u młodych mężczyzn, z nadmiarem jurności i wigoru.

Peter usiadł raptem, teraz na wskroś zaniepokojony.

– Zwężenie kiszek?

– Tak, młodzieńcze, ale to ustąpi samo z siebie. A teraz muszę już iść.

I doktor Knotts, ukłoniwszy się obojgu, Nicholasowi i Rosalindzie, wyszedł w następnej sekundzie, zaś Block mu towarzyszył.

– Nie martw się, Peterze. Wyobrażam sobie, że dobry doktor nie ma pojęcia, co ci się przytrafiło. Osobliwe rzeczy przydarzają się czasami wtedy, kiedy ich najmniej się spodziewamy, ale potem mijają. Jak się czujesz?

– Teraz już dobrze, milordzie. Doprawdy nie wiem, co mi się przydarzyło. Czułem się całkiem dobrze i nagle zobaczyłem to jaskrawe błyśnięcie oślepiającej białości, a potem ty, milordzie, pochylałeś się nade mną i coś do mnie mówiłeś.

O utratę przytomności przyprawiała go ta światłość? – pomyślał Nicholas. – Ale dlaczego?

– Chciałbym, żebyś się dzisiaj nie przemęczał, Peterze. Nie ma co kusić licha. Musicie wiedzieć, że dopiero co zjechała tu moja macocha z trójką moich przyrodnich braci. Jej lordowska mość i ja musimy zająć się nimi. Rosalindo, chodź ze mną.

Ponowiła pytanie, kiedy szli do biblioteki.

– Richard chciał, żeby wszyscy tu przyjechali, by cię ostrzec? To przecież nonsens, Nicholasie, i ty o tym wiesz. Nie ufam nikomu z nich, z wyjątkiem może Aubreya. Wydaje się całkiem nieszkodliwy.

– Richard wygląda na przestraszonego. Nie, on jest przestraszony. Nie jest dość dobrym aktorem, by wystrychnąć mnie na dudka, i już sam ten fakt skłania mnie go głębokiego zastanowienia.

W bibliotece znaleźli trójkę braci siedzących za stołem, raczących się herbatą i zajadających babeczki z agrestem. Wdowa lady Mountjoy stała obok kominka, trzymając filiżankę herbaty w dłoni odzianej w rękawiczkę.

– Nigdy nie lubiłam tego pomieszczenia – wyznała Miranda, kiedy weszli do biblioteki. – Jest ciemne i chłodne, i to właśnie mówiłam temu szalonemu starcowi.

– Zgadzam się – rzekł Nicholas. – A teraz, Richardzie, zechcesz mi dokładnie wyjaśnić, dlaczego najechaliście na Wyverly Chase?

Lecz Richard wpatrywał się w Rosalindę.

– Jesteś tutaj – wydusił z siebie.

– No cóż, tak, mieszkam tu.

– Richard miał sen, Nicholasie – odezwała się Miranda. – Sen, w którym...

– Dlaczego nie pozwolisz Richardowi opowiedzieć nam o śnie, szanowna pani? – rzekł uprzejmie Nicholas, nawet na chwilę nie spuszczając wzroku z twarzy przyrodniego brata.

– Przerażony głupawym snem jak dziewczynka – dodał od siebie Lancelot i obdarzył swego brata szerokim, szyderczym uśmiechem.

– Jeśli nie masz nic pożytecznego do powiedzenia, to się zamknij, Lancelocie – zganił go Nicholas. – Już dobrze, Richardzie, o co w tym wszystkim chodzi?

Richard wstał. Spojrzał wprost na Rosalindę i skierował na nią palec.

– Ona cię zabiła, Nicholasie. Widziałem, jak cię zabija.

Rosalinda nie protestowała. Uśmiechnęła się.

– Cóż to za cudowna myśl... zabić mego męża, choć jesteśmy dopiero co sobie poślubieni. Hm, czy spojrzałeś na swego brata, Richardzie?

– Oczywiście, że tak! I co z tego? Jestem niemal równie rosły jak on i prawdopodobnie bardziej niebezpieczny!

Te słowa sprowokowały ironiczny wyraz na twarzy Nicholasa i pobudziły Rosalindę do jeszcze szerszego uśmiechu.

– Proszę, powiedz mi natychmiast, jak zdołałam uśmiercić mego męża.

– Sądzisz, że to zabawne, nieprawdaż? Zadźgałaś go, niech cię cholera. Widziałem, jak wbijasz mu sztylet.

– Czy przypadkiem widziałeś ten sztylet, Richardzie? – zapytał niespiesznie Nicholas.

– Dlaczego cię obchodzi, jak wygląda ten przeklęty sztylet? To najmniejsze z twoich zmartwień. Ta kobieta – twoja najdroższa oblubienica – która nie posiada rodziny, nie ma żadnego pochodzenia... zabiła cię.

– Cóż zatem takiego uczyniła? – zapytał go Nicholas.

Twarz Richarda zaczerwieniła się, oczy pociemniały.

– Uważasz, że wszystko to żart?

– Powiedz mu, co ona uczyniła, Richardzie – zachęcił go Aubrey. – Powiedz mu.

Rozdział 42

Richard obdarzył Rosalindę tak jadowitym spojrzeniem, że aż chciała się przeżegnać.

– Wyciągnęła serce z twej piersi i trzymała je tak, jakby była to ofiara składana jakiemuś pogańskiemu bóstwu. Twoja krew spływała po jej rękach, skapywała z jej palców. Ona była unurzana w twojej krwi, Nicholasie, obryzgana nawet na twarzy.

– Co zrobiła z moim sercem?

Lancelot zrobił krok w stronę Nicholasa, z uniesioną pięścią.

– Ty bękarcie, nie dajesz wiary memu bratu. On nie kłamie, niech cię cholera. Wysłuchaj go, jeśli chcesz żyć.

– Słucham, Lancelocie, ale jak dotąd brzmi to niczym opowieść napisana przez Graysona Sherbrooke'a, być może akcja dzieje się w Stonehenge. Powiedziałeś, Richardzie, że to był sen?

– Na dobrą sprawę nie jestem pewien. Byłem w stanie swego rodzaju jawy, zatem nie do końca sen, nie. Bardziej wizja. Wizja czegoś, co się wydarzy. Byłem sam, w mojej sypialni w domu; czas całkowicie stracił dla mnie znaczenie, potem w moim umyśle pojawił się ten obraz, klarowny i wyraźny. Czułem nawet zapach krwi, kiedy ta kobieta wycinała serce z twej piersi.

Nicholas spoglądał na każde z nich po kolei. Dostrzegł przenikającą na wskroś niechęć w Lancelocie, pewien rodzaj chłodnej ciekawości w Aubreyu, jawną wzgardę na twarzy Mirandy, a na obliczu Richarda – nagi strach.

– Przyjechałeś mnie ostrzec – zwrócił się do przyrodniego brata – ponieważ...?

Miranda wystąpiła naprzód; teraz z jej twarzy emanowała zaciekłość.

– Unosiła w górę twoje serce, ty durniu. I wypowiadała przy tym jakieś słowa w obcym języku, których Richard nie rozumiał. Twoja żona zabiła cię! A ty masz czelność pytać o pobudki, jakimi kierował się twój brat, przychodząc ci z odsieczą?

– Richardzie, co miałam na sobie w tej wizji? – zapytała Rosalinda.

– Białą szatę przepasaną w talii cienkim kordonkiem z tej samej materii. Rąbek szaty sięgał niemal twych kolan. Twoje włosy były zaczesane równo na plecach.

– Jesteś pewien, że to byłam ja?

– Tak, te twoje szalone ogniste loki, twoje niebieskie oczy. To byłaś ty. – Zmarszczył brwi. – Lecz można było odnieść wrażenie, że przeniosłaś się w inne czasy, w inne miejsce. Nie wiem, to rzeczywiście nie ma sensu, ale wiem, że to byłaś ty.

– Zatem jest teraz kimś w rodzaju dziewicy westalki albo najwyższej kapłanki? – chciał zaspokoić ciekawość Nicholas.

– Nie wiem – odpowiedział Richard. – Wokoło nie było żadnych kapłanów ani nikogo innego, jedynie wy oboje, ty spętany i leżący na plecach i ona pochylona nad tobą.

– Czy wiesz, dlaczego wycięłam serce z piersi mego męża?

Richard po raz pierwszy miał niepewną minę.
– Tego też nie wiem – odpowiedział powoli. – Wiem jedynie, że to zrobiłaś. – Skierował wzrok na Nicholasa. – Pytałeś mnie, co uczyniła z twoim sercem. Odrzuciła je daleko, jakby był to jakiś odpadek, potem wstała i spoglądała na ciebie z góry, rozciągniętego u jej stóp, i wycierała zakrwawione dłonie o szatę.

– Jak lady Makbet?

– Nie! – wykrzyknął do niej Richard. – Na dłoniach lady Makbet nie było prawdziwej krwi, jedynie przywidzenie wywołane poczuciem winy, lecz twoje dłonie były całe we krwi Nicholasa.

– Ostatniego wieczoru pokłóciliśmy się – podjęła Rosalinda – i przyznaję, że chciałam rzucić w niego książką, lecz nie zrobiłam nawet tego. Cała ta historia z wyrywaniem mu serca wymagałaby oddania się jakiemuś fanatyzmowi, innego czasu, innego miejsca, jak sam chyba powiedziałeś.

W myślach ujrzała zakrwawiony sztylet z własnej wizji, białe krople ściekające z ostrza na podłogę. Skąd wzięła się ta krew?

– Niech to będą inne czasy, inne miejsce, lecz ty to zrobiłaś; widziałem, jak to robisz!

– Milordzie.

Nicholas obrócił się i zobaczył Blocka w progu. Prezentował się dziarsko i stosownie, chociaż z jego oczu przebijała odrobina dzikości.

– Cóż znowu za nieszczęście, Block?

– Duch starego hrabiego nie przestaje śpiewać sprośnych rymowanek. Pani McGiver prosi, żebyś, panie, rozkazał mu przestać.

Nicholas odwrócił się do przyrodniego brata.

– Czy zechciałbyś zaszczycić swoją osobą ducha starego hrabiego, Richardzie?

Richard uniósł brwi.
– Ducha? Utrzymujesz, że duch starego hrabiego jest tutaj? To nonsens. Duchy nie istnieją. Mój dziadek przebywa w piekle, gdzie jest jego miejsce.
Rosalinda widząc, że Nicholas jest o krok od sięgnięcia po fizyczną przemoc, wtrąciła się.
– Richardzie, dlaczego uważasz śpiewającego ducha za coś bardziej niewiarygodnego niż wizja ze mną, ubraną jak antyczna kapłanka, która wyrzyna serce z piersi Nicholasa i składa je w ofierze?
– Chodźmy zatem do salonu – zaproponował Nicholas. – Block, powiedz pani McGiver, że zajmę się tym.
Drzwi do salonu były otwarte. Na zewnątrz w holu stała pani McGiver i Marigold, obie głęboko zasłuchane, przy czym żadna z nich nie wyglądała na szczególnie przestraszoną.
Nicholas gestem zaprosił całą gromadę do środka, przystawiając palec do ust, by zachowywali się cicho.
– Jestem tu – rzekł w stronę fotela, kiedy znaleźli się w środku. – Rosalinda tu jest. Są także inni krewni. Co zatem zaśpiewasz nam tego ranka, *sir*?
Upłynęła minuta. Dwie.
– Jest tak, jak sądziłem – odezwał się Richard. – Służący mają wyobraźnię, wymyślają różne rzeczy...
Wtedy starczy, chrapliwy głos zaintonował:

Dość mam już sporów,
Dość mam kłopotów.
On miesza w kociołku,
W kotle warzy się i bulgocze.

Kiedy nadchodzi, groźba jest tuż.
Gdy on działa, śmierć też tu jest.
Udaj się do Krainy za Ostrokołem i zabij zło,
W przeciwnym razie historia zmieni bieg.

– Proszę się nie obawiać, to tylko stary hrabia – powiedziała pani McGiver uprzejmie do Mirandy Vail oraz trzech młodych dżentelmenów; cała czwórka była śmiertelnie blada i gotowa rzucić się do ucieczki. – On uwielbia śpiewać, wiecie państwo – dodała, teraz już poufnie. – I zazwyczaj to jego śpiewanie nie ma wiele sensu. To, co teraz wykonał, nie było wszakże bezwstydne. Dla mnie brzmiało to jak ostrzeżenie. Zastanawiam się, kim jest „on"? Wcale mi się to jednak nie podoba, milordzie.

Rosalindzie również się nie podobało. Ona też zastanawiała się, kim jest ów „on". Jakim sposobem mieli dotrzeć do Krainy za Ostrokołem, by odnaleźć i zabić to krwawe źródło zła i nie dopuścić do zmiany biegu zdarzeń?

– Dziękuję, *sir* – odezwał się Nicholas w grobowej ciszy – za uroczą pieśń. Rymy również były inspirujące.

– Nikogo tutaj nie ma – orzekła Miranda zduszonym szeptem. – Jesteśmy jedynymi osobami w tym salonie. Ten... ten duch... on śpiewa tak przez cały czas?

– To była sztuczka – obwieścił Richard na cały pokój. – Jakiś rodzaj absurdalnego triku z udziałem służącego, który kryje się za kotarami. Któreś z was wymyśliło niewątpliwie te śmieszne słowa, żeby je zaśpiewał. Gdzie jesteś? – krzyknął, wymachując pięścią. – Wyłaź natychmiast ze swojej kryjówki, inaczej poderżnę ci gardło.

Wyciągnął nóż z kieszeni płaszcza i wymachiwał nim przed zasłonami.

Nawet nie drgnęły.

Richard wszystkie je porozsuwał. Nie krył się za nimi żaden tchórzliwy służący.

Zajrzał za każdy mebel. Nikogo nigdzie nie znalazł.

– Gdzie jesteś, cholerny bękarcie?

Z siedzenia fotela dobiegł starczy jęk, potem mebel z hukiem przewrócił się na bok.

Miranda Vail krzyknęła przerażona.

* * *

Rosalinda, Nicholas oraz czwórka ich krewnych siedzieli przy stole w pokoju śniadaniowym.

– Niech mi będzie wolno raz jeszcze was zapewnić, że nasz duch jest całkowicie nieszkodliwy – rzekła Rosalinda w napiętej ciszy, niemal ze śmiechem.

Nikt z nich nie był co do tego całkowicie przekonany; w rzeczy samej nawet Rosalinda nie miała niewzruszonej pewności, że kapitan Jared był jedynie rozśpiewanym tułaczem.

– Wystarczy mocnych wrażeń, póki co – dodała. – Czeka nas wspaniałe śniadanie.

– Nie mogę nic przełknąć – oznajmiła Miranda.

– Ja mogę – zadeklarował Lancelot. – Jestem głodny.

– Jesteś taki śliczny, gdy tak siedzisz z gracją i smarujesz masłem swoją babeczkę – rzekł Richard do brata. – Tylko spójrz na siebie, wizerunek romantycznego poety. Co się tyczy twego obżarstwa, lepiej uważaj na siebie, inaczej będziesz musiał rozpinać guziki w spodniach.

– Nie jestem śliczny, niech cię diabli!

– Block! – zawołała Rosalinda. – Jesteśmy gotowi na kolejne danie tego śniadania.

– To piękne pomieszczenie – zachwycił się Aubrey. – Jesteś pewna, że stary nicpoń nie jest niebezpieczny?

– Nie sądzę – odparł Nicholas. – Nie stwarza żadnego zagrożenia. Po prostu sobie śpiewa i od czasu do czasu przewraca na bok fotel. – Wzruszył ramionami. – Można się do tego przyzwyczaić.

Richard zastukał palcami w mahoniowy blat stołu.

– Richardzie, opowiedz mi o sztylecie, którym posłużyła się Rosalinda – zachęcił go Nicholas.

– Sztylet? – Richard grzmotnął pięścią w stół. – Przejmujesz się jakimś przeklętym sztyletem, kiedy powinieneś pomyśleć, jak pozbyć się tej jadowitej suki, zanim będzie za późno!

– Kucharka przyrządziła smakowite grzanki i jajecznicę, nie wspominając o wędzonych śledziach i... – Głos Blocka zamarł, gdyż dostrzegł ogromne wzburzenie na twarzy swego pana i wyczuł zawieszoną w powietrzu niemą groźbę.

Nicholas wstał z krzesła bez pośpiechu.

– Przeprosisz moją małżonkę, Richardzie; zrobisz to teraz, z pełną gracją i szczerością.

Richard rzucił spojrzenie na Rosalindę.

– Martwię się o mego przyrodniego brata – głos wiązł mu w gardle. – Wydaje się wcale niezmartwiony, a każdy inteligentny mężczyzna byłby bardzo poruszony. Przyjechaliśmy tu wszyscy, żeby go ostrzec, ale...

– Zawalasz sprawę, Richardzie.

Richard odchrząknął.

– Przepraszam, Rosalindo. Nie znam cię, zatem nie potrafię ocenić twego charakteru, ale miałem wizję i to jest fakt.

– Czy wiesz, Richardzie – odparła beznamiętnym głosem – że nikt nigdy nie nazwał mnie suką, nie mówiąc już o jadowitej suce. Ta twoja wizja...

– To zapowiedź – oświadczyła Miranda, nadziewając na widelec smażone jajo. – Wizje nie kłamią.

Zapowiedź, pomyślała Rosalinda. Podniosła wzrok i zobaczyła, że Nicholas ją obserwuje. Z pewnością nie sądził, że ona wytnie mu serce z piersi. Ale...

– Richardzie, sztylet – podjął wątek Nicholas. – Pytam raz jeszcze, jak wyglądał ten sztylet?

– Miał zakrzywione ostrze, a jego rękojeść była wysadzana diamentami, rubinami i szafirami.

Nicholas skinął głową.

– Chciałbym wam coś pokazać po śniadaniu.

– Po śniadaniu – odparła Miranda głosem twardym jak mosiężny lichtarz pośrodku stołu – wyjeżdżamy. Richard przekazał ostrzeżenie. Spełniliśmy swój obowiązek. To, co się teraz z tobą stanie, zależy od ciebie, Nicholasie.

Nicholas odłożył ostrożnie nóż.

– Chciałbym, żebyście zostali tu wszyscy przez kilka dni.

– A zatem mi wierzysz? – rzekł Richard, jednocześnie obdarzając Rosalindę chłodnym uśmiechem.

– Wierzę, że Rosalinda dźga mnie sztyletem i wycina serce z mej piersi? Nie, ale wokół aż roi się od pytań, które pozostają bez odpowiedzi. Być może, będąc razem, zdołamy rozwikłać, co tu się właściwie dzieje.

– Czy tu dzieje się coś jeszcze? – zapytał Aubrey, przesuwając się do przodu na krześle. – Coś lepszego, niż krwawa wizja Richarda?

– Och, tak – potwierdził Nicholas. – O wiele lepszego.

Rozdział 43

– Tak, tak – głos Richarda był tylko ledwie mocniejszy niż szept. – To jest sztylet, który ona w tej wizji wbiła ci w serce.

Rosalinda natomiast widziała siebie samą, jak trzyma ten sztylet ociekający białą krwią. A jeśli to rzeczywiście była przepowiednia? Jeśli coś się stało, coś całkowicie katastrofalnego i rzeczywiście zabiła Nicholasa? Nie, to przecież niemożliwe. Lecz możliwe było to, co stało się faktem, ona zaś i Nicholas musieli stawić temu czoło, nawet jeśli w tym wszystkim była magia i czary. Przyszły jej na myśl wszystkie imiona czarnoksiężników i czarownic z Krainy za Ostrokołem. Pomyślała o Taranisie, Smoku znad Jeziora Sallas, który był dla Sarimunda kimś w rodzaju powiernika. Nosił imię celtyckiego boga i utrzymywał, iż jest nieśmiertelny. A jeśli oni byli takimi samymi istotami, tylko jakimś cudem wylądowali w innym czasie i w innym miejscu? I jakimś sposobem przebili się na ten świat? Czy usiłowali wrócić, lecz stało się coś potwornego i utknęli w warowni na Krwawej Skale? Co będzie, jeśli jacyś „oni" chcieli, by uśmierciła Nicholasa, ponieważ był potomkiem kapitana Jareda, który nie spłacił wobec niej swego długu?

To nie miało sensu. Urodziła się niemal trzysta lat później, długo po czasach kapitana Jareda, bogowie z pewnością to wiedzą. Ale z drugiej strony być może istnieją granice, dotykające pradawnych czarodziejów i bogów, które ograniczają ich moc do określonego czasu i miejsca. Być może nie byli wszechpotężni ani wszechwiedzący.

Nadszedł czas, by działać – pomyślała. – Czas, by odkryć, czym właściwie był ten dług. Pora, by dowiedzieć się, kim naprawdę była. Lub czym. To ewentualne „coś" wzbudziło w niej trwogę przenikającą na wskroś.

– Co ten sztylet tutaj robi? – usłyszała, jak Richard Vail zadaje pytanie Nicholasowi.

– Ten sztylet wydaje się mieć wiele wcieleń – odparł Nicholas, ona zaś podziwiała wieloznaczność ukrytą w jego odpowiedzi.

– Niech tam – rzekł Aubrey, pocierając dłonie – poczekajcie, aż opowiem moim przyjaciołom w Oksfordzie, co dzieje się w mojej rodzinie – duchy i sztylety w wizji, które istnieją w rzeczywistości. Ale zaczekaj, Richardzie, jesteś pewien, że nigdy wcześniej nie widziałeś tego sztyletu? Należał przecież do dziadka; trzymano go w tym pomieszczeniu, kiedy byłeś chłopcem, nieprawdaż?

Richard wciąż wpatrywał się w sztylet jak zahipnotyzowany.

– Nie wydaje mi się, ale było to dawno temu i byłem mały... – Wzruszył ramionami i starał się ukryć przestrach.

– Nicholas nie jest członkiem naszej rodziny – rzekł Lancelot do Aubreya. – Nie do końca. Nasz ojciec darzył go nienawiścią, twierdził, że jest bękartem, ale ponieważ był do niego łudząco podobny, nie potrafił tego skutecznie udowodnić, nieprawdaż?

– Zamknij się, Lance – zganił go Richard, niemal po namyśle.

Lancelot nadął się jak paw i wyglądał, jakby zamierzał coś wykrzyczeć, kiedy głos zabrała jego matka.

– To okropnie niesprawiedliwe, lecz na tę chwilę Nicholas jest głową rodziny Vailów.

– Niesprawiedliwe wobec kogo? – zapytała Rosalinda. – Richard zachował się nielojalnie wobec swego brata. To znaczy próba porwania mnie nie jest wcale rzeczą wartą pochwały.

– Z jakiego powodu miałby okazywać lojalność wobec tego niechcianego tułacza? – wtrąciła Miranda. – Zniknął, kiedy był zaledwie chłopcem, a teraz wrócił jedynie po to, by zagarnąć tytuł po zmarłym ojcu. Jakiż syn postępuje w taki sposób?

– Być może taki, którego rodzina się wyrzekła – odpowiedział Nicholas, marszcząc brwi.

– Lecz mimo wszystko to wciąż nie jest sprawiedliwe, słyszysz?! – wykrzyknęła Miranda.

– Nie uważam, żeby wyrazem szczególnej sprawiedliwości była próba uśmiercenia mnie, kiedy byłam małą dziewczynką – rzekła Rosalinda. – Co ma pani do powiedzenia w tej kwestii?

– Że jesteś prawdopodobnie bachorem jakiejś ladacznicy, a jej pijany kochaś wymierzył ci chłostę, zapewne całkiem zasłużenie. Oto, co mam do powiedzenia.

W mgnieniu oka Nicholas stał twarzą w twarz ze swoją macochą. Na jego obliczu rysowały się groźba i bezwzględność. Przemówił głosem takim cichym, że tego, co powiedział, nie usłyszał nikt oprócz Mirandy i Rosalindy.

– Posłuchaj mnie, ty stara wiedźmo. Nigdy więcej nie obrazisz Rosalindy, gdyż inaczej doprowadzę cię do ruiny. Zrozumiałaś mnie? Żadnych nowych kreacji, ponieważ nie będzie na to pieniędzy, żadnego bywania w towarzystwie. Ujmując krótko, będziesz ignorowana i bojkotowana.

– Doprowadzisz mnie do ruiny? Ha!

Nicholas uśmiechnął się do niej, a uśmiech ten musiał z pewnością zmrozić Mirandę do szpiku kości. Czy ta kobieta postradała rozum? Czy straciła wszelki instynkt, skoro zadzierała z takim człowiekiem jak Nicholas?

– Niech pani zważy na moje słowa, albowiem mówię je z pełną powagą. Zrujnuję nie tylko panią, ale także trzech pani synów.

Miranda otworzyła usta, zamierzając wydrzeć się na niego, kiedy wtrącił się Aubrey.

– Powiadam ci, matko. Nie chcę zostać zrujnowany. Nie chcę, by relegowano mnie z Oksfordu. Co się tyczy Lance'a, on uwielbia nowe kamizelki oraz swoje konie. I naszego kamerdynera, Davy'ego, również, jak sądzę. Proszę, powściągnij swój język.

– Modlę się, żeby tego bękarta spotkał marny koniec – odezwał się Lancelot, zaciskając dłonie; na jego pięknym obliczu płonął rumieniec.

Rosalinda klasnęła w dłonie.

– Posłuchajcie mnie teraz wszyscy. Mamy tu nadzwyczajną sytuację i byłoby dobrze, gdybyśmy to rozwikłali, zamiast walczyć ze sobą i nawzajem się obrażać. Nicholas jest hrabią Mountjoy. Wznieście się ponad wasze rozczarowanie, gdyż wysłuchiwanie waszego biadolenia i zrzędzenia oraz przeklinanie losu staje się coraz bardziej nużące. A teraz Nicholas i ja musimy zająć się kilkoma sprawami, które nie dotyczą żadnego z was.

Ku jej uldze w następnej chwili zjawiła się pani McGiver, by zaprowadzić Vailów do ich sypialni. Rosalinda wyznaczyła Marigold, by towarzyszyła lady Mountjoy.

– Nie spuszczaj z niej oka, Marigold – Rosalinda powiedziała na ucho do Marigold. – Ona zrzędzi bez końca, lecz ty uśmiechaj się i powtarzaj, że wszystkiego dopilnujesz, dobrze? – Ściszyła głos jeszcze bardziej. – Nie można jej zaufać.

Kiedy kilka minut później Nicholas zamknął drzwi biblioteki, przekręcił w zamku mosiężny klucz.

– *Sir*, jesteś tutaj? – wykrzyknął.

Żadnej odpowiedzi.

– Kapitanie Jaredzie, jesteś nam potrzebny – dodała Rosalinda.

Żadnej odpowiedzi.

– Dlaczego ich zaprosiłeś, żeby zostali dłużej? – zwróciła się do Nicholasa.

– Ta wizja Richarda i to, że rozpoznał sztylet, sprawiły, iż wolę mieć ich blisko. Nie mogę odeprzeć przeczucia, że oni wszyscy stanowią część tego wszystkiego, czymkolwiek to jest. Z biegiem lat nauczyłem się, że gdy ma się wroga w zasięgu ręki, szansa na przeżycie jest większa niż wtedy, gdy wróg czai się niewidoczny w mroku.

Podeszła do niego.

– Nicholasie, wiem, jak możemy dostać się do Krainy za Ostrokołem – szepnęła mu do ucha.

Wpatrywał się w nią, kompletnie zaskoczony.

– Dlaczego mówisz szeptem?

– Nie wiem, wydaje się po prostu, że tak trzeba. Ta moja wizja z Sarimundem z poprzedniej nocy, zanim obudziła mnie oślepiająca biel... Przypominasz sobie, jak powiedziałam, że on wypowiadał jakieś zaklęcia? Nie słyszałam wyraźnie jego słów, ale coś pozostało mi w pamięci. Słowa, które wypowiadał, są teraz wyraziste jak kryształ.

Nicholas nie był zaskoczony, zwłaszcza uwzględniwszy fakt, że oprócz niej nikt nie potrafił przeczytać *Reguł Krainy za Ostrokołem*.

– Dlaczego teraz, to mnie zastanawia?

– Ponieważ czasu zostało coraz mniej – odparła Rosalinda. – Teraz wszystko dzieje się bardzo szybko. Posłuchaj.

Zajrzyj do mej księgi,
Stronice są już uwolnione.
Podążaj za mymi wskazówkami
I przybądź do mnie.

– Uwolnione strony?

– Tak. Nie pojmujesz? Nie mogłam przeczytać ostatnich stron z księgi Sarimunda, na którą Grayson natrafił w Hyde Parku. Później nie mogłam poznać treści ostatnich stron cieńszej księgi tu w bibliotece twego dziadka, ponieważ strony po prostu nie chciały się rozdzielić. Sarimund mówi mi, że teraz mogę je otworzyć i poznać bez przeszkód ich treść. – Położyła dłoń na jego przedramieniu. – Nicholasie, ty i ja ewidentnie jesteśmy dwójką głównych odtwórców w tej osobliwej sztuce. Nie chcę wyciąć serca z twej piersi. Naprawdę nie chcę. Za bardzo ciebie lubię.

Pocałował ją.

– Jesteśmy aktorami, masz co do tego rację.

– Do dzieła. Zacznijmy od otwarcia stron w księdze twojego dziadka – ponagliła go Rosalinda.

Palce Rosalindy zawisły nad kartkami, potem z łatwością odwróciła kolejną stronicę. Oboje zamarli na moment, świadomi tego, że to, co nieznane, było już blisko… albo być może sprawił to Sarimund, którego duch jakimś sposobem unosił się nad nimi. Być może wymierzy jej policzek, ale nie mogła tego poczuć, gdyż teraz była gdzieś za zasłoną czasu, zbyt grubą, by ktoś zdołał przez nią przejść. Skierowała wzrok na męża.

– Co będzie, jeśli…

– Przeczytaj na głos te strony, Rosalindo.

– Tak, masz rację. Nie mogę teraz stracić nerwów.

Przystąpiła do lektury:

– Rozpaczliwie pragnąłem wiedzieć, czy Epona urodziła mego syna, lecz Taranis nie powiedział mi tego. Zaczął śpiewać miłosną pieśń swej wybrance, która, jak się przekonałem, była w rzeczy samej całkiem słodka, lecz ja tym niemniej pragnąłem kopnąć go w zadek. Nie była to teraz pora na opiewanie wiekuistego związku.

Zanim mnie opuścił, Taranis powiedział mi przy wejściu do mojej jaskini: „Ruszaj do domu, Sarimundzie. Twój czas tutaj dobiegł końca, lecz nie zapominaj, co się tu stało, ponieważ będziesz musiał powiedzieć dziewczynce to, co tu widziałeś. Musisz dopilnować, żeby wiedziała o wszystkim ze szczegółami", i Taranis dodał jeszcze: „Powtórz te słowa w myślach. Teraz", i tak właśnie uczyniłem.

Obróć ostatnią stronicę
I pomyśl o mej mocy,
Przeczytaj słowa powoli
I zaczekaj na noc.

Czy słowa te wyszły ode mnie czy od Smoka znad Jeziora Sallas? Tego nie wiem. Znów jestem w domu – tak wielu tu ludzi, którzy rozpychają się nawzajem łokciami, mówią wszyscy naraz – jak się tu dostałem? Nie wiem, czy ktokolwiek poza mną wie, jak dostałem się do Krainy za Ostrokołem. Wydaje mi się, że pamiętam swój pobyt w krainie Bulgar, lecz potem to wspomnienie odeszło i nic już nie ma w mej pamięci. Zapisałem te reguły dla ciebie, tak jakbyś to ty była powodem mej bytności w Krainie za Ostrokołem.

Jesteś koroną w moim królestwie, zwiastunem pokoju i zagłady, tą, która musi odkupić brzemienny grzech. To bardzo osobliwa sprawa, lecz kiedy piszę te słowa, wiem, że jestem jednym z Taranisem.

Odwróć teraz stronicę i pomyśl o mej mocy. Tak, tę moc rozpoznał Taranis; i jestem potężnym, najpotężniejszym czarodziejem, jaki kiedykolwiek tu żył, i teraz oraz w przyszłości i w przeszłości i we wszystkich innych miejscach, niewidocznych dla śmiertelnych.

Jesteś teraz kobietą, nie małą dziewczynką, która tak pięknie śpiewała. Żegnaj. Moje serce jest z tobą.

Sarimund

Rosalinda odwróciła powoli księgę na ostatnią stronę i wpatrywała się w całkowicie czystą kartkę. Czuła jednak na wskroś, że pod nią znajdowała się oślepiająca biel, która poraziła ich ostatniej nocy, a w obrębie tej oślepiająca bieli było… co? Chciała krzyknąć, lecz wiedziała, że to nie zda się na nic. Musiała odgadnąć. Zamknęła oczy i przywołała w myślach moc Sarimunda.

Jaką moc? Że się pomylił? Że mógł kształtować i formować bieg zdarzeń według własnego widzimisię? Że być może był emanacją Taranisa? Co miał na myśli, mówiąc o niej, że jest zwiastunem pokoju i zagłady? To zaiste brzmiało tak, jakby było ważne, i jednocześnie budziło trwogę, ponieważ kazało domyślać się, iż ona odgrywała ważną rolę, ale w czym…

– Rosalindo! Wróć tu, ocknij się. Słyszysz, ocknij się!

Jakaś dłoń uderzyła ją w twarz, niezbyt mocno. Ta sama dłoń wymierzyła jej kolejny policzek i tym razem zabolało, gdyż na tyle wróciła do siebie, by to poczuć.

– Nie, nie bij mnie więcej, wystarczy tego. Już wróciłam.

– Świetnie, ale to jeszcze nie koniec. Otwórz oczy. – Znów pacnął ją lekko w policzek. – Otwórz oczy.

Otworzyła i spojrzała w twarz męża. Zamrugała.

– Co się stało?

– Wpatrywałaś się w tę przeklętą pustą stronicę i po prostu… odeszłaś, jakbyś zasnęła.

– Nie – zaprzeczyła. – Nic podobnego. – Lecz wiedziała, że mija się z prawdą. Jednak nie miała żadnego wpływu na to, co się stało. – Jak długo mnie tutaj… nie było?

– Dwadzieścia minut. Jak się czujesz?

– Całkiem rozkosznie, naprawdę. – Obdarzyła go bardzo szczodrym uśmiechem. – Zatem, Nicholasie, musimy zaczekać do nadejścia nocy. Spójrz na ostatnią stronę… jest zupełnie pusta, lecz słowa Sarimunda każą mi myśleć o jego mocy i zaczekać na noc.

– Nie jest zbyt skromny, prawda? – Oboje zgłębiali czystą ostatnią stronicę. Nie zdarzył się żaden czar, nie pojawiły się żadne słowa, lecz Rosalindy to nie martwiło. – Zaczekamy, tak jak zalecił nam Sarimund.

Nicholas żałował, że nie odesłał krewnych tam, skąd przybyli. Ale ta wizja Richarda... Dlaczego, do diabła, jego przyrodni brat doświadczył tej wizji, tak potwornie krwawej, w której Rosalinda ściska sztylet i wycina serce z jego piersi? Nie czuł trwogi tylko dlatego, że wiedział, iż ona nigdy czegoś takiego nie uczyni, nawet wobec wroga. Jeśli jednak będzie pod jakimś urokiem, co wtedy? Nie, to przecież absurd. Któż podesłał Richardowi tę wizję? I dlaczego? Jakie było jej znaczenie?

– Zastanawiam się – rzekł do Rosalindy – czy pozwolisz mi pójść z tobą dzisiejszej nocy, jeśli rzeczywiście ma się tak zdarzyć.

Rozdział 44

– Och, tak, wiem, że będziesz ze mną. Kiedy byłam daleko, to znaczy, kiedy byłam tutaj, a mój umysł gdzieś się błąkał – widziałem ciebie. Wyglądałeś tak groźnie i przebiegle, a ponieważ, jak przypuszczam, byłam gdzie indziej, patrzyłam na ciebie innymi oczyma i widziałam wokół ciebie intensywną czerwoną aurę magii i wiedziałam, Nicholasie, wiedziałam. Jesteś potężny.

– Skąd wiesz, że czerwień jest barwą magicznej aury?

– Nie sądzę, żebym wiedziała, ale tak jest. Władasz bardzo potężną magią. Wiem, że tak jest.

– Rozmawialiśmy już o tym wcześniej, Rosalindo. Dlaczego uważasz mnie za kogoś w rodzaju czarodzieja?

– Czy choćby przez chwilę powątpiewałeś, że kapitan Jared był czarodziejem?

Przejechał palcami przez włosy, potem zaklął.

– Jesteś jego potomkiem w prostej linii. Twój dziadek był magiem, być może również inni dawni Vailowie. Być może całą drogę wstecz aż do chwili, kiedy pierwsi czarodzieje pojawili się na ziemi. Lecz ja po prostu wiem, że w tobie jest więcej magicznych sił niż w którymkolwiek z twoich przodków. Wiem to.

– Zatem jesteś przekonana, że istota, która wyciągnęła kapitana Jareda z jego tonącego statku, postąpiła tak z konkretnego powodu – ponieważ kapitan Jared był czarodziejem, a to właśnie ten ktoś musiał mieć. Wierzysz, że dlatego wszyscy pierworodni synowie w każdym pokoleniu śnią o tobie?

Położyła dłoń na jego przedramieniu.

– Czy w twoim życiu nie wydarzyły się rzeczy, których nie jesteś w stanie wytłumaczyć? Możesz zacząć od snów o mnie.

Wcale mu się to nie podobało, ona zaś to dostrzegła, lecz zachowała milczenie, nie odrywając od niego wzroku. Usiłował walczyć z tym całą siłą swej woli, a jego wola budziła trwogę.

– Ten sen o tobie... Byłem tylko chłopcem. Przychodziłaś każdego wieczoru i śpiewałaś mi tę piosnkę, ty – ten sen – stałaś się częścią mnie, przeniknęłaś do mego ciała, osiedliłaś się w mej duszy. Mała dziewczynka, jaką byłaś, stała się częścią mnie przez tak długi czas, że przestałem podawać to w wątpliwość. Przywyknąłem do ciebie, byłaś dla mnie otuchą, kiedy wydawało mi się, że nie zdołam przetrwać. Lecz zrozum, ten sen nie był wcale niczym szczególnym, naprawdę nie, nawet kiedy zwierzyłem się z niego dziadkowi, on zaś opowiedział mi o legendzie.

– To nie jest legenda, Nicholasie. Jestem całkiem realna. Byłam poza czasem dla kapitana Jareda, ale nie dla ciebie.

Spojrzał jej w twarz.

– Poza czasem... jak dziwacznie to brzmi, lecz... jesteś tu i teraz ze mną. Jesteś moim długiem, wyłącznie moim. Z największą ochotą bym go spłacił, gdybym tylko wiedział, czym jest to zobowiązanie.

– Czy przychodzą ci do głowy jakieś inne osobliwe rzeczy, jakie ci się przydarzyły? Tak łatwo zapomniałeś, że wiedziałeś, iż będę na tym balu, kiedy zobaczyłeś mnie po raz pierwszy, Nicholasie. I że dlatego właśnie przyszedłeś, żeby mnie odnaleźć, spotkać mnie i żeby zyskać pewność, że jestem prawdziwa. Przypominasz sobie, jak powiedziałeś mi, że znałeś mnie, kiedy mnie zobaczyłeś?

– Tak, znałem ciebie. Tak, wiedziałem, że tam będziesz. Nie wiem, jakim cudem wiedziałem, ta wiedza była po prostu we mnie, uśpiona, mogłabyś powiedzieć, do czasu mego powrotu do Anglii na wieść o śmierci ojca. A później, kiedy postawiłem stopę tu w Wyverly Chase, wszystko się zmieniło. Ale magia? Że niby jestem cholernym czarodziejem, jeśli w ogóle coś takiego istnieje? – Ponownie zaklął. – Już dobrze, już dobrze. Wyjawię ci całą resztę. W jednym z ostatnich snów o tobie, jakie śniłem, przestałaś być małą dziewczynką. Byłaś kobietą, jaką jesteś teraz. Pamiętam, jak wyskoczyłem z łóżka, zlany potem, nie mogąc ścierpieć tego, że mała dziewczynka odeszła, ponieważ była moja, ona i jej piosnka, jej cienkie warkocze, jej piegi, siła, jaką nawet ja potrafiłem w niej dostrzec. Widziałem jej ognistorude włosy i wiedziałem, że to byłaś ty, dorosła. Pamiętam, jak leżałem na wznak na łóżku i ponownie zasnąłem, niemal natychmiast i znów tam byłaś, ty – kobieta i śpiewałaś dla mnie tę piosnkę. Do cholery, tym właśnie sposobem rozpoznałem cię, kiedy cię zobaczyłem na jawie. Nie mówiłem ci tego wcześniej – to po prostu wydawało się zbyt niewiarygodne.

– Wydaje się – odparła – iż nadeszła pora, żebyś wrócił do Anglii. Moim zdaniem twoim przeznaczeniem było dotarcie do mnie, kiedy skończę osiemnaście lat. Było ci przeznaczone ożenić się ze mną, a przeznaczeniem nas obojga jest położyć temu kres – czymkolwiek to jest – i dlatego właśnie przyśniłam się ci taka, jaka jestem teraz. Kiedy byłam z dala od ciebie, w tych chwilach po lekturze *Reguł*, Sarimund oznajmił, że jestem koroną jego królestwa, zwiastunem pokoju i zagłady, wybranką, która ma prawo naprawić brzemienny grzech. Czym jest ten nieszczęsny brzemienny grzech? By móc zrozumieć czary, jak przypuszczam, trzeba po prostu zaaprobować wszystkie zawiłości, dylematy, jakie mogą doprowadzić do szaleństwa zwykłego śmiertelnika.

– Niemal trzysta lat to szmat czasu, przez jaki musiał czekać ten ktoś, kto ocalił kapitana Jareda – odpowiedział Nicholas. – Czekać na co? Jak powiedziałaś, Sarimund nazwał to brzemiennym grzechem, są to te same słowa, co w twej piosnce. *Lecz wiem o jego śmierci i jej grzechu brzemiennym.* Być może jest to grzech popełniony dawno temu przez boga lub czarodzieja, coś tak brzemiennego winą, coś na tyle złego, że nieustannie trwa przez wszystkie te lata... do chwili, kiedy nas dwoje wreszcie się zeszło.

– Tak – zgodziła się. – Tak, jesteśmy jednością. – Jej serce zwolniło rytm. – Czy sądzisz, że nasze zejście się przyniesie nam więcej wiedzy, więcej władzy?

Oddalił się od niej wielkimi krokami, potem przemierzał bibliotekę wzdłuż, na koniec dłuższą chwilę spoglądał przez okno.

– Jestem prostym człowiekiem, do licha, człowiekiem interesów – rzucił w końcu przez ramię. – Posiadam statki, mam posiadłości w Makau i w Portugalii, a także tu w Anglii. Mimo mego bogactwa wciąż jestem prosty. Do diabła, pragnę być prosty. Nie chcę zostać oderwany od tego, co jest normalne, spodziewane, do czego przywykłem.

Grzmotnął pięścią w ścianę.

– Ja tu sobie wiodę błogi żywot, a ty nawet nie wiesz, kim jesteś. Jestem głupcem... lecz prostym głupcem. Wybacz mi, Rosalindo.

– To, co mi się przydarzyło w dzieciństwie, nie stanowi twojej winy.

Podszedł do niej, chwycił ją za dłonie i przytulił.

– Jeśli rozwikłanie tego wszystkiego oznacza wcielenie się w czarodzieja, to porzucam moją prostotę. Zaczekamy do wieczora i zobaczymy, co się wydarzy.

– Otwórzcie natychmiast te drzwi, słyszycie mnie? Zamierzam odbyć rozmowę z tym przeklętym widmem! Nie ma go w salonie, zatem musi ukrywać się przede mną w bibliotece. Otwórzcie drzwi bez chwili zwłoki.

Obdarował ją szybkim całusem i odepchnął od siebie.

– Wpuścimy tu moją ukochaną macochę i pozwolimy jej poszukać kapitana Jareda?

– Zamierzasz powiedzieć jej, że to nie jest jej teść, lecz protoplasta rodu Vailów?

– Nie, niech kapitan Jared zabawia się jej kosztem, jeśli takie jest jego życzenie.

Nicholas otworzył drzwi i skinął głową przed Mirandą.

– Moja małżonka i ja musimy odwiedzić chorego dzierżawcę. Baw się zatem dobrze z naszym duchem.

Miranda zmierzyła ich oboje złowrogim spojrzeniem i odwróciła się do nich plecami.

– No dobra, ty martwy, stary potworze, jesteś tutaj? – rzekła głośno. – Nie widzę cię. Chowasz się przede mną?

W pomieszczeniu słychać było jedynie odgłos zegara z pozłacanego brązu, ustawionego na gzymsie kominka; jego miarowe tykanie przypominało krople deszczu uderzające w ciszy.

– Zatem lękasz się stawić mi czoło? Cóż, zawsze byłeś tchórzem podszyty, za twego żywota i...

Starczy głos zaintonował:

Pokraczny zraz przed sobą widzę.
Nie różę, za jaką chcesz uchodzić.
Niegodziwą czarownicę ze szpetnym nosem,
Dużym i guzowatym, zaszczepionym na zbu
twiałej róży.

– Nie jestem pokracznym zrazem ani zbutwiałą różą, ty przeklęty martwy głupcze! Jestem różą! Guzowaty? Mam nadobny nos! Cóż ty możesz wiedzieć, jesteś tylko cholernym duchem z niewyparzoną gębą. Ciebie nawet tu nie ma, jedynie twój głos i pozwól, że ci powiem, twoje rymy wcale nie są mądre. Szpetny nos, doprawdy! Pokaż się, już ja ci zademonstruję guzowaty nos.

Kapitan Jared, będąc roztropnym widmem, zachowywał milczenie.

– Nigdy mnie nie lubiłeś, nigdy nie akceptowałeś. To nie moja wina, że tamta skamląca suka umarła. Była słabeuszem, pijawką doczepioną do twego syna, kulą u nogi. Nie zabiłam jej. Twój syn też jej nie zabił. Umarła po prostu z powodu swej podłości. Twój syn kochał mnie, ożenił się ze mną, a ja dałam mu dziedzica... dałam mu trzech dziedziców... lecz moi spadkobiercy wciąż czekają za kulisami, aż ten nędzny Nicholas przeniesie się na tamten świat. Zawsze wtrącałeś swoje trzy grosze, kiedy tu przyjeżdżałam, bez żadnego powodu. Nienawidzę cię, słyszysz?

Z kąta dobiegł miękki, rytmiczny odgłos, podobny do tupania czubkiem buta o posadzkę.

Nicholas wziął Rosalindę za rękę i wyszli z biblioteki, zostawiając jego rozwścieczoną macochę oraz pogrążonego w milczeniu ducha.

Zza zamkniętych drzwi dobiegł ich jej krzyk.

– Nie jestem pokraczna! To ty byłeś pokraką, całe swoje zmarnowane życie udając, że jesteś czarodziejem. Powiedz mi, co tu się dzieje, stary grzeszniku. Mów natychmiast, inaczej nigdy stąd nie pójdę! Dlaczego mój najdroższy Richard doświadczył tej koszmarnej wizji?

Odpowiedziała jej cisza, potem głębokie, przesycone żałością westchnienie, a na koniec przytłumiony śpiewny głos:

Ona odejdzie, jeśli się odezwę,
Zostanie tu, gdy milczeć będę,
Będzie mnie nękać po wieki,
Chyba że okażę się sprytniejszy.
Olaboga, spójrz tylko na mnie teraz
Skamlącego ze strachu przed krową z guzowatym nosem.

– Sprytniejszy niż ja? Jesteś durniem. Usiłowałeś zniszczyć mnie ze szczętem, gdy byłeś moim teściem, lecz ja przetrwałam. Krowa? Jestem krową? Powinieneś mi podziękować, ponieważ to ja odesłałam z domu tego małego smarkacza, który rzucał na mnie urok tymi swymi czarnymi oczyma, kiedy chował się chyłkiem za meblami, żebym nie mogła go widzieć. Lecz ja słyszałam, jak on odmawiał zaklęcia, śmiertelne zaklęcia. Powiedziałam jego ojcu, że dyszał nienawiścią do mnie i do niego, że obawiałam się o życie nowo narodzonego synka. Jak się przechwalał, że zabije ciebie, że zabije nas wszystkich. Nicholas zawsze był diabelskim pomiotem, mówiłam to jego ojcu. W jego żyłach płynęła gęsta, zła krew. Uwierzył mi. Mąż powinien wierzyć słowom swej żony; bądź przeklęty. Teraz przynajmniej jesteś martwy, oprócz tego czegoś złośliwego, co zdołało wystawić pysk z tamtego świata. I o co chodzi z tym *olaboga*? Bez wątpienia to jeszcze jedna z twoich fanaberii. Od setek lat nikt nie używa tego słowa. Przecież ty zawsze musisz być pozerem, nawet po śmierci. Chyba każę wykopać cię z grobu i spalić twój przeklęty szkielet. To sprawi, że odejdziesz na dobre, zgodzisz się?

Nicholas i Rosalinda musieli przystawić uszy do drzwi biblioteki, kiedy kapitan Jared zaśpiewał cicho głosem zza grobu, który odbijał się niesamowitym echem.

Sztylet unosi się wysoko,
Kres jest już bliski.
Sztylet zaczyna spadać,
A ty krztusisz się z trwogi.
Książę musi zwyciężyć,
Zło musi umrzeć.
Miej baczenie, pani, bo koniec jest rychły.

Książę zwycięży? Jaki książę? Koniec jest rychły? Kapitan Jared zdawał się bardzo poważny w tym względzie. Zdaniem Rosalindy „rychły" oznaczało dzisiejszy wieczór. Usłyszeli, jak Miranda drze się wniebogłosy i rzuca poduszką w stronę kominka.

– Sądzisz, że ukrywa się w kominie? – zapytał Nicholas, szepcąc jej do ucha.

Rosalinda wzdrygnęła się.

– Gdyby pomyślała logicznie, zdałaby sobie sprawę, że to nie jest stary hrabia, lecz ktoś inny. A wszystkie te rzeczy, które mówiła twojemu ojcu... To, co zrobiła, jest złe, Nicholasie... zarzekanie się, że mały chłopiec rzucał klątwy i wysuwał groźby.

Nicholas wzruszył ramionami.

– Kiedy myślę o przeszłości, o tym, co powiedziała lub zrobiła, odczuwam niezmierną ulgę, że zmusiła mnie do opuszczenia Anglii, zmusiła do tego, bym spojrzał, jaki jestem naprawdę, i bym radził sobie na własną rękę. Gdybym tu pozostał, wychowany jako rozpieszczony syn hrabiego, być może stałbym się kimś takim jak Richard? Albo jak Lancelot?

– Stałbyś się dokładnie tym, kim jesteś, pominąwszy fakt, iż nie mówiłbyś po chińsku, a Lee Po nie musiałby korygować angielszczyzny Marigold. Zaczynam nabierać przekonania, że specjalnie robi błędy, byle tylko przyciągnąć jego uwagę.

Nie potrafił się powstrzymać, roześmiał się i pocałował ją.

– Kapitan Jared z całą pewnością daje starej babie do wiwatu, nieprawdaż?

* * *

Dzień zdawał się ciągnąć bez końca, jeszcze wiele godzin musiało upłynąć do zachodu słońca i nadejścia wieczoru. Nicholas i Rosalinda złożyli wizytę dzierżawcom uszczęśliwionym faktem, że mogą powitać świeżo upieczoną hrabinę, ukontentowanych faktem, że ich dachy przestały przeciekać, w stodołach było siano dla zwierząt, a na polach rosło zboże.

Rozmawiali jeszcze z trzema kobietami chętnymi, by śpiewać w chórze z duchem i pracować w Wyverly Chase. Zdołali też przebrnąć przez pełną napięcia kolację z trójką przyrodnich braci Nicholasa oraz jego macochą, wcieleniem hetery.

– Czy miałeś tę wizję tylko jeden raz? – zapytał Nicholas Richarda, kiedy ten sączył wyborne bordeaux.

– Zgadza się. Była realna. Była prawdą. Ale widzę, że wciąż masz tę kobietę u swego boku. Jesteś głupcem, Nicholasie, prawdziwym głupcem. – Richard wzruszył ramionami. – Dlaczego miałbym się tym przejmować? Kiedy ona wyrzuci twoje serce w krzaki, zostanę hrabią Mountjoy.

Miranda syknęła.

Richard odwrócił się ku niej.

– Cóż sprawia, że nie podoba ci się ta wizja, matko?

Miranda wymierzyła w syna widelcem.

– Takiej wizji nie powinien doświadczyć wytworny, zabójczo przystojny, pozostający przy zdrowych zmysłach młody człowiek, jak ty. Przydarza się to jedynie pomylonym starcom pokroju twojego dziadka, którego cholerny duch zaśpiewał dzisiaj do mnie „olaboga"

– Ja zaś raczej lubię jego przyśpiewki – oświadczył Aubrey, przeżuwając szynkę, specjał kucharki. – Zastanawiam się, czy pozwoli mi zaśpiewać ze sobą.

Miranda syknęła raz jeszcze.

– Wszyscy jesteście porządnie szurnięci – nie wytrzymał Lancelot i rzucił pajdą chleba w poprzek sali jadalnej. – Chcę stąd wyjechać. Nie ma żadnego powodu, byśmy zostawali w tym samym domu co morderczyni. A Nicholas zabawia się naszym kosztem. Niewątpliwie podejmie próbę zgładzenia nas albo namówi do tego swoją małżonkę.

Rosalinda zaczynała dochodzić do przekonania, że przeniesienie całego tego plemienia na tamten świat nie byłoby wcale złym pomysłem.

– Nie, o ile jego ukochana żona najpierw zadźga jego – zauważył Aubrey, a Rosalinda dostrzegła jego szeroki uśmiech za pełną łyżką zupy z cukinii. – Uwzględniając namiętny kolor jej rudych włosów, wyobrażam sobie, że posiada despotyczny charakter. Czy to prawda, Nicholasie?

– Jemu nie starczyłoby odwagi, by ją uderzyć – podjął Lancelot z pełnymi ustami. – Co zaś się tyczy jego pogańskiego służącego, przysiągłbym, że ten typ obrzuca mnie przekleństwami za każdym razem, kiedy przypadkiem go widzę. Wygląda obco. Nie lubię go.

– To prawda, Lancelocie – odparł Nicholas – że Lee Po zna liczne przekleństwa. Niektóre z nich życzą ci, byś dostał skrętu kiszek i zadławił się własnymi flakami. Na twoim miejscu trzymałbym się od niego z dala. – Nicholas przerwał na chwilę, rozejrzał się wokół stołu. – Wiecie co, być może Lancelot ma rację. Wszyscy powinniście wrócić do Londynu. Po kolacji. Albo rankiem po wczesnym śniadaniu. Dziękuję ci, Richardzie, za przekazanie informacji o wizji.

Richard zerwał się z krzesła.

– Nie!

– Nie? Dlaczegóż nie?

– Nie mogę – odpowiedział Richard.

Jego głos, cała jego sylwetka emanowały napięciem. Rozczapierzył dłonie na stole, kłykcie zrobiły się białe. Była w nim desperacja.

Rozdział 45

Kolacja wlokła się dalej, a Richard nie przedstawił żadnego wyjaśnienia. Nicholas i Rosalinda zasiedli w końcu ze swą rodziną do herbaty i wista. Lancelot był w paskudnym nastroju i rzucał kartami, jak gdyby każda z nich była bronią. Aubrey drażnił się z nim, schlebiał mu, że jest tak śliczny jak rzadko która dziewczyna, co zdaniem Nicholasa niezbyt dalece odbiegało od prawdy. Uśmiech nie znikał z twarzy najmłodszego z przyrodnich braci, jego dobry humor zdawał się niewyczerpany. Z drugiej strony wypadało stwierdzić, że Aubrey spędzał większość czasu w Oksfordzie.

Richard pogrążony był w myślach, zwiesiwszy jedną obutą nogę przez oparcie fotela. Dlaczego – Nicholas znów zadawał sobie to pytanie – Richard był do tego stopnia zaniepokojony? Skoro Rosalinda rzeczywiście go zasztyletowała, dlaczego nie wznosił w triumfalnym toaście kieliszka brandy?

Z ulgą opuścili tę czwórkę, zamykając za sobą drzwi salonu.

– Zastanawiam się, gdzie kapitan Jared spędza ten wieczór? – przemówiła Rosalinda, kiedy szli w kierunku sypialni hrabiego.

– Zachowywał się cicho i nie mogę go za to obwiniać – odparł Nicholas.

Założyli peleryny.

– W Krainie za Ostrokołem może być całkiem chłodno – stwierdziła Rosalinda, zawiązując na supeł tasiemki z czarnego aksamitu.

– Czuję się niezmiernie głupkowato, leżąc w łóżku i czekając. Czekając na co? Jak, do diabła, dostaniemy się do Krainy za Ostrokołem? Nie mam przecież latającego dywanu.

– Musimy być cierpliwi i zaczekać; nie mamy wyboru. Chciałbyś, żebym ci zaśpiewała?

Usiadł.

– Nie, wolałbym raczej przekonać się, czy będziesz teraz w stanie przeczytać końcowe strony *Reguł*.

Usiadła obok niego.

– Nie mogę uwierzyć, że o tym zapomniałam. Twoim zdaniem Sarimund zdjął z nich zasłonę oraz uwolnił ostatnie stronice z drugiej księgi?

– Niebawem się przekonamy, czyż nie?

Sięgnął po wolumin umieszczony w górnej szufladzie komody.

Rosalinda usiadła w dużym wygodnym fotelu przz kominku, a Nicholas stanął obok niej, rozkładając ramiona w stronę niemrawych płomieni

Jej palce drżały, kiedy kartkowała księgę, dochodząc do jej końca. Spojrzała na dół, na tekst, potem podniosła wzrok na Nicholasa.

– Potrafisz to teraz przeczytać – zgadywał. – Gdybyś nie potrafiła, nie miałoby to najmniejszego sensu.

Odchrząknęła i zaczęła czytać:

– Dobrnęliśmy do końca, nie mogę zaoferować więcej pomocy, gdyż obiecałem się nie wtrącać.

Jesteś darem, Isabello, nigdy nie powątpiewaj w to, że jesteś dzielna i sprawiedliwa, przenik-

nięta honorem do szpiku kości. Wiele razy przekonałem się, że dar jest długiem wobec kogoś innego.

Muszę jednak ostrzec cię, żebyś nie ufała nikomu ani niczemu, czy będzie to bóg, czy bogini, czarodziej czy czarownica. Nie bierz za dobrą monetę tego, co zobaczysz, gdyż może to wcale nie być rzeczywistością. Mieszkańcy Krainy za Ostrokołem kreują obficie iluzje oraz nagłe zwidy, chcąc doprowadzić do obłędu tych, którzy nie zachowują ostrożności. Kieruj się nieufnością. Bądź ostrożna.

Lecz wiedz, że zło nie jest w stanie cię tknąć.

Do widzenia, moja słodka dziewczynko. Musisz śpiewać, nigdy nie zapominaj o śpiewaniu.

Sarimund

Przez dłuższą chwilę Rosalinda wpatrywała się w ostatnią stronicę, zanim wreszcie podniosła wzrok na męża.

– Mam na imię Isabella.

Spojrzał na nią w głębokim zamyśleniu, przeciągając palcami po podbródku.

– To piękne imię. Zastanawiam się, skąd Sarimund na trzysta lat przed twoimi narodzinami wiedział, że masz na imię Isabella.

– Jeśli to rzeczywiście jest moje imię w teraźniejszości. Dlaczego jednak nie podał jednocześnie mojego nazwiska?

– Mówimy tutaj o magii i czarach, zatem naturalną koleją rzeczy mówimy też o zaciemnianiu rzeczywistości. Dochodzę teraz do przekonania, że do wypowiedzenia właściwego magicznego zaklęcia konieczny jest mrok ducha; trzeba się posłużyć dwuznacznymi metaforami. I koniecznie należy doprawić zaklęcia słowami z innego świata, które nie pasują do zrozumiałych formułek. Wracając do okropnych rymowanek kapitana Jareda... o ile jego duch zechce ukazać się choćby jeszcze raz, chętnie skręciłbym mu ten cholerny kark. Zastanawiam się, czy istnieje więcej reguł – ważnych reguł – które Sarimund wciąż skrywa przed nami.

Rosalinda przechyliła głowę.

– Skoro jesteś czarodziejem, powinieneś o tym wiedzieć.

– Jeśli jestem czarodziejem, to ty, pani, jesteś czarownicą.

Zaczął chodzić po sypialni, a poły peleryny powiewały wokół jego kostek. – Jestem prostym człowiekiem. Naprawdę nim jestem. I podoba mi się imię Isabella.

– To zapewne oznacza, że jestem Włoszką. Och, niech Sarimund będzie przeklęty. Dlaczego ten dureń nie napisał mojego imienia wraz z nazwiskiem? Ach tak, to oznaczałoby złamanie reguł magii. Wiesz co, Nicholasie, uważam, że trzeba czytać zapomniane teksty, żeby myśleć kategoriami magii.

– Nie mieszaj mnie do tego. Pragnę jedynie przechadzać się po moich włościach, doglądać, dobytku, patrzeć, jak udają się jęczmień i żyto, oraz kochać się z moją małżonką do chwili, gdy nie będę mógł się ruszać. Aha, i jeśli Bóg nam pobłogosławi, to jeszcze zapełnić pokój dzieci w Wyverly Chase. Nie spoglądaj na mnie takim wystraszonym wzrokiem. Nie mam zamiaru naruszać teraz twej czcigodnej nietykalności. – Przejechał palcami po włosach. – Teraz pragnę mieć to za sobą. Spójrz, o pani, oto cierpliwy mężczyzna. Chodź, połóż się ze mną.

Leżeli obok siebie, znów trzymając się za ręce; z kapą naciągniętą na peleryny i obute stopy. Wymiana zdań między nimi słabła. Rosalinda była już na granicy snu, kiedy dosłyszała cichy i niski głos Nicholasa.

– Jeśli tego nie przeżyjemy, Rosalindo, wiedz, że cię kocham. Podobnie jak ze Smokiem znad Jeziora Sallas, jesteś moją wybranką na całe życie. Modlę się, żebyśmy przeżyli tę eskapadę, żebyśmy mogli nacieszyć się długim i szczęśliwym żywotem.

– Ja też cię kocham, Nicholasie. Wydaje się, że kochałam cię przez całe moje życie – nieważne które. To zdumiewające, jak się czuję za twoją sprawą; jak pragnę biegać, skakać i śpiewać.

Upajał się tą chwilą. Ta niewiarygodna kobieta, o której śnił przez tak wiele lat, naprawdę obdarzyła go miłością, mimo... mimo czego? Zastanowił się, potem spochmurniał. Lecz nie drążył dalej tego pytania, ponieważ raptem wszystkie słowa, wszystkie myśli zniknęły z jego umysłu i po prostu zasnął.

Nagle oboje zerwali się z łoża.

– Cóż, do diabła?

– Nie wiem – odparła Rosalinda i chwyciła go kurczowo za dłoń.

Patrzyli, jak dogasające popioły w kominku nagle się rozżarzyły. Płomienie skoczyły w górę, wydając głośny i huczący odgłos, jak gdyby ogień zasysał całe powietrze w komnacie. Języki ognia to rozbudzały się gwałtownie, to znów przygasały, pomieszczenie wypełnił odgłos podobny do świstu gwałtownego wiatru.

Nicholas zaklął i przyciągnął żonę mocno do siebie.

– Nie puszczaj się mnie – krzyknął – cokolwiek się stanie, nie puszczaj się mnie! Słyszysz?

Skinęła głową, niezdolna przemówić, wpatrując się oniemiałym wzrokiem w ryczące płomienie. Odgłos zasysania stał się jeszcze bardziej ogłuszający. Barwa ognia zmieniła się w jasnoniebieską, potem przeszła w intensywny szafir. Patrzyli, jak fotel obraca się wokół własnej osi do chwili, gdy zniknął w wirującym leju. Wydawało się, że połknęły go ogromne języki ognia. Fotel zniknął. Błękitne płomienie huczały i wzbijały się w górę, jakby pragnęły sięgnąć nieba.

Potem ogromny wir skierował się wprost ku nim. Poczuli, jak porywa ich jakaś niewyobrażalna siła, wbrew ich woli szarpnęła ich za stopy i pociągnęła w stronę ryczących płomieni, które wyskoczyły teraz z kominka i znów uformowały ogromny lej, który sięgał po sufit. Języki ognia wypełniały komnatę, obracając się z zawrotną prędkością, czemu towarzyszył niewiarygodny hałas. Nigdzie nie pojawił się jednak dym, nie było też specjalnie gorąco.

Zapanowało istne szaleństwo.

Nicholas instynktownie chwycił kolumienki podtrzymujące baldachim, stawiając opór niezwykłej sile, z jaką zasysał wir.

– Nie, Nicholasie – powiedziała spokojnym głosem Rosalinda. – Wszystko jest w porządku. Puść je.

Puścił, a wir pochwycił ich gwałtownie, szarpnął nimi obojgiem i zakręcił nimi z taką szybkością, że przestali cokolwiek wiedzieć i słyszeć z wyjątkiem ogłuszającego ryku. Poczuła, że Nicholas mocno ściska jej dłoń

Potem nie słyszeli już niczego więcej.

Rozdział 46

Rosalinda powoli uniosła głowę. Myślała trzeźwo. Miała sucho w ustach.

Nie czuła lęku. Leżała na Nicholasie, który czuł się naprawdę błogo w tej pozycji.

Dotknął dłonią jej policzka.

– Co się stało?

– Moim zdaniem ognisty wir jakimś cudem przeniósł nas do Krainy za Ostrokołem. To było kreteńskie światło opisane przez kapitana Jareda. Przypominasz sobie?

Nic nie odpowiedział, tylko podniósł ją z siebie i posadził obok.

– Wydaje się, że wylądowaliśmy w jakiejś jaskini. Spójrz na piaszczyste podłoże oraz otwór, o tam. Nie widzę tylnej strony pieczary... panują tam egipskie ciemności. Zastanawiam się, jaka jest duża.

Rosalinda nie zawracała sobie głowy rozmiarami jaskini; musiałaby mieć przystawiony nóż do szyi, żeby ktoś zmusił ją do eksplorowania groty.

Wstali powoli i ruszyli w kierunku wyjścia, potem rozejrzeli się dookoła. Wysoko nad ich głowami świeciły jaskrawo trzy krwistoczerwone księżyce.

– Och, jakie to piękne.

Widok był wprawdzie obcy i nienaturalny, lecz jego całkowita odmienność w tym momencie zajmowała ich w najmniejszym stopniu. Nicholas zaklął i uderzył się dłonią w czoło

– A niech to szlag, cóż ze mnie za głupiec! Paradujemy tu w pelerynach i butach, przygotowani na chłód i wędrówkę po górach, a ja zapomniałem o broni. Nie wziąłem jej.

– Sarimund nie wspominał nic o tym, byśmy jej potrzebowali – zauważyła Rosalinda i przysunęła się bliżej do jego boku, zastanawiając się przy tym, czy ktoś celowo odsunął myśli Nicholasa od tej kwestii.

– Nie napomknął również o noszeniu peleryny – odparł i ponownie zaklął. – Cóż, możemy porzucić wszelką nadzieję o orężu. W porządku, wiem, że nie powinniśmy rozpalać ogniska, ponieważ zjawią się ogniste stwory, które zeżrą wszystko, cokolwiek zapłonie. Mam rację?

– Tak.

– Wobec tego zastanawiam się, jak ktokolwiek tutaj coś ugotował, skoro te ogniste stwory zawsze próbują zdusić ogień w zarodku.

– Zapytamy o to czerwonego Lasisa, kiedy go odnajdziemy. Musimy się z nim zaprzyjaźnić, dzięki temu będzie nas bronił przed Tiberami. Mam nadzieję, że Sarimund szybko do nas przyjdzie. On sam powiedział, że od dawna na mnie czeka.

– Nie potrafię wyobrazić sobie spotkania z kimś, kto liczy sobie trzysta lat – odparł Nicholas. – No dobra, potrafię... kapitan Jared. Czy twoim zdaniem Sarimund będzie tylko duchem i uraczy nas śpiewem?

– Widziałam go tylko po drugiej stronie wielkiego kotła, jak w nim mieszał. Wyglądał bardzo realnie.

– Miejmy nadzieję, że jesteśmy w Dolinie Augura – rzekł Nicholas – i że tam na końcu równiny, za wijącą się jak cienki wąż rzeką znajduje się Góra Olyvan. Jeśli Sarimund nie nadejdzie, jeśli nie zdołamy odnaleźć Smoka znad Jeziora Sallas, by nas przeniósł nad jej nurtem, będziemy musieli przeprawić się na drugi brzeg. O ile dobrze sobie przypominam, nie wolno nam przekraczać rzeki do chwili, kiedy trzy krwistoczerwone księżyce nie wzejdą razem nad Górą Olyvan. Zastanawiam się skąd to ograniczenie? Rzeka wcale nie wygląda na głęboką, jej nurt wydaje się spokojny, ponadto nie ma chyba więcej niż cztery i pół metra szerokości.

– Jeśli wsuniesz do rzeki choćby palec u nogi, zanim trzy krwistoczerwone księżyce znajdą się w pełni, skopię ci tyłek.

Nie miał pojęcia, skąd się to wzięło, lecz wyszczerzył do niej zęby w uśmiechu.

– Księżyce nie są jeszcze w pełni, prawda?

– Nie. Dopiero jutrzejszej nocy.

– Wydajesz się tego bardzo pewna.

Przez moment sprawiała wrażenie zaskoczonej.

– Tak, jestem pewna. A ty nie?

Spoglądał na nią przez chwilę.

– Być może istnieje inny sposób – rzekł w końcu – by dostać się na Krwawą Skałę, oprócz przeprawy przez rzekę lub odnalezienia Smoka znad Jeziora Sallas, by nas tam zabrał.

Odwróciła się od niego raptownie i zaczęła iść w stronę samotnego drzewa, które stało na małym wzgórku w odległości jakichś sześciu metrów.

– Nie, Rosalindo – krzyknął Nicholas. – Musimy trzymać się razem. Wracaj.

Nie przestawała iść w kierunku drzewa, a przynajmniej tak się jej zdawało, że to jest drzewo. Nie wiadomo, dlaczego miało jaskrawożółtą barwę i bardzo długie nagie gałęzie odchodzące od pnia, poruszające się leniwie niczym cienkie rozchwiane ramiona. Paradoksalnie nie było żadnego wiatru, nawet najlżejszej bryzy, która wprawiałaby w ruch gałęzie.

Raz jeszcze zawołał ją po imieniu, lecz ona wciąż się nie odwracała.

– Isabello! Wracaj tu! – krzyknął.

Tym razem odwróciła się i posłała mu tajemniczy uśmiech.

– Chciałbym, żebyś mi zaśpiewała – rzekł do niej.

Widział, jak jej włosy lśnią równie płomienną czerwienią, jak trzy księżyce nad jej głową. Jej twarz pozbawiona była koloru, nie tak biała, jak biel, która otoczyła ich poprzedniej nocy, lecz bladość jej rysów była wyraźna. Tylko czy to rzeczywiście była poprzednia noc? Wydawało się, że upłynęły całe wieki. To była Rosalinda, chociaż zarazem to nie była ona. Mógłby przysiąc, że z jej głowy biły czerwone skry, formując karmazynową aureolę... Jej peleryna i suknia gdzieś zniknęły, a w ich miejsce pojawiła się długa biała szata, przewiązana cienkim złotym kordonkiem w talii. Poczuł nagły przypływ lęku.

– Proszę, Isabello, zaśpiewaj mi.

Zrobiła kilka kolejnych kroków ku niemu i zaintonowała:

Marzę o pięknie i niewidzialnej nocy,
Marzę o potędze i rozpalonej mocy,
Marzę o tym, że nie jestem sama znów,
Lecz wiem o jego śmierci i jej grzechu
brzemiennym.

Opuściła głowę, on zaś usłyszał jej westchnienie, głębokie i szarpane, jak gdyby wydarte z dna jej duszy.

– Ona pragnie go zabić, ze wszystkich sił. On jest tylko małym chłopcem; nie ma w nim choćby krzty zła, wcale. Lecz ona obawia się go, obawia się, że gdy dojdzie do męskiego wieku, wypędzi wszystkich innych czarnoksiężników i czarownice do miejsca bardziej odległego niż śmierć.

Podszedł do niej. Nie poruszyła się. Wyciągnął ku niej rękę, lecz jej nie dotknął.

– Jaki mały chłopiec?

Poczuł, jak jego serce bije mocnym rytmem.

– Nazywa się książę Egan. Jest synem Epony; jej i Sarimunda. Muszę go chronić. Muszę go ocalić.

– Skąd znasz jego imię?

W ułamku sekundy spojrzała na niego jasnymi, niebieskimi oczami Rosalindy, nie Isabelli.

– Ostatnia strona księgi Sarimunda... ani ty, ani ja nie widzieliśmy nic poza nieskazitelnie białą kartką, jednak wiedz, że tam było coś napisane. Teraz widzę bardzo wyraźnie jego imię. Muszę się pospieszyć. Epona dowie się, że tu jestem, i zabije go.

– Co masz na myśli?

– Zaklęcie Sarimunda powstrzymywało jej rękę. Nie może go zgładzić, dopóki mnie tu nie ma.

– Ale jak?

– Nie wiem. Musi przyjść tu szybko i powiedzieć mi, co powinnam zrobić, żeby ocalić Egana.

– Jeśli nie ocalisz księcia Egana, ja również zginę?

W końcu wydusił to z siebie.

Nieoczekiwanie jej rude włosy zjeżyły się, jakby przeleciał przez nie piorun.

– Jeśli jej nie powstrzymam, ona zabije Egana. Wtedy to już będzie bez znaczenia, nieprawdaż?

Przerażający ryk rozdarł ciszę, dobiegając wprost zza placów Nicholasa. Mężczyzna odwrócił się i ujrzał potwora, który wyglądał jak skrzyżowanie lwa i jednej z tych dziwacznych bestii, które przemierzały zachodnie równiny Ameryki. Bestia znów ryknęła i otwierając szeroko wielką paszczę, ukazała kły ostre jak sztylety. Ten stwór musiał być Tiberem.

Tiber skoczył na niego, próbując chwycić go za gardło. Kły zwierzęcia błyszczały w czerwonawej księżycowej poświacie.

– Uciekaj, Isabello, uciekaj – wykrzyknął Nicholas.

Chwyciła szatę i pobiegła w stronę samotnego żółtego drzewa. Odłamała jedną z długich nagich gałęzi i ruszyła pędem w stronę człowieka i bestii siedzącej na nim, unosząc gałąź wysoko nad głową. Nagle Nicholas znalazł się na górze nad zwierzem, zaciskając dłonie na jego gardzieli. Trafiłaby Nicholasa, gdyby teraz uderzyła. Tiber rzęził wściekle, z jego wielkiej paszczy wyciekała obficie żółta ciecz. Z furią młócił powietrze kopytami i łapami. Zakwiczał rozpaczliwie, a Rosalinda dostrzegła, że jego kły były równie żółte jak drzewo. Kły, które unosiły się ku górze, w stronę gardła Nicholasa.

– Nicholasie, przeciągnij go tak, żeby znalazł się znowu na tobie!

Mężczyzna wygiął się i z całych sił kopnął w brzuch Tibera. Bestia zawyła, on zaś przeturlał się, podniósł nogi w górę, objął nimi kark zwierza i odciągnął go, umieszczając nad sobą. Rosalinda zamachnęła się ze wszystkich sił i zdzieliła bestię w głowę. Cios był tak potężny, że gałąź zadrżała w jej dłoniach. Tiber odchylił głowę, chcąc skierować wzrok na nią i otrzymał drugi cios, tym razem jeszcze mocniejszy. Gałąź rozszczepiła się; zaczął z niej wytryskiwać żółty piasek.

– Nie, moja pani, nie zabijaj mnie. Zobaczyłem, jak ten mężczyzna wyciąga ręce ku tobie i doszedłem do przekonania, że pragnie cię skrzywdzić. Gałąź z drzewa Sillow jest potężną bronią, nigdy wcześniej żaden człowiek nie wiedział, jak się nią posługiwać.

To coś zupełnie niespodziewanego – pomyślał Nicholas i zwolnił uchwyt nóg, którymi ściskał szyję Tibera. Zwierzę powoli odturlało się od niego i stanęło na czterech łapach, otrząsając jednocześnie kudłate brązowe futro. Nie, nie całkiem brązowe, na grzbiecie bowiem widniały ciemnoniebieskie pasy.

Tiber stanął przed nimi, ze spuszczoną głową, ciężko dysząc.

Rosalinda opuściła konar, patrząc jak wysypuje się z niego jeszcze więcej żółtego piasku.

– Przepraszam – powiedziała do gałęzi. – Przepraszam.

Nicholas wstał; spoglądał na przemian to na nią, to na Tibera, który teraz ocierał głowę o kilka wystających z ziemi skał.

– Spójrz na mnie, Tiberze. Sarimund nie napisał, że potrafisz mówić. Napisał wyłącznie, że jesteś naszym wrogiem. Jakim cudem potrafisz mówić? I jakim cudem cię rozumiemy?

Zwierzę uniosło szkaradny łeb.

– Tiber jest wrogiem wszystkiego, wliczając w to człowieka, lecz nie jest twoim wrogiem, milordzie.

Milordzie?

– Nie rozumiem – odparł Nicholas. – Sarimund napisał, że zawrzemy przyjaźń z czerwonym Lasisem, by mógł chronić nas przed tobą. Dlaczego nazwałeś ją panią? Dlaczego zwracasz się do mnie „milordzie”? Z jakiego powodu nie jesteś naszym wrogiem? Jesteśmy ludźmi. Ja jestem człowiekiem.

– Przekonasz się, milordzie, że w Krainie za Ostrokołem możliwe są wszelkie rzeczy – odparł Tiber.

Tiber zaczął się przepoczwarzać. Powoli przemienił się w smoka i oboje wiedzieli, że był to Smok znad Jeziora Sallas, którego opisał Sarimund. Miał złoty pysk, oczy z jaskrawych szmaragdów, grzbiet pokrywały mu wielkie łuski o trójkątnym obrysie wysadzane diamentami. Smok przewrócił szmaragdowymi oczyma, spoglądając na nich oboje.

– Popatrzcie, nie jestem Tiberem. Był to pierwszy raz, kiedy przyjąłem jego postać. Wredny z niego stwór, w jego małym rozumie mieści się jedynie żarcie i zabijanie. Nie miałem o tym pojęcia. Nigdy więcej tego nie uczynię, bez względu na to, ile byłoby w tym zabawy.

Smok obrócił wielką głowę w kierunku Rosalindy i rąbnął przy tym ogonem, powodując, że zadrżała ziemia.

– Masz wielką moc w ramionach, pani. Wybacz mi, milordzie, byłem szczerze przekonany, że jesteś napastnikiem. Teraz widzę wyraźnie, że jednak nie byłeś. A ty, pani, wiedziałaś, że trzeba mnie uderzyć konarem z żółtego drzewa Sillow. To zdumiewające.

Smok ukłonił się przed nią, składając na moment olbrzymie skrzydła nad głową. Następnie podniósł wzrok i spoglądał w górę na trzy krwistoczerwone księżyce.

– Nie jesteś bogiem – oświadczył Nicholas i wpatrywał się w szmaragdowe oczy smoka.

Smok ponownie odwrócił głowę w stronę Nicholasa.
– Oczywiście, że tak.
– Nie, inaczej natychmiast wiedziałbyś, kim jestem. Wiedziałbyś, że nie zamierzam jej skrzywdzić. Nie musiałeś wcale mnie atakować. – Wzruszył ramionami. – Albo, jeśli jesteś bogiem, musisz być jeszcze nowicjuszem.
– Taranis potrafi jedynie śpiewać – wtrąciła Rosalinda. – Przynajmniej tak wynika z naszej lektury. Ty zaś do nas przemawiasz.
– Nie, przekazuję wam moje myśli. Nie śpiewam zbyt dobrze.
Smok rozprostował ogromne skrzydła i wzniósł się w powietrze na wysokość ponad trzech metrów, potem unosił się na tej wysokości niemal nie poruszając skrzydłami, a jego sylwetka rysowała się dramatycznie na tle księżyców, lecz na Nicholasie nie zrobiło to szczególnego wrażenia. Był rozzłoszczony. Wygrażał pięścią ku górze.
– Zaprzestań swoich gier, smoku, wcale się ciebie nie boję. Czy masz na imię Taranis? Przestań się tu pysznić i podejmować próżne wysiłki, które mają nas przestraszyć. Jeśli życzysz sobie lekcji sztuk pięknych, poproś mnie, bym cię nauczył. A teraz rozkazuję ci, byś usiadł i powiedział nam, co się tutaj dzieje.
– Wiem, kim jesteś – odparł smok, uderzając potężnymi skrzydłami i wznosząc się wyżej. Z jego pyska wysunął się płomień ognia; lecz smok szybko go połknął, z trudem prężąc masywną szyję. – Tak, wiem dobrze, kim jesteś, milordzie. Miałem w oczach ziarna pustynnego piasku i nie mogłem widzieć cię wyraźnie.
Potem wzleciał jeszcze wyżej, aż zrównał się wielkością ze środkowym księżycem. Przez chwilę

tak trwał, z premedytacją rzecz jasna, znowu się pysząc. Widzieli jego czarną sylwetkę na krwistoczerwonym tle, a smok wyglądał jak szalony malunek w książce z baśniami. Usłyszeli głos tak blisko, iż wydawało się im, że rozległ się tuż za nimi.

– Wystrzegajcie się Tibera. Jest bardziej perfidny niż niejeden z czarodziejów na Krwawej Skale. Odszukajcie czerwonego Lasisa. Co do Sarimunda, któż wie, cóż uczyni ten człowiek-czarodziej?

Nicholas i Rosalinda odwrócili się gwałtownie, lecz nikogo tam nie było.

Nicholas pokręcił głową z niedowierzaniem.

– Wyobraź sobie, że to okropne smoczysko wypowiedziało tę przestrogę jedynie w naszych myślach. Do licha z nim.

Przerwał i dotknął lekko palcami włosów Rosalindy.

– Smok nazywał cię „milordem", a mnie „panią" – podjęła Rosalinda. – Zastanawiam się dlaczego. Jeśli on jest Smokiem znad Jeziora Sallas, po co te wszystkie sztuczki? Och, tak, zapomniałam... reguła magii.

– Kiedy następnym razem przeleci obok nas, chciałbym się dowiedzieć, czy tytuł „milord" zapewnia mi jakieś szczególne przywileje w Krainie za Ostrokołem.

Przyciągnął ją bliżej do siebie.

– Skąd wiedziałaś – rzekł – że trzeba odłamać gałąź z żółtego drzewa Sillow i uderzyć nią Tibera w głowę?

– Wcale nie myślałam, po prostu tak zrobiłam. Mój Boże, wydaje mi się, że drzewo stęknęło.

Nicholas zaczął przesuwać dłonie w dół i w górę po jej plecach. Chyba nie zauważyła, że miała na sobie szatę, jaką mogła nosić średniowieczna dama lub dama z jeszcze odleglejszych czasów, kapłanka opiekująca się ołtarzem w Stonehenge.

– Już wszystko dobrze. Uratowałaś mnie, a ja ci dziękuję. Mam nadzieję, że przyprawiłaś tego pyszałkowatego smoka o porządny ból głowy. – Wbił w nią wzrok w tym momencie i głaskał ją dłonią po włosach, owijając wokół palca lok rudych włosów. – Rosalindo, zanim Tiber zaatakował, stałaś się kimś innym albo być może przesunęłaś się w kierunku kogoś innego. Zdajesz sobie z tego sprawę?

Powoli przytaknęła, wtulona w jego ramię.

– Wiem jedynie, że jestem inna w Krainie za Ostrokołem. Zmienił się mój wygląd i moje szaty. Gdzie się podziewa Sarimund?

Znów wtuliła się w jego objęcia. Odwróciła od niego wzrok i spojrzała w dal nad rozległą jałową równiną między Doliną Augur i Górą Olyvan.

– Rosalindo? – przycisnął ją mocniej i szepnął do ucha – Isabello?

– Muszę ją powstrzymać, Nicholasie. Powiedziałam ci, że teraz, kiedy już tu jestem, nic nie powstrzymuje dłużej jej ręki. W niej jest zło, ona go zabije.

– Czy Epona również jest jasnowidzem? Czy zdołała zajrzeć w przyszłość i przewidzieć własną śmierć, o ile pozwoli swemu synowi, księciu Eganowi, osiągnąć wiek męski?

– Wydaje mi się, że to był Latobius – odpowiedziała Rosalinda, a jej głos stał się niższy, podbarwiony osobliwą śpiewną intonacją. – Bóg gór i nieba, który widział, jak doszło do zagłady Krwawej Skały. Odczuwa bardzo intensywnie. Często też mocno cierpi z powodu uczynków innych. Gdyby Egan miał umrzeć, z pewnością poruszyłoby go to niewypowiedzianie. – Spojrzała w dół. – Moja przepaska jest ze złota, splecione ze sobą cienkie nitki. Mam też dłuższe włosy.

– Wyglądasz jak księżniczka, być może jak kapłanka.

Co prawda jego głos emanował spokojem i aprobatą, lecz on sam nie rozumiał, co się dzieje z Rosalindą. Wiedział jedynie, że teraz nie powinno to mieć żadnego znaczenia. Usłyszał odgłos cichego podmuchu i spojrzał na dół. Wziął ją za rękę i oboje patrzyli, jak żółty piasek był wdmuchiwany do obu połówek złamanej gałęzi drzewa Sillow, chociaż nie czuli nawet najlżejszego podmuchu wiatru. Obserwowali, jak obie połówki gałęzi zrosły się idealnie dopasowane. Patrzyli, jak ziarenka żółtego piasku przesuwają się po gałęzi i powoli wnikają w nią. Zabliźniają ranę?

Nicholas podniósł konar. Podszedł z powrotem do żółtego drzewa Sillow i ostrożnie przystawił gałąź w miejscu, w którym widniała postrzępiona rana. Gałąź natychmiast zrosła się z pniem.

– Jestem potężnym uzdrowicielem drzew! – zawołał do Rosalindy.

– To dlatego, że jesteś czarodziejem – odparła rzeczowo.

Stanęła obok niebo. Dotknęła gałęzi.

Po swej lewej stronie Nicholas dosłyszał głośne trzaski, niczym huki wystrzałów.

Rozdział 47

Rozległ się kolejny odgłos podobny do wystrzału, i jeszcze jeden, za każdym razem głośniejszy.

Nicholas odrzucił głowę do tyłu.

– Przerwij ten piekielny hałas – zawołał. – Słyszysz mnie? To wcale nie budzi trwogi, jedynie drażni. Przerwij to, rozkazuję ci!

Szaleńcza kanonada ustała.

Wokół zapadła cisza.

– To był smok – rzekł Nicholas. – Nie mam zamiaru tolerować tej niedorzeczności.

Jego głos pobrzmiewał teraz chłodem i zniecierpliwieniem.

Jego wygląd uległ zmianie – miał dłuższe włosy nadające mu wygląd barbarzyńskiego wojownika, gotowego użyć gwałtu i przemocy. Nie miał już na sobie peleryny. Był teraz ubrany w czarne pumpy, bufiastą białą koszulę oraz czarne buty z cholewami do kolan. Wyglądał groźnie. Wyciągnęła ku niemu rękę i dotknęła jego przedramienia.

– Nic ci nie jest?

Potrząsnął głową z niecierpliwością.

– Oczywiście, że nie. Jestem po prostu taki, jaki powinienem być tu, w Krainie za Ostrokołem. Podobnie zresztą jak i ty.

To miało sens. Albo było iluzją, przed czym zresztą ostrzegał ich Sarimund.

– Wyglądasz jak wojownik – powiedziała.

– O te zmiany w nas zapytamy Sarimunda, o ile ten mierny pisarzyna zechce się tu pokazać. – Te zmiany nie budziły w nim niepokoju. – Nie martw się. Poradzimy sobie z tym. Musimy odnaleźć czerwonego Lasisa.

Kiedy się odwrócili, ujrzeli prześliczne stworzenie stojące u wejścia do groty, dorównujące czerwienią krwistoczerwonym księżycom na nieboskłonie. Jego okrywa lśniła, jakby sierść czesano każdego dnia. Mięśnie odnóży zachwycały rzeźbą, grzbiet był szeroki, a szyja długa i pełna wdzięku. Istota ta wyglądała jak skrzyżowanie konika szetlandzkiego z koniem rasy arabskiej czystej krwi. Ogromne oczy na długim, wąskim pysku miały kolor ciemnoszary, choć jednocześnie jaskrawy.

Czerwony Lasis nie odzywał się, tylko się w nich wpatrywał. Jego rzęsy były długie do granic absurdu. Nicholas wiedział w jednej chwili, że czerwony Lasis był nadzwyczaj próżny na swym punkcie, i pomyślał: Jeszcze jedna mała osobliwość.

– Czy jesteś Bifrostem? – zapytał, zachowując całkowity spokój, przytrzymując Rosalindę dociśniętą do swego boku.

Czerwony Lasis skłonił głowę.

– Jesteś najstarszym czerwonym Lasisem w Krainie za Ostrokołem?

Bifrost odpowiedział, śpiewając pięknym, słodkim głosem.

Tak, jam jest.
Tak, stary jestem.

Przybyłem przed czasem.
Tak wieść niesie.

Nie ma w tym poezji, rymy też kiepskie – pomyślał Nicholas.

– To wcale nie takie złe rymy – rzekł Bifrost. – Tak, tak, potrafię czytać w twoich myślach. Jesteś surowy w ocenie. Rymy to trudna rzecz. Porozmawiajmy zatem ludzką mową.

– Sarimund napisał, że będziesz nasz chronił przed Tiberami – odparł Nicholas. – Lecz nie było cię tutaj, kiedy przybyliśmy do Krainy za Ostrokołem.

Bifrost przytaknął bez pośpiechu. Tym razem melorecytował.

– Jestem jedynym ocalałym czerwonym Lasisem w Krainie za Ostrokołem. Mój towarzysz zginął podczas księżycowej burzy... Burza pojawia się czasami, kiedy trzy krwistoczerwone księżyce są w pełni. Być może raz na tysiąc lat dochodzi do burzy, a tarcze księżyców zachodzą na siebie. Rozlega się rozdzierający odgłos, który sprawia, że wszyscy wybiegają na zewnątrz, żeby zobaczyć, co się dzieje. Ogromne ogniste oszczepy księżyca wyrzuconego z orbity, żarzące się czerwienią, spadają na ziemię. Tamtego razu, na nieszczęście, jeden z płonących oszczepów zabił moją towarzyszkę, która stała samotnie obok drzewa. Jestem sam. Tibery jednakowoż nie wiedzą o tym.

Raz na tysiąc lat?

– Kiedy to się wydarzyło? – zapytała Rosalinda.

– Być może podczas ostatniej pełni księżyca, lecz wątpię, by to mogła być prawda, za każdym razem, kiedy o tym rozmyślam wnikliwie. Moi kuzyni są barwy czarnej i brunatnej, nudna zgraja bez wyobraźni. Zawsze by tylko narzekali, taka ich natura. Nawet Tibery nie jedzą ich z ochotą, gdyż są zanadto słoni, przynajmniej tak się mówi. Lecz Smoki znad Jeziora Sallas twierdzą, że ich mięso jest nadzwyczaj słodkie. Wszelako smoki nie jadają mięsa, zatem zastanawiam się, skąd mogą to wiedzieć.

– Tibery wciąż nie zdają sobie sprawy, że jestem jedynym czerwonym Lasisem, jaki pozostał w Krainie za Ostrokołem. One są do tego stopnia głupie. Przybyłem tu, żeby zobaczyć, czy nic się wam nie stało i czy wyszliście cało z potyczki z synem Taranisa, Clandusem, rozpuszczonym małym bisurmanem. Oboje radziliście sobie naprawdę świetnie.

– Kim jest bisurman? – chciała wiedzieć Rosalinda.

Czerwony Lasis zatrzepotał powiekami.

– Bisurman to szczególnie szkodliwe stworzenie, które zawsze usiłuje stwarzać wrażenie, że jest ważniejsze niż w rzeczywistości. Zabiłbym wszystkie nędzne bisurmany, gdybym nie był tak bardzo przygnębiony. – Bifrost opuścił głowę i ciężko westchnął.

Po kilku chwilach milczenia, którego nie chcieli przerywać, Bifrost ponownie uniósł głowę i przemówił z nieco większym wigorem.

– Być może głupią rzeczą było to, co zrobiłeś, milordzie, mówiąc Clandusowi, że nie jest bogiem, chociaż to oczywista prawda. Smok znad Jeziora Sallas musi uczynić bardzo dużo, żeby zyskać status boskości.

– Kto rozstrzyga – zapytał Nicholas – czy uczynić Smoka znad Jeziora Sallas bogiem? Któż może być wyżej niż bóg?

Bifrost zamrugał, znów opuściwszy głowę, żeby oboje mogli lepiej podziwiać zdumiewającą długość i grubość jego rzęs.

– Przy szczególnych okazjach złota skorupka pęka i wykluwa się z niej smok, maciupki i cały mokry, ze skrzydłami przylgniętymi do ciała. Rośnie potem szybko, jak trzeba mieć nadzieję, zarówno ciałem i rozumem, aż w końcu otrzymuje zadania do wykonania.

– Całkiem jak Herkules w ziemskiej mitologii? – zapytała Rosalinda.

– Nie wiem nic o żadnym Herkulesie – odparł Bifrost. – Wiem tylko, że jeśli Smok znad Jeziora Sallas wykona je z powodzeniem, ulega przemianie – zmienia się zarówno jego status w Krainie za Ostrokołem, jak i jego zdolności. Jest wtedy w stanie wywierać wpływ na wszystkich czarodziejów i czarownice, którzy zamieszkują warownię na Krwawej Skale, nie dopuszczając tym samym, by zarżnęli każde stworzenie tu w Krainie za Ostrokołem. Powiadam wam, kiedyś panował nad nimi bez trudu, lecz teraz deprawacja czyni ich silniejszymi, bardziej przebiegłymi. Od czasu do czasu usiłują go skrzywdzić, chociaż udają, że oddają mu cześć i go podziwiają. Powinno się ich strącić do rzeki, żeby pochłonęły ich demony, które władają królestwem podziemi. Moja towarzyszka stoczyła raz pojedynek z demonem z podziemi i przeżyła. – Bifrost przerwał na chwilę, potem spojrzał na Nicholasa. – Zastanawiasz się, jakie stworzenie lub istota może być ponad bogiem. Jak przypuszczam, musi coś być, inaczej skąd Smoki znad Jeziora Sallas wiedziałyby, jakie prace mają do wykonania? I kto je ocenia? Zawsze zastanawiam się nad tym sekretem w tych chwilach, kiedy nie jestem pogrążony w żałobie po utracie mej towarzyszki. Clandus został obrażony i bez wątpienia poleciał na stromą skałę, by przycupnąć przy ogniu w jaskini swej matki, rozpostarłszy skrzydła, oczywiście po to, by strzec ognia przed latającymi stworami. Interesujące będzie zobaczyć, co uczyni Taranis, po tym jak Clandus wypłacze się przed nim, że byłeś wobec niego wstrętny i ty, pani, również. Taranis nie znosi fochów, a nic innego nie robi w tej chwili Clandus.

– Mam nadzieję, że smok ojciec przywoła syna do porządku, smagając go solidnie ogonem – rzekł Nicholas.

Czerwony Lasis pochylił głowę na znak zgody, znów trzepocząc rzęsami. Usłyszeli jego niski głos, teraz rozbawiony.

– Wydaje się, że zaledwie wczoraj Taranis i ja przyjęliśmy zakład dotyczący waszego przybycia i tego, co się potem stanie. Lecz z drugiej strony, odnoszę wrażenie, że śmierć mojej towarzyszki miała miejsce tak niedawno temu. Czekałem na ciebie, milordzie, oraz na ciebie, pani. Dziwnie się czuję, widząc cię, pani, pod postacią kobiety, nie małej dziewczynki, której twarz Sarimund zapisał w mej pamięci. Co się tyczy ciebie, milordzie, jesteś sobą, a jednocześnie także chłopcem. I jest jeszcze Epona, czarownica przesiąknięta jadem do głębi duszy, chociaż nie wiem, czy ona ma duszę. Zabija z wyrachowaniem i na zimno, nie ma w niej szaleńczej żądzy krwi. Na Krwawej Skale nie ma choćby jednego czarodzieja, który nie czułby przed nią trwogi i jednocześnie nie darzyłby jej ogromnym podziwem. Ona jest bardzo niebezpieczna, milordzie. Modlę się, żebyście o tym nie zapomnieli.

– Lecz ona pragnęła posiąść Sarimunda – wtrąciła Rosalinda.

– Tak właśnie było.

– Ponieważ jest taki urodziwy?
– Tak też właśnie było.
– Na czym polegał twój zakład z Taranisem?
– Taranis szedł o zakład, że nie przybędziecie, pani, że upływ czasu wypaczył to, co miało się stać, lecz wy tu jesteście. Dysponujecie ogromną mocą, oboje. Założyłem się, że się tu pojawicie, że ocalicie księcia Egana, że milord w końcu spłaci swój dług wobec ciebie, gdyż oba wasze rody są potężne.
– Jaką zyskasz nagrodę, jeśli wygrasz zakład z Taranisem? – dopytywała Rosalinda.
– Taranis przyrzekł wstawić się za mną u czarodzieja Belenusa. Jest potężniejszy, niż powinien, Belenus o wielkich białych zębach. Ten demon rzucił na mnie klątwę; mam opiekować się zabłąkanymi magami, którzy czasem znajdą drogę do Krainy za Ostrokołem. Śmiał się do rozpuku i powiedział, że odkąd moja towarzyszka nie żyje, mam więcej czasu na dopilnowanie, by kilku zabłąkanych ludzi, którzy zawędrowali do Krainy za Ostrokołem, nie skończyło jako strawa Tiberów.
– Cóż takiego uczyniłeś, że Belenus rzucił na ciebie taką klątwę? – zaciekawił się Nicholas.
– Nie przyszedł na pochówek mojej towarzyszki. Mój żal był wielki, gniew wcale nie mniejszy. Wysłałem więc armię czarnych ślimaków, by zagnieździły się w jego pokojach na Krwawej Skale. Ślimaki oczywiście odnalazły drogę do jego łoża i spały razem z nim w nocy. Za to właśnie Belenus rzucił na mnie klątwę. Zatem sprawuję pieczę nad żałosnymi czarodziejami, którzy docierają od bardzo długiego czasu, z pewnością od tysiąca lat. Przypuszczalnie. W końcu jednak przybyliście. Pani, obserwowałem, jak uratowałaś jego lordowską mość, odłamując gałąź z żółtego drzewa Sillow

i uderzając nią Clandusa. Moje cudowne rzęsy aż pogrubiały z ekscytacji na widok, jak spontanicznie postępujesz, bez tych piekielnych dylematów i wątpliwości właściwych ludziom. W tamtym momencie zyskałem przekonanie, że was dwoje jest tymi przepowiedzianymi, którzy mieli przyjść do Krainy za Ostrokołem. Utwierdziłem się w tym jeszcze bardziej, kiedy jego lordowska mość połączył gałąź z żółtym drzewem Sillow. Tylko raz w życiu widziałem, jak ktoś tego dokonał. Epona. Ach, jednakowoż muszę się upewnić, że faktycznie jesteście tymi, za których się podajecie.

Przerwał tyradę, potem otworzył paszczę i zaśpiewał trzem krwistoczerwonym księżycom pełnym uroku barytonem:

Marzę o pięknie i niewidzialnej nocy,
Marzę o potędze i rozpalonej mocy,
Marzę o tym, że nie jestem sama znów,
Lecz wiem o jego śmierci i jej grzechu
brzemiennym.

Nie wahając się choćby przez chwilę, Rosalinda odwzajemniła piosnkę, radośnie, jej piękny głos wypełnił ciszę wieczora w Krainie za Ostrokołem.

Byłam dzieciną i byłam słaba,
Zostawił mnie skatowaną, bez imienia,
Zdołałam przeżyć, a teraz pragnę wiedzieć
Co zrobić trzeba, by skończyć tę grę.

– Ach – rzekł Bifrost – nadeszła pora, byście dosiedli Taranisa, Smoka znad Jeziora Sallas i polecieli razem z nim do warowni na Krwawej Skale.

Kolejny raz zatrzepotał rzęsami, a potem po prostu rozpłynął się w ścianie jaskini.

– Nie! Zaczekaj, wracaj tu. Gdzie jest Sarimund?

Odpowiedzią była cisza. Czerwony Lasis zniknął.

Stali wewnątrz wejścia do jaskini i spoglądali za rzekę położoną w oddali, na krańce rozległej i płaskiej równiny, ku Górze Olyvan oraz wzniesionej na jej szczycie mrocznej i złowieszczej twierdzy na Krwawej Skale.

Usłyszeli, jak ktoś dyszy i stęka. Znienacka stanął przed nimi Sarimund, wydał się emanować poświatą, jego złote włosy lśniły w świetle krwistoczerwonych księżyców.

– Ach, tu jesteście – wymamrotał i obdarzył ich pełnym uroku uśmiechem.

Rosalinda podeszła do człowieka o pięknej postaci, który wyglądał niczym anioł.

– Pierwszy raz widziałam cię w mej wizji. Mieszałeś w kociołku. Powiedziałeś mi, że wkrótce będę z tobą.

– No i jesteś tutaj, moja piękna. Jesteś tutaj. Och, cóż to za uczucie widzieć cię w wieku kobiecym.

– Jesteś moim ojcem?

– Ja? Z pewnością nie, ale powiedziałbym, że trzymałem cię blisko siebie przez bardzo długi czas, twoją duszę. Pozwól sobie powiedzieć, że było to trudne. Chociaż Bifrost wierzył, że przybędziecie, Taranisowi brakowało tej wiary. Był przekonany, że zawiodłem, że upłynęło zbyt wiele czasu, lecz jesteś i to dowodzi, że jednak powiodło mi się. – Zwinął nadobne dłonie w trąbkę, przykładając je do ust, i zawołał: – Słyszysz mnie, Taranisie? Udało mi się, jestem zwiastunem pokoju...

– ...i zagłady – dokończył Nicholas. – To właśnie jej powiedziałeś.

– Tak, oboje, ona i ja jesteśmy zwiastunami pokoju i zagłady.

– Mówisz do nas po angielsku czy tylko przekazujesz nam swoje myśli?

– Władam piękną angielszczyzną.

– Lecz mówisz współczesnym angielskim – dodała Rosalinda.

– Nawet tak tępe stwory jak Tibery idą z duchem czasu. Ich angielszczyzna jest ułomna, lecz pod względem gramatyki niemal perfekcyjna, co mnie zdumiewa, ponieważ posiadają kurze móżdżki. Spotkaliście Bifrosta, znanego jako Nauczyciel. Pogrążył się w żałobie, kiedy jego towarzyszka zginęła podczas księżycowej burzy. W Krainie za Ostrokołem wszystko trwa niezmiernie długo, wliczając w to uczucia.

– Gdzie znajduje się Kraina za Ostrokołem? – zapytał Nicholas.

Sarimund przyglądał się badawczo twarzy Nicholasa.

– Kraina za Ostrokołem jest tak blisko, jak te trzy księżyce nad naszymi głowami, lecz zarazem jest odległa. To przypadek pełen sprzeczności. Lecz jest realna jak wiekuisty sen. Czyż nie jestem realny? Czyż nie stoję przed wami? Czyż nie widzicie mnie? Czy nie przemawiam do was?

– Możesz być kolejną zjawą, podobnie jak kapitan Jared – odparł Nicholas.

– Nim wcale nie kieruje próżna ciekawość, Sarimundzie – powiedziała Rosalinda, lekko dotykając jego ramienia, bardzo realnego, gdyż pod palcami czuła naprężone mięśnie. Kimkolwiek był, z pewnością nie marą. – Posłuchaj, przybyliśmy tu, ponieważ nas tutaj sprowadziłeś. Wprawiłeś to wszystko w ruch przed trzystu laty, kiedy przekonałeś kapitana Jareda, że ma dług wobec małej dziewczynki, nieprawdaż?

– Tak.

– Czy rzeczywiście wywołałeś sztorm, by zatopić statek kapitana Jareda, czy może wszystko to było jedynie wyrafinowaną iluzją.

Z jego gardła dobiegł odgłos, jakby się krztusił, a włosy złotego koloru uniosły się, stając niemal dęba.

– W małej dziewczynce nie było tej przenikliwości, nie zadawała czarodziejowi impertynenckich pytań, lecz ty, jako kobieta, masz to i robisz to – skomentował, wyraźnie usiłując się opanować. – Jestem potężniejszy, niż potrafisz to sobie wyobrazić, potrafię tak wysmagać niebo, żeby zamieniło się we wściekłą nawałnicę, potrafię...

– Tak, tak – wpadła mu w słowo. – I napisałeś *Reguły Krainy za Ostrokołem,* i modliłeś się, żebym jakoś je odnalazła i żeby wszystko mogło ruszyć z miejsca.

– Nie, nie modliłem się. Czarodziej wypowiada zaklęcia i czeka, by zobaczyć ich działanie. Czeka. I obserwuje. I ma wszystko w swej pieczy. Odnalazłaś księgę.

– No cóż, tak. Jak zakładam powiodło ci się, lecz trochę się to wszystko opóźniło. Wreszcie uwolniłeś końcowe stronice i pozwoliłeś mi je przeczytać, lecz ostatnia strona była nieskazitelnie biała i idealnie czysta. Dopiero przed chwilą uświadomiłam sobie, że napisałeś na tej stronie imię księcia Egana.

– Zamierzałeś posłać małą dziewczynkę do Krainy za Ostrokołem – odezwał się Nicholas – lecz ona tu nie dotarła, ponieważ nie był to jeszcze jej czas. Upłynęło blisko trzysta lat, zanim tu przybyła, nie jako dziewczynka, lecz kobieta.

– Wiem – odparł Sarimund. – Niemal do szaleństwa doprowadzała mnie świadomość, że tak bardzo pomyliłem się w moich rachubach.

– Jak to możliwe? – dopytywał Nicholas. – Dlaczego, zacznijmy od tego, chciałeś, żeby to była ona?

– Po tym, jak opuściłem Krainę za Ostrokołem, zastanawiając się, czy Epona rzeczywiście powiła mego syna, pewnej nocy we śnie odwiedził mnie Taranis. Za jego sprawą we śnie zobaczyłem, że Epona zamierza zabić naszego syna – księcia Egana – ponieważ jakimś sposobem odgadła kim on, człowiek, się stanie. Taranis powiedział, że muszę ją powstrzymać, inaczej w Krainie za Ostrokołem zapanuje niewypowiedziany chaos, on zaś nie miał pewności, czy będzie w stanie nad tym zapanować. Cóż może uczynić człowiek, zapytałem go we śnie. Zionął wtedy ogniem z paszczy i przysięgam, że poczułem ukłucie gorąca. Powiedział mi, że jestem zarazem czarodziejem i człowiekiem. I wtedy się obudziłem. Miał rację, zatem wysiliłem swój czarodziejski umysł i zacząłem na gwałt szukać w myślach innych czarodziejów i czarownic na tej ziemi, równie potężnych jak ja. Odnalazłem dwa odrębne, bardzo silne czarodziejskie rody sięgające daleko wstecz do czasów wypraw krzyżowych. Jeden z nich to ród Vailów. W moich czasach ród ten reprezentował Jared Vail, wówczas kapitan statku, lecz wcale nie zwyczajny. Był dzielny, o wiele za bardzo. Ach, przenikała go moc, lecz żyjąc w waszym pełnym ograniczeń cywilizowanym świecie, nie zdawał sobie sprawy, kim naprawdę jest. Wiedziałem wtedy, że Jared Vail był wybrańcem. W moich myślach byłaś również ty, Isabello, żyjąca w tym samym czasie, reprezentująca potężny ród. Byłaś tak czysta, tak silna i tak bardzo pełna magii. Wiedziałem, że oboje odniesiecie powodzenie.

– Widziałeś małą dziewczynkę – odparła. – Co wzbudziło w tobie przekonanie, że mała dziewczynka dysponuje większą szansą ocalenia księcia Egana niż dorosła kobieta?

– Mała dziewczynka była światłem tak jaskrawym, że nie mogło jej tknąć żadne zło. Widziała wszystko wyraziście, nie dało się jej zwieść ani magią, ani złem. Lecz teraz? Czy twoje światło wciąż jest tak jaskrawe, twój wzrok tak przenikliwy? Czy w twoim wnętrzu wciąż jaśnieje mała dziewczynka? Przekonamy się.

– Cóż to ma znaczyć: „przekonamy się"? – zapytał Nicholas. – Chcesz nam powiedzieć, że tego nie wiesz?

– Chwila obecna jest chwilą obecną, nawet tu, w Krainie za Ostrokołem. Teraźniejszość może przejść krwawo w przyszłość lub zapaść się w przeszłość, chociaż czas w rzeczywistości nie gra roli, zatem nie mogę przewidzieć, co się wydarzy.

Nicholas emanował takim gniewem, że gotów był Sarimunda uderzyć.

– Kiedy dziecko się nie zjawiło, dlaczego Epona nie zabiła swego syna? – zapytała Rosalinda.

– Zaklęcie miało powstrzymać jej rękę do czasu twego przybycia, Isabello. Do chwili, kiedy będziesz w stanie dotrzeć do Krainy za Ostrokołem, by go ocalić.

– Powstrzymałeś bieg czasu? – zapytał Nicholas.
– To raczej niezdarny sposób opisania tego, ale tak, Egan pozostał małym chłopcem. Kiedy go ocalisz, Isabello, stanie się mężczyzną, wielkim władcą czarodziejów, zgodnie z jego przeznaczeniem.
– Jest jednak problem – dodała z pośpiechem Rosalinda. – Nie wiem, kim jestem, zatem nie mogę wiedzieć, kim była mała dziewczynka i jak mogłaby dopomóc jej moc...
Urwała zdanie w pół. Spoglądała na przemian, to na Sarimunda, to na Nicholasa. Sarimund uśmiechnął się do niej i niespiesznie skinął głową. Przełknęła ślinę. Potem obdarzyła ich obu promiennym uśmiechem.
– Nazywam się Isabella Contadini. Urodziłam się w San Savaro we Włoszech, w 1817 roku.
– Masz to samo imię co w czasach kapitana Jareda Vaila – dodał Sarimund, pochylił się i pocałował ją w czoło.

Rozdział 48

Sarimund ukłonił się przed nią z gracją.

– Tak, twoje narodziny powitano wielkimi ceremoniami, Isabello. Miałaś już wtedy starszego brata, zatem dziedziczenie tronu księstwa było zapewnione.

– Księstwa? – zdziwił się Nicholas, unosząc brwi.

Rosalinda uśmiechnęła się szeroko do swego męża.

– Ojej, Nicholasie, obawiam się, że jesteś zbyt niskiego stanu, żeby żenić się ze mną.

– Powiedz mu, kim jesteś, moja droga – zachęcił ją Sarimund.

– Jestem dzieckiem księcia Gabriela i księżnej Elizabeth Contadini. Moja matka jest Angielką, córką księcia Wrothbridge; wyszła za mąż za mego ojca w wieku siedemnastu lat... Ojciec bawił z wizytą w Londynie jako młody mężczyzna, zobaczył ją w Hyde Parku jadącą wierzchem i zapragnął ją poślubić. Pobrali się dwa miesiące później. Uwielbiałam słuchać tej historii, niemal każdego wieczoru prosiłam mamę, by mi ją opowiadała, kiedy już przegoniła moją nianię i przychodziła pocałować mnie na dobranoc. – Przerwała na moment, a przez jej twarz przebiegł spazm bólu. – Moja matka – podjęła temat, a potem opisała jej lśniące, ognistej barwy włosy; to, jak wyczuwała bicie jej serca, kiedy matka przytulała ją do siebie; jak pachniała fiołkami. W ciągu minionych dziesięciu lat zastanawiała się, zazwyczaj późną nocą, czy miała matkę, czy matka żyła i myślała o niej i rozmyślała, gdzie podziewała się córka. Rosalinda płakała w takich chwilach, roniąc łzy za nie obie.

– Czy moi rodzice wciąż żyją? – wyszeptała, bojąc się usłyszeć odpowiedź.

Sarimund przytaknął.

– Tak, oboje pozostają w doskonałym zdrowiu.

– A mój brat?

– Raffaello również.

Chciała krzyczeć, skakać z radości. Miała matkę, która darzyła ją miłością; która nie obawiała się jej dlatego, że dysponowała czarodziejską mocą. A jej ojciec stał obok matki, wysoki, z gęstą czupryną czarnych włosów zaczesanych do tyłu. Idealny mężczyzna, który kiedyś pozwolił jej usiąść pod swoim krzesłem, w trakcie rozmowy z ambasadorem Austrii. Była do tego stopnia podekscytowana, że aż zwymiotowała na pantofle ambasadora. Ojciec, jak sobie teraz przypomniała, śmiał się z tego. Zmarszczyła brwi. Oczy ojca, czy gdzieś je widziała?

– Mój dziadek zmarł, kiedy ojciec był z wizytą w Anglii, zatem po powrocie do Włoch został księciem San Savaro – dodała bez pośpiechu. Chwyciła Nicholasa za ręce i potrząsnęła nim. – Mam rodziców, Nicholasie, pamiętam ich! Kochali mnie, bardzo. Mam rodzinę! – zaczęła tańczyć dookoła w radosnym uniesieniu.

Nicholas pochwycił ją i przyciągnął do siebie. Pocałował ją w usta, potem cmoknął w czubek nosa i pogłaskał opuszkami palców po brwiach.

– Gdzie leży San Savaro? – zapytał.
– Na ostrodze włoskiego buta. San Savaro jest jednocześnie stolicą księstwa. To niedaleko Nardò, o jakieś pięć mil od Morza Jońskiego. Mieliśmy letni pałac, którego okna wychodzą na morze. Kąpałam się tam razem z bratem. Przypominam sobie, jak pewnego wieczoru poszłam na plażę, żeby popływać przy pełni księżyca, czego nie powinnam robić. Usłyszałam, jak moi rodzice się śmieją. Kąpali się w morzu, tak jak mój brat i ja. – Przerwała na moment, przytupując stopą. – Wiesz, zastanawiam się teraz, czy tylko się kąpali.
Nicholas roześmiał się.
– Ta kobieta jest niecały tydzień po ślubie, a już wie wszystko.
Sarimund odchrząknął.
– Isabello, nadeszła pora, byś zdała relację milordowi, co się wydarzyło.
Nicholas spojrzał na niego z marsową miną.
– Skąd wiesz, że ona pamięta, co się jej przydarzyło?
Sarimund wzruszył ramionami.
– Wcześniej nie pozwoliłem jej o tym pamiętać, mogłoby to być zbyt niebezpieczne. Pan Sherbrooke zostałby zmuszony do nawiązania kontaktu z jej rodziną w San Savaro, mimo trapiących go złych przeczuć. Lecz teraz pora jest właściwa. Opowiedz mu, Isabello, co ci się przydarzyło.
Wiedza ta pojawiła się znienacka, żywa i budząca grozę w jej duszy. Targnęły nią dreszcze.
– Był kuzynem mego ojca... miał na imię Vittorio. Wiedział, że na własne oczy widziałam, czego się dopuścił, ponieważ on również był magiem i zdawał sobie sprawę, że ja także byłam czarodziejką. Wyczuł moją obecność, uświadomił sobie,

że widziałam, jak udusił małe dziecię, potem włożył je w martwe ramiona jego matki.

– Nikt inny tego nie widział? – zapytał Nicholas.

Choć tego nie pragnęła, Rosalinda przywołała w myślach tę potworną scenę. Martwe niemowlę oraz jego martwa matka i Vittorio byli tam, ten ostatni spoglądał na nich z perfidnym uśmiechem na ustach.

Nigdy tego nie zapomni, przenigdy.

– Nie, tylko ja widziałam, jak morduje ich oboje.

Nicholas zmarszczył brwi.

– Byłaś dzieckiem. Mało kto z dorosłych daje wiarę dzieciom. Dlaczego Vittorio podjął wrogie działania przeciwko tobie?

– Gdybym powiedziała o tym ojcu, kazałby poddać obdukcji ciała Ilarii i niemowlęcia. Wtedy odkryto by ślady palców Vittoria na jej szyi. Być może lekarz zorientowałby się też, że niemowlę zostało uduszone.

– Isabello, czy wiesz, dlaczego Vittorio zamordował swoją żonę i dziecko? – chciał wiedzieć Sarimund.

Pokręciła głową przecząco.

– Ich małżeństwo zostało skojarzone przez rodziców, co oczywiste, lecz Vittorio okazał się zepsuty, a jego cielesne potrzeby sprzeciwiały się naturze. Z magiczną mocą, jaką dysponował, zmieszał się obłęd, lecz jego ojciec, Ignazio, nie chciał stawić temu czoła i nigdy tego nie uczynił. Nadeszła w końcu taka pora, kiedy nienawiść do męża wzięła w Ilarii górę na lękiem przed nim. Znalazła kochanka, młodego mężczyznę, który pięknie śpiewał; młodego tułacza, który opuścił ją niedługo po tym, jak ją fizycznie posiadł. Nigdy się nie dowiedział, że urodziła mu syna i że Vittorio zabił ich oboje.

– Co zrobił ci Vittorio? – zadał jej pytanie Nicholas.

– Powiedz mu, Isabello. Przecież pamiętasz.

– Vittorio pochwycił mnie, zanim zdołałam dotrzeć do mego ojca. – Zamilkła na moment, spojrzała w dal ponad jałową równiną, potem wzruszyła ramionami. – Przykro mi, ale niczego więcej nie pamiętam.

Sarimund podjął relację.

– Vittorio nie zamierzał cię zabić. Nawet w swym obłędzie i w strachu, że zostanie zdemaskowany, wciąż cię kochał i kochał twego ojca jak brata. Lecz wiedział, że nie możesz pozostać we Włoszech, inaczej wyjawisz wszystko rodzicom. Wiedział też, że twój ojciec dałby wiarę twoim słowom. Vittorio zdawał sobie sprawę, że twój ojciec był potężnym czarodziejem wywodzącym się z długiego rodu magów. Ród Contadinich dysponował czarodziejską mocą jak daleko sięgnąć pamięcią. Obu waszym rodom od zawsze towarzyszyła potężna magia. Wydaje się, że Erasmo, człowiek, któremu Vittorio powierzył pieczę nad tobą, zobaczył cię pogrążoną w transie. Był bardzo przesądny, a widok ten okropnie go przeraził. Uwierzył, że jesteś czarownicą i wcieleniem zła. – Sarimund wzruszył ramionami. – Zatem postanowił zakatować cię na śmierć. I rzeczywiście, zostawił cię w tamtej uliczce, na pewną śmierć. Ryder Sherbrooke znalazł cię i przywrócił do zdrowia. Ach, najdroższa Isabello, przykro mi, że twoja pamięć pozostawała w zamknięciu za grubymi drzwiami, lecz stało się tak jedynie dla twojego dobra, dla dobra wszystkich. Erasmo powiadomił Vittorio, że zmarłaś podczas podróży. Stwierdził, że nie dało się nic zrobić, by cię uratować, a Vittorio mu uwierzył. Ryder Sherbrooke postanowił, całkiem zresztą słusznie, że nie będzie prowadził poszukiwań twojej rodziny. Nie chciał podejmować ryzyka, że ktoś ponownie zechciałby cię uprowadzić. – Sarimund dotknął czubkami palców jej brwi, kciukami dotknął skroni. – Czy teraz sobie przypominasz?

Przytaknęła niespiesznie, nie odrywając od niego wzroku.

– Siedzę ze skrzyżowanymi nogami w małej kajucie jednego ze statków handlowych Vittorio, o nazwie „Zacarria", z rękoma założonymi na nogach. Usiłuję skoncentrować się na osobie mego ojca. Wiem, że on i moja matka szaleją z niepokoju z powodu mego nagłego zniknięcia. Chociaż zdaję sobie sprawę, że jestem na morzu, z dala od Włoch, wciąż wierzę, iż on może mnie ocalić. Mój ojciec jest taki silny, taki nieskończenie dobry i zna mnie; wie, co myślę i jak myślę. Mówił mi, że jestem jego magiczną księżniczką i że z pewnością dopilnuje, żeby mój przyszły mąż był potężnym czarodziejem, który na zawsze zapewni mi bezpieczeństwo. Opowiadał mi to niemal każdego wieczora przed zaśnięciem, po tym jak matka dawała mi buziaka na dobranoc. Zawsze głaskał mnie palcem po brwiach, podobnie jak głaskał brwi matki. – Rosalinda przerwała, opuściła głowę; z jej oczu popłynęły łzy, rzewne i rzęsiste. Łzy dziecka, nie łzy kobiety; być może były one najbardziej bolesne.

Sarimund dotknął jej policzka.

– Opowiedz mu, Isabello.

Przemówiła po chwili, tym samym smutnym, dziecięcym głosem.

– Ze wszystkich sił usiłuję skupić się na osobie mego ojca i wreszcie go dostrzegam. Chodzi wielkimi krokami tam i z powrotem przed matką, jest bardzo rozgniewany i przestraszony. Matka usiłuje powstrzymać szloch. Mój brat, Raffaello, też tam jest i wygląda na bardzo wzburzonego. Uderza pięścią w otwartą dłoń i klnie. Wołam mego ojca, raz, potem drugi; potem krzyczę do niego w myślach. Widzę, jak obraca się, by spojrzeć na mnie. Lecz w tym momencie do kajuty wchodzi Erasmo, chcąc mi powiedzieć, że w końcu dotarliśmy do Anglii i że zawiniemy do portu w Eastbourne, on zaś zabierze mnie na ląd. Przypuszczam, że kiedy mnie zobaczył, początkowo sądził, że śpię, lecz ja nie spałam. Patrzyłam na niego, na wskroś przez niego, w istocie rzeczy, i rzucałam na niego klątwy innym głosem i innym językiem, lecz on zdołał zrozumieć. Bardzo się przeraził. Wydarł się na mnie, że słyszał, iż jestem czarownicą, istotą plugawą i podłą. Potem wywlókł mnie z brygantyny w jakąś uliczkę, by tam zatłuc mnie na śmierć. Chłopiec okrętowy usiłował go powstrzymać. Erasmo grzmotnął go i zepchnął do portowego kanału. Żaden z pozostałych marynarzy nie usiłował go powstrzymać. Ocknęłam się w Brandon House i nie pamiętałam niczego, co się wydarzyło. Po sześciu miesiącach zaśpiewałam moją piosnkę i przemówiłam. Po kilku latach spędzonych przeze mnie w Brandon House wuj Ryder wyjawił mi, dlaczego nie próbował odnaleźć mojej rodziny – obawiał się, że ktoś znowu porwałby się na moje życie. Jego syn, Grayson, został moim najlepszym przyjacielem. Sądzę, że obawiał się o mnie, dlatego przez wiele lat pozostawał bardzo blisko, chociaż nigdy nie napomknął o tym choćby słowem. – Wzruszyła ramionami. – Kiedy Nicholas powrócił do Anglii, wprawił, jak sądzę, wszystko w ruch. A teraz jesteśmy tutaj, w Krainie za Ostrokołem. Rzeczywiście jestem czarodziejką, Sarimundzie?

Uśmiechnął się do niej.

– O tak. Twój ród ma długą tradycję i jest potężny, jak już ci powiedziałem, podobnie zresztą jak ród Vailów. Wszelako, w odróżnieniu od Vailów, którzy zapomnieli o swej magii… – Tym razem uśmiechem obdarzył Nicholasa. – Chociaż to nie do końca prawda. Galardi Vail, twój dziadek, lubił bawić się czarami, lecz nigdy nie pojął, że magia tak naprawdę była w nim, czekała tylko, aż ktoś ją uwolni. Twój ród, Isabello, ród Contadinich, nie zapomniał nigdy, skąd bierze się jego potęga. Utraciłaś swoją czarodziejską moc dopiero wtedy, kiedy straciłaś pamięć.

Skinęła głową z namysłem.

– Erasmo miał rację – rzekła. – Byłam czarownicą, potężną czarownicą. I wiedziałam o tym, ale…

– Wciąż nią jesteś. Jesteś tutaj i to czyni cię jeszcze silniejszą. Nie zapominaj o tym.

– Przypominam sobie teraz – wyznała z pewnym zdziwieniem – kiedy byłam dzieckiem w San Savaro, słyszałam jak o ojcu szeptano za jego plecami, z podziwem i dumą, że potrafił przepowiedzieć deszcz, kiedy nikt się go nie spodziewał, albo zwiastował nieoczekiwane narodziny bliźniąt. Potrafił też sprawić, że jęczmień i pszenica rosły bujnie, choć na polach wokół żniwo zbierała zaraza. Wszyscy byli przekonani, że działo się tak za sprawą mego ojca. Był czarodziejem i wszyscy o tym wiedzieli. Cechowała go także wielka dobroć. Mówił, że jestem taka sama jak on. Byłam jego zaczarowaną księżniczką. – Obróciła się do Sarimunda. – Moi rodzice… czy wciąż mnie pamiętają?

Przytaknął.

– Każdego dnia ich myśli biegną ku tobie, wciąż ubolewają nad stratą. Co się tyczy Vittorio, ożenił się z inną damą i maltretuje ją bez końca. Nie urodziła mu żadnych dzieci. Jego nasienie jest pozbawione daru życia, musicie wiedzieć. Kiedy twój ojciec uświadomił to sobie, pojął, że Ilaria nie mogła powić dziecka Vittorio. Zachodzi w głowę, kim był prawdziwy ojciec, zastanawia się nad śmiercią matki i dziecka oraz dlaczego zniknęłaś tak szybko po ich zejściu. Czasami wydaje mu się, iż przypomina sobie, jak widział cię w tej kajucie na statku, lecz nie może być tego pewien, ponieważ nigdy więcej nie zobaczył cię za pomocą czarów, gdyż więź została zerwana. Przestałaś mieć go w pamięci. Również twój starszy brat, Raffaello, nie był nigdy w stanie cię odnaleźć, chociaż ma w sobie krew ojca, potężnego czarodzieja. Matka wciąż jest pogrążona w żałobie, Isabello, wciąż jest nieutulona w żalu. Masz teraz czterech braci, najmłodszy ma zaledwie cztery latka. Wygląda na to, że całkiem niedługo będziesz miała piątego braciszka.

– Mam czterech braci? Prawie pięciu?

Nie była w stanie tego pojąć, po prostu było tego za wiele naraz. Jedną rzecz uświadomiła jednak sobie bardzo jasno: Vittorio nigdy nie został ukarany.

– Sarimundzie – rzekł Nicholas. – Powiedziałeś, że przezorniej było pozbawić ją pamięci, ponieważ Ryder Sherbrooke mógłby skontaktować się z jej rodziną, ona wróciłaby do rodzinnego San Savaro i znów znalazłaby się w niebezpieczeństwie. Pytam zatem, dlaczego w imię Boga po prostu nie wymierzyłeś kary Vittorio? Wtedy mogłaby wrócić do domu bez żadnego ryzyka.

– Wiem o tylu rzeczach, widzę tak wiele spraw – odparł z namysłem Sarimund – ale obecnie nie władam światem materialnym, milordzie. Nie byłem w stanie rzucić klątwy na głowę Vittorio, podobnie jak Tibery nie są w stanie zastawić pułapki na czerwonego Lasisa. Rozumiesz?

– Chcesz przez to powiedzieć, że nie potrafisz przejść stąd do Anglii?

Uśmiechnął się na te słowa i pokręcił przecząco głową.

– Nie, nie potrafię. Donikąd na tej Ziemi.

– Ale…

Sarimund zacisnął dłoń na nadgarstku Nicholasa.

– Gdybym to potrafił, już dawno posłałbym tego podłego potwora do piekielnych otchłani. Ach, tak wiele jest zła dookoła. Tu w Krainie za Ostrokołem zło panoszy się całkiem bez umiaru.

Rosalinda spojrzała Sarimundowi prosto w oczy.

– Kiedy zdołam ocalić księcia Egana, a Nicholas spłaci swój dług wobec mnie, wrócę do domu i dopilnuję, żeby Vittoria spotkała kara. A teraz, Sarimundzie, powiedz, co Nicholas i ja mamy zrobić teraz, kiedy już jesteśmy w Krainie za Ostrokołem?

Rozdział 49

Sarimund lekko dotknął białymi palcami jej policzka.

– Kiedy ocalisz tego małego chłopca, ziemski czarodziej, który stoi obok nas, spłaci swój dług wobec ciebie.

– Wybornie – rzekł Nicholas. – Mogę zaaprobować fakt, że tu w tym osobliwym kraju jestem małym chłopcem, który jest jednocześnie księciem. Ona ocali chłopca, tym samym ratując mnie. Zatem powiedz mi, Sarimundzie, czy to oznacza, że jesteś także moim ojcem, cofając się do czasów, kiedy to wszystko się rozpoczęło? Czy jesteś jednym z Vailów?

Sarimund roześmiał się.

– Mój ród jest wiekowy i szlachetny, być może dysponuje większą potęgą niż oba wasze rody. Nie wywodzę się jednak z twego rodu, milordzie. Twój ojciec jest twoim rodzicem, hrabia Mountjoy. Jesteś Anglikiem w każdym calu.

– Przybyliście do Krainy za Ostrokołem, jak było wam to pisane. Staliście się tymi, którymi zgodnie z przeznaczeniem mieliście zostać. Czasu jest coraz mniej i nadeszła pora, by przystąpić do działania.

– Czy Nicholas przeżyje, kiedy spłaci swój dług wobec mnie?

Sarimund milczał przez dłuższą chwilę. Spojrzał w górę ku trzem krwistoczerwonym księżycom.

– Kiedy Taranis przyjął moje zaklęcie, przekazał mi we śnie, żebym w żadnej mierze nie wtrącał się, inaczej zaklęcie przestanie działać i wszystko zostanie stracone. Zażądałem wtedy od niego, by mi wyjaśnił, dlaczego on nie może wmieszać się w bieg zdarzeń. W końcu to on był bogiem i zamieszkiwał w Krainie za Ostrokołem. W odpowiedzi zaśpiewał mi: *Nie mieszam się w sprawy czarownic i czarodziejów, oni natomiast nie wtrącają się w sprawy smoków*.

– Ponieważ obiecałem się nie wtrącać, nie mogę skierować oczu na to, co się wydarzy, tym samym nie mogę tego wiedzieć.

Rosalinda chwyciła za pięknie haftowany kołnierz Sarimunda i potrząsnęła nim.

– Niech cię diabli, czarodzieju, te kiepskie wyjaśnienia wcale nam nie wystarczą.

Sarimund spojrzał na nią, a w jego pięknych oczach zalśnił blask dumy.

– To wszystko, co jestem w stanie uczynić. Gdybyś tylko dotarła do Krainy za Ostrokołem wtedy, kiedy po raz pierwszy cię wybrałem, Isabello, bystre dziecko tak pełne magicznego światła... wtedy wszystko potoczyłoby się tak, jak to przewidziałem. Jared Vail byłby tutaj, by cię chronić. Lecz właściwa pora znajdowała się wtedy w odległej przyszłości. Na dobrą sprawę zastanawiam się, czy Taranis jednak się nie wtrącił i nie sprawił, że czas zaczął iść w złą stronę. Czasami dopada go nuda i sprowokowanie chaosu mogło sprawić mu frajdę.

Rosalinda potrząsała Sarimundem zdesperowana do tego stopnia, iż była gotowa go grzmotnąć.

– Posłuchaj mnie. Mam gdzieś to, czy czarodziej Merlin sprawił, że czas idzie w złym kierunku. Nie chcę tylko, żeby Nicholas znalazł się w niebezpieczeństwie, rozumiesz mnie?

– Ponieważ krzyczysz – wtrącił Nicholas, uśmiechając się szeroko i chwytając ją za dłoń – on z pewnością cię słyszy. – Odwrócił się do Sarimunda. – Jesteś przekonany, że umrę, prawda? – Jego głos był pozbawiony emocji, gdy wypowiedział te słowa.

– Tego nie wiem, mówiłem wam – odparł Sarimund. – Ale teraz, kiedy cię zobaczyłem, milordzie, pojąłem, iż jesteś potężny, że trudno będzie cię pokonać, lecz twoja moc wciąż jest chwiejna, ponieważ nie chcesz zaaprobować magii, jaka jest w tobie. Musisz zapomnieć o skostniałych regułach obowiązujących na ziemi, ze wszystkimi ich ograniczeniami. Musisz wykrzesać w sobie wiarę i zaakceptować siebie takim, jakim jesteś; wtedy zyskasz siłę, staniesz się mocniejszy od trzech krwistoczerwonych księżyców. Staniesz się niezwyciężony. Tu, w Krainie za Ostrokołem, magia jest wyrazista i klarowna, i osadzona w tutejszej atmosferze. Nie ma tu niczego, co zakłóciłoby twoją moc – o ile tylko puścisz swobodne wodze magii, którą masz w sobie. Przekonasz się, że jest wobec ciebie posłuszna, być może nawet z pewną dozą elegancji. Elegancja i wdzięk w działaniu to bardzo piękna rzecz u wprawnego czarodzieja.

– Wers, który zaśpiewałam, kiedy po raz pierwszy zaczęłam znowu mówić... *Lecz wiem o jego śmierci i jej grzechu brzemiennym.* Kim są oni? Co znaczą te słowa? – dopytywała Rosalinda.

– „On” to książę Egan, wiesz przecież, że jego śmierć jest rzeczywiście bardzo prawdopodobna.

Co oczywiste, ciężkiego grzechu dopuściłaby się Epona, o ile tobie się nie powiedzie. Zapisałem te linijki głęboko w twej pamięci, żeby zawsze były z tobą jako przypomnienie, jako czynnik wyzwalający, jak byś prawdopodobnie powiedziała w waszych czasach. Żebyś mogła dostrzec, zrozumieć.

– Ale ja nie zrozumiałam.

– Być może moje eleganckie strofy były nieco zbyt wykwintne, ale to bez znaczenia, jesteś przecież tutaj. Ach, spójrz w górę, tam jest Taranis. On jest przywódcą Smoków znad Jeziora Sallas. Posłuchajcie mnie, oboje. Równowaga w Krainie za Ostrokołem jest zawsze niepewna. Wie o tym bardzo dobrze Taranis. Dopilnował, żebym ja również o tym wiedział, kiedy tak dawno ten sprawił, że śniłem o zagrożeniach.

Taranis – pomyślała Rosalinda. Ona i Nicholas odwrócili się i ujrzeli majestatycznego smoka, który szybował po nocnym niebie, a jego sylwetka rysowała się na tle krwistoczerwonych księżyców i z każdą chwilą przybliżała się. Wydawało się, że powietrze rozstępuje się przed nim. Machnął leniwie ogromnymi skrzydłami zawieszony na wysokości trzech metrów. Jego szmaragdowe oczy zawirowały w wielkiej głowie. Przyglądał się im badawczo. Był o wiele większy od syna, emanował też elegancją. Wszystkie jego ruchy cechowały się sprężystością i gibkością, jak gdyby ćwiczył je przez bardzo długi czas.

Taranis uśmiechnął się, biło od niego zadowolenie, chociaż nikt nie mógł tego potwierdzić.

Otworzył wielką paszczę i zaśpiewał:

– Jestem Taranis, Smok znad Jeziora Sallas. Miło mi, że tu jesteście. Czasu jest coraz mniej.

Chodźcie, milordzie, Isabello, nadeszła pora, by to zakończyć. Krwawa Skała oczekuje was. – Odwrócił głowę w stronę Sarimunda i dokończył: – Nie traciłeś wiary we mnie. Czarodzieju z uczciwością smoka.

– Czy tu, w Krainie za Ostrokołem, żaden z was nie potrafi po prostu mówić? – chciała wiedzieć Rosalinda.

Taranis odpowiedział śpiewem:

– Intonacja zwykłych słów jest nużąca. Powietrze flaczeje, kiedy z ust wychodzą zwykłe słowa. Wyśpiewywanie przydaje im życia, ponadto odpędza monotonię. Czekałem na was przez bardzo długi czas, podobnie jak Sarimund. Przekonamy się, jak skuteczne były zaklęcia, które wypowiedział, chociaż to jedno jest nad wyraz stare i zapewne zadziała. Witaj, Isabello. – Potem rozległ się śmiech, głęboki, wibrujący śmiech, który wydawał się dochodzić z brzucha wielkiego stwora. Idźcie z nim – rzekł Sarimund. – Taranis jest zadowolony. On wie, że wszystko niebawem dobiegnie kresu. Losy Krainy za Ostrokołem wisiały na włosku, jak człowiek na linie. Co by się stało, gdybyście się tu teraz nie pojawili? Tego nie wiem, lecz myśl o potencjalnych ewentualnościach powoduje, że przewracają mi się bebechy. – Uśmiechnął się do nich. – Tak, mam bebechy. – Wzruszył ramionami i poklepał się po brzuchu. – Idźcie z nim – powtórzył. – Bądźcie ostrożni, nie ufajcie nikomu i nie zapominaj nigdy, Isabello, że żadne zło nie jest w stanie cię tknąć.

I zupełnie nieoczekiwanie gdzieś się rozpłynął. Nicholas stwierdził, że jest zdziwiony tylko odrobinę. Wiedział, że Sarimund po prostu zniknął; choć to niemożliwe, tak właśnie było. Potrafię zrobić to samo – pomyślał. – Tu, w Krainie za Ostrokołem, potrafię zrobić to samo. Tu, w Karinie za Ostrokołem, potrafię zrobić wszystko.

– Czy kapitan Jared jest w Wyverly Chale? – odezwał się w stronę miejsca, w którym jeszcze przed chwilą stał Sarimund.

Dosłyszeli głos Sarimunda jako westchnienie w nieruchomym powietrzu.

– Był naprawdę wspaniałym człowiekiem. Tak bardzo żałował, że nie zdołał spłacić długu, lecz nie było mu to dane; czas toczył się własnym trybem. W rezultacie pierworodni synowie zaczęli mieć ten sen, mijały pokolenia, a wszyscy czekali na właściwą porę. Kiedy wy oboje w końcu się połączyliście, kapitan Jared chciał spotkać was oboje i przekonać się, jacy jesteście. Powiedział mi, że się wam powiedzie. Lecz jego magia jest teraz równie słaba jak płomyk migocący na porywistym wietrze. Niestety, nie potrafi już nawet tak śpiewać, jak zwykł to czynić kiedyś.

Wielki smok pochylił głowę przed nimi i zaśpiewał wysokim, słodkim głosem:

– Mój syn z ochotą spaliłby was na suchy popiół, lecz łyka ogień, jakim zionie, odkąd otrzymał zakaz ziania ogniem do osiągnięcia wieku dojrzałego. Kara jest na tyle sroga, że nawet małoletni smok przestrzega sumiennie zakazu. Z zadowoleniem przyjmuję fakt, że okazuje nieco powściągliwości. Niestety, jego matka również uważała, że to świetna zabawa. Trudno ją strofować, gdyż jest nadzwyczaj porywcza. Ja, wszelako, jestem bogiem. Dysponuję wiedzą, jakiej nie posiada nikt inny, ani smok, ani człowiek. Miewam wizje, które oślepiłyby innych. Wiem, co się dzieje i co może się wydarzyć. Pochodzę z rodu Wielkiego Czarodzieja. Jestem tu i teraz i zawsze tu będę. Ruszajmy.

Z ust Nicholasa dobiegł sarkazm, kiedy przewrócił oczami.

– Wiesz „co się dzieje i co może się wydarzyć". Ach, chciałbym wziąć lekcję czarodziejskiego języka.

Oczy Taranisa wirowały jak szalone. Ziemia zatrzęsła się.

– Być może najpierw powinieneś nauczyć się poprawnie śpiewać.

– On ma rację, Taranisie – wtrąciła Rosalinda. – Być może, kiedy już będzie po wszystkim, udzielisz nam lekcji. Ale teraz, co mamy uczynić?

Taranis wylądował obok nich, a ziemia zadrżała pod jego ciężarem. Opuścił wielką głowę i zaśpiewał:

– Usiądźcie wygodnie pomiędzy moimi wspaniałymi łuskami i trzymajcie się mocno. O, tak jest dobrze. Trzymajcie się mocno.

Potem bez wysiłku uniósł się w powietrze.

Jadę na grzbiecie smoka – pomyślała Rosalinda. – Jestem tym oczarowana i z tej radości chciałabym zaśpiewać.

Jej miękka biała szata nadymała się, wydawała się teraz dłuższa, powiewając. Trzymali się kurczowo lśniących łusek Taranisa. Jego skrzydła uderzały miarowo; wiatr plątał jej włosy w bezładzie wokół głowy.

Objęła Nicholasa w pasie.

– Popatrz na wszystkie te rzeki, wijące się meandrami, oraz jeziora. Wydaje się, przynajmniej z tej wysokości, że o mały włos wyskoczą z brzegów, jak nabrzmiałe żyły na ręku mężczyzny. Czy to nie dziwne?

Jałowa ziemia pod nimi tworzyła rozległą równinę, która ciągnęła się aż do Góry Olyvan, jej szczyty w postaci ostrych turni były ponure i opustoszałe. Na najwyższym wierzchołku wznosiła się warownia Krwawa Skała. Była niczym z obrazu Hieronimusa Boscha... Nicholas bez trudu przywołał sceny pełne grzechu i moralnej rozwiązłości, jakie rozgrywały się wewnątrz fortecy. Cierpienia bez końca, nieskończony ból i lament.

Taranis wzniósł się wyżej, poczuli wilgoć na policzkach, kiedy lecieli przez chmury koloru bakłażana, strzępiaste niczym sen tuż przed brzaskiem.

– Sarimund napisał – odezwał się Nicholas – że ty, Taranisie, byłeś celtyckim bogiem, władcą gromów. Z kolei zdaniem Rzymian Taranis był bóstwem, któremu składano ofiary z ludzi. Czy jesteście jednym i tym samym?

– Wszystkiego po trosze – zaśpiewał Taranis. – Wszystko splata się ze sobą w tej krainie, a także w większości innych światów. Istnieje grzech oraz oddawanie czci bogom, zawsze znajdzie się trochę dobra i więcej zła, jest też jednoczenie i zagłada. Pradawni Celtowie znali i jedno, i drugie, podobnie jak wy w waszym współczesnym świecie. Oraz jak my w Krainie za Ostrokołem. Ach, ale Rzymianie, oni byli czymś całkowicie odmiennym.

Słysząc to, Rosalinda przewróciła oczyma.

– Tak wiele jest zwierząt przemierzających równinę – zwróciła się do Nicholasa, wskazując dłonią. – Och, tam poniżej biegnie stado Tiberów, co najmniej dwa tuziny.

Taranis zaśpiewał.

– Tibery wierzą, że mięso czerwonego Lasisa jakimś sposobem nada im wyższy status. – Smok parsknął, potem rozległ się jego śpiewny głos, wyższy teraz i bardziej ostry. – Lecz czerwony Lasis jest na to za sprytny. Powinniście zobaczyć, jak Bifrost miota ognistymi oszczepami do dołów, które sam wykopuje. To jedna z niewielu rzeczy, jakie sprawiają mu przyjemność od czasu śmierci jego towarzyszki.

Ale Bifrost ma kopyta, nie dłonie – pomyślała Rosalinda – jak zatem może wykopać dół albo miotać ognistymi oszczepami?

– Egzystowanie w waszym nużącymi i otępiającym świecie sprawiło, że wasza wyobraźnia stała się tak bardzo ograniczona – śpiewał Taranis na ostrym wietrze, który zerwał się w pobliżu Góry Olyvan. Szybował prosto przed siebie, w stronę warowni na Krwawej Skale. – Cóż, odciągnąłem waszą uwagę, sprawiłem, że zapomnieliście, co nadchodzi. Bezmierne troski mogą ograniczyć moc czarodzieja, sprawić, że jego magię skują lody. Teraz jednakże nadeszła pora, żebyście skupili się, zaczęli myśleć i zapamiętywać. Jak powiedział Sarimund, zachowajcie ostrożność, nie dawajcie wiary niczemu, co zobaczycie.

– Ach, wszystko to sprawia, że niemal tracę nadzieję, lecz Sarimund jest dobrej myśli. Chociaż jestem bogiem, wszystko skrywa się za nieprzeniknioną zasłoną. Zdarzenia znalazły się w pułapce czasu, a ponieważ czas wiąże się z miejscem, mam przesłonięty widok.

W następnym momencie Taranis zniżył lot i gładko wylądował na szerokim i płaskim występie na szczycie fortecy z czarnego kamienia, która zmroziła krew w żyłach Sarimunda, kiedy zobaczył ją po raz pierwszy, a teraz ścięła krew w ich żyłach. Ujrzeli smugi krwi ściekającej w dół po czarnej skale, cienkie jak rzeki, które wrzynały się w ląd.

Krew wyglądała na świeżą, miała jaskrawoczerwoną barwę. Robiła wrażenie gęstej, jej krople spływały powoli, lecz niepowstrzymanie. Nicholas przypomniał sobie zapiski Sarimunda, wedle których widok ten trzymał wszystkie stworzenia w Krainie za Ostrokołem z dala od fortecy, gdyż obraz ten wprawiał je w przerażenie. Nicholas domyślał się, że wszystkie te istoty miały rację, odczuwając grozę przed tym potwornym stosem zakrwawionych czarnych skał. Warownia wznosiła się wysoko nad nimi: niewiarygodnie wysokie łuki z ostrymi rzygaczami, schodzącymi w dół na blisko dwa metry, wieże, które wbijały się w chmury barwy fioletowej lub przebijały je na wylot, szerokie wejścia z ogromnymi żelaznymi kratami, opuszczonymi do połowy... Wszędzie pełno było ohydnego czarnego kamienia, który pokrywał wszystko. Cudowna iluzja – pomyślał Nicholas i wyobraził sobie, że mógłby zmienić tę przeklętą iluzję, gdyby tylko czas mu na to pozwolił. Uśmiechnął się.

Taranis zaśpiewał, niskim i czystym głosem:

– Idźcie, moje dzieci. Powrócę tu, kiedy nadejdzie czas. Nie zapominajcie, że tu, w Krainie za Ostrokołem, dysponujecie ogromną potęgą, jesteście pradawnymi czarodziejami.

Potem uniósł ogromną głowę i zatrąbił. Wydawało się, że cała forteca zatrzęsła się, a smugi krwi na czarnych skałach zmieszały się ze sobą, tworząc nowe strużki; widok był przerażający.

Nicholas i Rosalinda zeszli ostrożnie z grzbietu Taranisa.

– Ojej – wykrzyknęła nagle Rosalinda. – Skaleczyłam się w palec o jedną z łusek.

– Pozwól, że to obejrzę – powiedział Nicholas.

Nie zastanawiając się, po prostu wycisnął krew na powierzchnię skaleczenia. Potem wsunął jej palec do ust i wyssał rankę. Przez chwilę spoglądał badawczo na ukłucie, potem przyjrzał się z bliska kropelce krwi na czubku łuski Taranisa.

Taranis wzbił się w powietrze. Zawisł, spoglądając wielkimi oczyma na Rosalindę. Nicholas przysiągłby, że słyszały go wszystkie stworzenia na dalekiej równinie.

– Zmieszałem moją krew z twoją. Smok znad Jeziora Sallas zmieszał krew z czarownicą. Cóż, przekonamy się, co z tego wyjdzie? Jestem ciekaw.

Potem poszybował w górę, skręcił w prawo i odleciał. Spoglądali za nim, jak leci z powrotem nad jałową równiną, z punktu widokowego na szczycie Góry Olyvan; stada zwierząt w dole wydawały się takie maciupeńkie.

– Co on miał na myśli, mówiąc o zmieszaniu swej krwi z…

Rosalinda nie dokończyła.

Rozdział 50

Młody mężczyzna stał bezpośrednio przed nimi, nie zwracając na nich żadnej uwagi, przesłaniając oczy dłonią i spoglądając za odlatującym Taranisem.

– Nie rozmawiał ze mną – odezwał się, odwracając się do Nicholasa i Rosalindy. – Z pewnością mnie nie widział, w przeciwnym razie porozmawiałby. Milordzie, pani, mam na imię Belenus. Odgrywam nadzwyczaj ważną rolę w waszej historii, jako bóg... urodzaju, dawca siły życia.

Rosalinda patrzyła na najbardziej jaskrawe rude włosy, jakie widziała w życiu. Tylko jego niewiarygodnie niebieskie oczy były jeszcze jaśniejsze. Stojąc obok niego czuła się jak imitacja marnej jakości. Miał wielkie, bardzo białe, kwadratowe zęby.

– Rzymianie nazywali cię Apollonem Belenusem – odrzekła. – Na twoją cześć wielkiemu świętu obchodzonemu pierwszego maja nadali nazwę Beltane. Nawet w tej współczesnej epoce wciąż świętujemy Beltane. Wiedziałeś o tym?

– Współczesna epoka? Epoka jest epoką, niczym więcej.

Belenus ukłonił się przed Nicholasem, nisko i z gracją.

– Odczuwam prawdziwą ulgę, że w końcu tu jesteście. To jedynie odprysk czasu. Czuję to; wszyscy to czują. Musimy otworzyć drzwi i wejść w linię złączenia, która dzieli to, czego Epona pragnie, by się zdarzyło, od tego, co wydarzy się w rzeczywistości. Zastanawiacie się, skąd to wiem. Taranis nie miał innego wyjścia i musiał przekazać mi to w myślach, żebym nie stał tu jak głupek, zadawał wam pytania i niczego nie rozumiał. Nie mam czasu na uprzejme poczęstowanie was filiżanką herbaty witmas. – Uśmiechnął się szeroko, ukazując duże, kwadratowe zęby. – To ulubiony napój Epony. Czyni starania, by ukryć go przed innymi czarodziejami. Musicie wiedzieć, że herbata witmas zmienia smak. Najbardziej ją lubię, kiedy smakuje jak sok ze świeżo ubitych Tiberów. A teraz chodźcie za mną.

Nicholas i Rosalinda ruszyli w ślad za młodym mężczyzną o bladej cerze, płomiennych niebieskich oczach i ognistorudych włosach. Teraz wydawały się jeszcze bardziej rude. Nicholas wyczuwał w nim moc, czuł, jak go przyciąga, chociaż Belenus szedł przed nimi, nic nie mówiąc; po prostu szedł.

Szli niewiarygodnie szerokimi korytarzami, które przypominały komnaty; wzdłuż ścian niektórych z nich wystawiono rzymskie miecze i hełmy, w innych eksponowano szkielety, niczym żołnierzy stojących na baczność. Przechodzili przez komnaty wymalowane żywymi kolorami, poczynając od najgłębszej purpury do bardzo bladej żółci, pełne cennych greckich posągów, stojących tuż obok prymitywnych drewnianych figur wyrzeźbionych przez czyjeś dłonie w zamierzchłych czasach.

– Wszystko to jest zbyt wielkie, zbyt rozległe – szepnął Nicholas do niej. – To iluzja, która ma zrobić na nas wrażenie.

– Oczywiście, że to iluzja – odparła rzeczowo – i całkiem nieźle wykreowana. – Potem wykrzyknęła: – Belenusie, być może stworzyłeś zbyt wiele komnat i korytarzy, by zaimponować nam swą potęgą! Powiedziałeś wszakże, że musimy się śpieszyć. Dlaczego zatem grasz teraz na zwłokę?

Belenus zatrzymał się w następnej komnacie, której ściany pomalowano jaskrawym, niebieskim kolorem, barwą jego oczu, jak zauważyła Rosalinda. Przy każdej ze ścian stały ławki przykryte aksamitem, duże sułtańskie poduszki wyszywane klejnotami leżały poukładane wszędzie, a w ścianach znajdowały się nisze, w których ustawiono posągi celtyckich bogów. Nicholas nie miał pojęcia, skąd to wiedział, lecz był tego pewien.

Rosalinda spojrzała w stronę Nicholasa, na jego długie, gęste, czarne włosy, związane teraz na karku. I na surowy wyraz ust, obietnicę bezmiernej przemocy i okrucieństwa. Wyczuwała także obietnicę całkowitego spełnienia, być może sprawiedliwości, jakiej nie było tu od dawna. Był teraz mieszkańcem Krainy za Ostrokołem, stał się teraz mieszkańcem warowni na Krwawej Skale. Ten czarodziej dysponował nieograniczoną mocą; był w swoim domu.

– Zaprowadzisz mnie teraz do Epony – powiedziała do Belenusa władczym głosem; powietrze wokół niej drgało, gorące i żywe. Jej włosy przybrały postać ognistej aureoli wokół głowy. – Wiem, że muszę działać w pojedynkę i że milord musi tutaj zostać. Jest niewiele czasu. Co ma się stać, musi wydarzyć się teraz, w przeciwnym razie czas nałoży się na siebie i powstanie zamęt, nad jakim nikt nie zdoła zapanować.

Rosalinda poczuła, jak przenika ją niewypowiedziana moc. Czuła, jak staje się jednością z tą potęgą.

– Jestem potężniejsza niż trzy krwawe księżyce – powiedziała do Nicholasa głosem spokojnym i nieobecnym. – Jestem w stanie zdjąć je z czarnego nieba i żonglować nimi. Być może nawet mogłabym zaśpiewać, jednocześnie żonglując księżycami.

W następnym momencie Rosalinda stała pośrodku przestronnej komnaty pogrążonej w nieskazitelnie białej poświacie. Biel była równie oślepiająca jak ta, której doświadczyła wspólnie z Nicholasem w Wyverly Chase... Czy to wydarzyło się zaledwie poprzedniej nocy? A może setki wieków temu? Było tu dużo okien z białymi, zwiewnymi kotarami, wydętymi do wnętrza komnaty. Okna jednak były zamknięte.

W drugim końcu pomieszczenia stało wąskie łoże udrapowane białą, zwiewną zasłoną. Zasłona, podobnie jak kotary, również wydymała się nad łożem.

– Epono! Natychmiast tu przyjdź! – zawołała ostrym i niecierpliwym głosem. – Chcę księcia Egana!

Czas płynął.

– Epono!

Wokół panowały jedynie śmiertelna biel i cisza.

Rosalinda nie była sama. Stała tak, wysoka, uśmiechnięta, na szczycie dużego podestu. Obok niej znajdował się gładki, płaski kamień, ołtarz. Na blacie ołtarza leżał mężczyzna, jego ręce i nogi przykuto łańcuchami. Leżał nagi i nieprzytomny. Był to Nicholas.

Raptem otworzył oczy, ciemne, niemal czarne. Uśmiechnął się.

– Zabiję cię – rzekł. – Zabiję cię.

– Nie, nie zabijesz.

Uniosła sztylet i opuściła mocnym, energicznym ruchem, wbijając ostrze głęboko w jego serce. Wyszarpnęła sztylet, potem wycięła kawałek ciała. Sięgnęła do wnętrza klatki piersiowej i wycięła serce, które wciąż biło. Uniosła głowę ku niebiosom i śpiewnym głosem wypowiedziała słowa, których znaczenia sama nie rozumiała. Potem odrzuciła serce daleko od siebie. Zerwał się gwałtowny wiatr i odsunął włosy z jej twarzy, sprawiając, że zwiewna biała szata przylgnęła do jej ciała.

Spojrzała w dół na mężczyznę, który zginął z jej ręki. Dostrzegła teraz, że rzeczywiście był to Nicholas. Uśmierciła go dokładnie w taki sposób, jaki ujrzał w sennej wizji Richard. Osunęła się na kolana, oślepiona otępiającym bólem. Czuła, jak wycieka z niej życie, i przyjęła to ochoczo.

Wokół niej zapadła cisza, ból rozdzierał jej głowę. Poczuła, jak coś się w niej poruszyło. I była to świadomość, była to wiedza.

Wiedziała.

Powstała z kolan.

– Kłamstwo, wszystko to było kłamstwem! – wykrzyknęła. – Drugi raz nie dam się nabrać, Epono! Ukaż się, ty przeklęta suko!

Wydawało się, że Epona wleciała przez jedno z dużych okien, chociaż one wciąż wyglądały na zamknięte. Białe kotary powiewały wokół niej do chwili, kiedy stanęła na wprost przed Rosalindą. Odziana była w białe szaty. Materia falowała, potem przylgnęła do sylwetki, odsłaniając jedynie ramię niezwykle jasnej barwy. Jej włosy były czarne jak bezksiężycowe niebo. Wyglądała bardzo młodo, emanowała urodą, usta miała czerwone jak krew spływająca po skałach fortecy.

Epona zmierzyła ją wzrokiem od stóp do głów i uśmiechnęła się szyderczo.

– Przybyłaś zbyt późno, czarownico. Powiedziałam Belenusowi, żeby działał na zwłokę i tak uczynił, ponieważ on, podobnie jak wszyscy pozostali, boi się mnie. Tak, jest już za późno i poniosłaś porażkę. Sarimund poniósł porażkę.

– Oczywiście, że nie jest za późno, ty bezmyślna kreaturo – odparła Rosalinda. – Ta iluzja... przed chwilą wyciągnęłaś ją z mojej głowy, nieprawdaż? Uraczyłaś nią również Richarda Vaila we śnie, chcąc go przerazić.

Epona roześmiała się.

– Cóż, to teraz bez znaczenia. W końcu uświadomiłam sobie prawdę i już więcej nie wyprowadzisz mnie na manowce. Jak słyszałam, jesteś uosobieniem piękna, szybkości i cielesnego wigoru.

– I męstwa!

– Jak sobie życzysz. Być może jest w tym jakaś prawda. Jednakże bardzo przypominasz swoją matkę. Wyglądasz jak koń, chociaż piękny, być może nawet arab czystej krwi.

Epona podleciała ku niej z wysuniętymi przed siebie paznokciami ostrymi jak sztylety.

– Ty suko! Jestem piękną kobietą, wszyscy tak twierdzą.

Rosalinda roześmiała się, unosząc w górę dłoń. Epona uderzyła nosem w jej dłoń. Usiłowała się cofnąć, lecz dłoń przykleiła się do jej nosa. Rosalinda znów się roześmiała.

– Nie dość, że wyglądasz jak koń, to jeszcze twoja moc jest pożałowania godna. Gdzie jest książę Egan?

– Puść mnie, bo niczego nie powiem!

– Ach, czyżbym słyszała rżenie? Na wszystkich bogów, modlę się, żeby Egan nie wyglądał tak jak ty, Epono.

Rosalinda odsunęła dłoń i wytarła o szatę.

– Przyprowadź go teraz do mnie.

Epona zaklęła cichym głosem, osobliwą mieszaniną słów celtyckich i łacińskich, każde z nich grubiańskie i drastyczne. Rosalinda obdarowała ją bardzo chłodnym uśmiechem. Czuła, jak w jej żyłach śpiewa zjadliwość.

– Nie będę cię więcej prosić, Epono. Odwrócę zaklęcie herbaty witmas, jeśli nie okażesz posłuchu. Ach, zastanawiam się, jak naprawdę wyglądasz?

Epona zniknęła. Rosalinda wciąż stała pośrodku komnaty. Zasłony przed zamkniętymi oknami przestały się wydymać.

Usłyszała głos dziecka. Chłopca.

– Kogo mam poznać? Nie ma przecież nikogo, kogo bym nie znał.

Rozdział 51

Rosalinda słuchała i czekała. Nagle pojawił się przed nią, z rękoma skrzyżowanymi na piersiach, i zmierzył ją wzrokiem z góry na dół. Miał może z osiem lat – chłopiec o zgrabnej sylwetce i ciemnych oczach.

– Kim jesteś, niewiasto? Czego chcesz ode mnie? Powiedziała tylko, że jesteś jeszcze jedną durną czarownicą i nawet nie pochodzisz z Krainy za Ostrokołem. Dodała, że najchętniej wydłubałaby pazurami twoje kaprawe oczy. Powiedziała, że utopiłaby cię w wieczności. Jest bardzo potężna. Dałbym wiarę jej słowom.

– Jestem Isabella. Czy ty jesteś księciem Eganem, synem Sarimunda?

– Tak, a kim innym mógłbym być?

Uśmiechnęła się do ładnego chłopca.

– Nie, jesteś sobą, oczywiście.

Rosalinda spoglądała na chłopca badawczym wzrokiem. Czy Nicholas wyglądał tak jak on, kiedy był małym chłopcem? Nie byli do siebie podobni, lecz istniało jakieś zewnętrzne pokrewieństwo: oliwkowa karnacja, bardzo ciemne włosy i oczy.

– Nie rozpoznaję cię. Dlaczego chciałaś spotkać się ze mną?

Zdążyłam na czas, by go ocalić, by ocalić Nicholasa – pomyślała i chciała krzyknąć głośno z ogromnej ulgi.

– Nicholasie... – szepnęła.

– Nie, nie jestem Nicholasem. Jestem Egan. Dlaczego tu przybyłaś, Isabello?

– Jestem tu, by ocalić cię przed Eponą.

– Jakim cudem możesz mnie ocalić, skoro dysponuję większą mocą i mogę przemienić cię w białego robaka?

Ach, ta arogancja w jego chłopięcym głosie. Lecz to był Nicholas; wiedziała w głębi duszy, że tak było. Przynajmniej tu, w Krainie za Ostrokołem, tak było. Uśmiechnęła się.

– Epona ci nie powiedziała?

Nie była w stanie zdobyć się na to, by nazwać czarownicę jego matką; nie, ponieważ Epona pragnęła go zamordować.

– Nie, nigdy nie mówi mi niczego, co mogłoby być użyteczne. Chcę zostać mężczyzną. Czasami dochodzę do przekonania, że już zbyt długo pozostawałem malcem. Lecz któż może być pewny czegokolwiek.

– Staniesz się mężczyzną, przysięgam.

I to niebawem – pomyślała.

Nagle obok niego stanęła Epona, wygrażając mu pięścią.

– Jestem Epona. Jestem twoją matką.

– O reszcie szkoda gadać – rzekł mały chłopiec.

– Nigdy nie zostaniesz mężczyzną, nigdy mnie nie wyeliminujesz!

W tym samym momencie Epona wyciągnęła sztylet i rzuciła się w stronę chłopca.

– Nie!

Nie ma czasu, nie ma czasu.

Rosalinda skoczyła do przodu, zasłaniając chłopca, i poczuła, jak sztylet zanurza się szybko i gładko w jej piersi. Poczuła, jak ostrze wbija się w jej serce, przecina je na pół i zatrzymuje się głęboko. Poczuła ogromne znużenie, odniosła wrażenie, że czas jakoś się zatrzymał, ona zaś została uwięziona w jego trybach. Osunęła się powoli na posadzkę. Podniosła wzrok na księcia Egana, który padł na kolana obok niej, unosząc drobne palce nad sztyletem, lecz go nie dotykając.

– Powiodło mi się. Staniesz się mężczyzną.

– Nie, nie możesz umrzeć – chłopiec powtarzał raz za razem, jego dłonie drżały nad sztyletem, obawiając się go dotknąć. Jego głos załamał się i przeszedł w szloch. Podniósł wzrok na matkę. – Chciałaś mnie zabić, lecz ona mnie ocaliła. Oddała swe życie za mnie. Jest w tobie więcej zła, niż mi się wydawało.

– A teraz kolej na ciebie, szczeniaku – rzekła Epona i nagle w jej dłoni ukazał się drugi sztylet. – Kolej na ciebie, a wtedy ja będę pełnić władzę i wszystko będzie tak, jak być powinno. Zawsze mówiłam Sarimundowi, że jego zaklęcie nie jest warte splunięcia.

Uniosła sztylet, lecz Egan nie uciekał. Zerwał się na równe nogi i stanął naprzeciw niej.

– Nie możesz mnie zabić, nie możesz. Jestem czarodziejem. Nie pozwolę ci.

Skierował na nią palec i śpiewnym głosem zaczął wypowiadać zaklęcie.

– Jesteś małym niczym! – wrzasnęła.

Uniosła sztylet, zamierzając wbić go w serce chłopca, ale odgłos tupoczących stóp sprawił, że odskoczyła.

Nicholas wbiegł do komnaty pogrążonej w białej poświacie, dzierżąc w ręku antyczny miecz. Zobaczył Rosalindę leżącą na plecach, nieruchomą, bez życia, ze sztyletem sterczącym z piersi. Mały chłopiec pochylał się nad nią, dociskając dłoń do jej ramienia.

– Nie!

– Wynoś się stąd! – zawyła Epona. – Ona poniosła porażkę, nie masz tu nic do roboty. On teraz zginie, a ty nie możesz w niczym im pomóc!

Nicholas poczuł, jak wypełnia go ogromny ból, który zaczyna go dusić. Pomyślał, że umrze od tego bólu. Zmusił się jednak do oderwania wzroku od Rosalindy i skierowania go na szaloną czarownicę Eponę, która trzymała uniesiony sztylet. Wiedział, że zabiła Rosalindę, i była gotowa uśmiercić Egana. To sprawiło, że ból ustał. Teraz czuł tylko wściekłość. Pragnął poczuć jej krew na swych rękach, poczuć woń jej krwi w swych nozdrzach.

Nicholas dostrzegł, jak czarownica podnosi się z posadzki i zaczyna lecieć wprost ku niemu, warcząc i szczerząc białe zęby. Teraz nie miała w ręku sztyletu, lecz w jego miejsce trzymała krótki, czarny jak smoła oszczep, ze szpicem tak ostrym, iż zdawał się rozcinać powietrze.

– Czarna wiedźmo, wręczył ci ten oszczep twój demoniczny kochanek, nieprawdaż? Przysłał go z piekieł. Czego się spodziewał? Że co z nim uczynisz... zjesz?

Epona zawahała się na moment, bluznęła przekleństwami i wymierzyła w niego oszczep demona. Z jego czubka wystrzeliło pomarańczowe światło, rozjarzając nieruchome powietrze i formując się w przerażające kształty.

Spojrzał na własny miecz, miecz pamiętający zamierzchłe czasy, być może starszy od kapitana Jareda, o rękojeści inkrustowanej drogocennymi klejnotami.

Potem spojrzał na kreaturę, która uśmierciła jego żonę; jego żonę, która dobrowolnie oddała życie za chłopca.

– Jest w tobie demoniczne zło – rzekł głosem tak cichym jak powietrze nocą. – Tutaj nadchodzi kres, a ja jestem tym, który to zakończy.

I rzucił się do przodu, nacierając z mieczem gotowym do uderzenia.

Lecz Epona gwałtownym ruchem uniosła się w górę o ponad metr, poza zasięg jego broni.

Znajdował się w Krainie za Ostrokołem. Mógł uczynić niemal wszystko.

Wzniósł się pionowo w górę.

– Walcz ze mną, czarownico, chyba że pragniesz uciec.

Bluznęła przekleństwami w jego głowę, a Nicholas podleciał bliżej. Był tylko niecałe dwa metry od niej, drwił z niej i się naśmiewał.

– Twoja twarz jest blada jak świeżo spadły śnieg. A te twoje powiewające białe szaty... Jesteś śmieszna, czarownico.

– Nie jesteś niczym więcej niż śmiertelnikiem – wykrzyknęła ku niemu Epona – który w swym przekonaniu jest potężny, lecz pozostałeś zupełnym żółtodziobem i dostrzegam pot ściekający po twojej twarzy!

Zatrzymała się w miejscu, cofnęła, zawisła w powietrzu, potem z gracją wylądowała na posadzce.

Spojrzał na nią w dół.

Oto nagle Epona miała na sobie jaskrawoczerwone szaty, wciąż powiewające na wietrze. Znów uniosła się pionowo w górę, skierowała ku niemu czubek demonicznego oszczepu i cisnęła nim.

Nicholas przeciął powietrze mieczem. Jego oręż zderzył się z oszczepem demona, trafiając czubkiem w czubek. Wtedy oba jednocześnie wybuchnęły, wypełniając komnatę kaskadą świateł. Nicholas dał nura w jej kierunku, wyciągając przed siebie ręce.

– Nie! – wrzasnęła, a w jej dłoni pojawił się sztylet. – Ty niegodziwy czarowniku! Już jesteś trupem!

Nicholas to przewidział i pradawny miecz znów był w jego dłoni. Odbił sztylet na bok i przebił ją na wylot długim ostrzem swej broni, której szpic wyszedł z pleców czarownicy na długość stopy. Zawisła w powietrzu, wpatrując się w miecz, który przeszył na wylot jej tors. Na jej twarzy rysowało się niewypowiedziane zdumienie. Podniosła wzrok.

– To nie może się zdarzyć, nie może. Moje demoniczne zaklęcie... nic nie potrafi go pokonać, lecz ty mnie zabiłeś.

– Tak – odparł. – Tak, to miecz z zamierzchłych czasów, niezwykle potężny.

– Ale mój oszczep demona...

– To jedynie słabe i żałosne zło, nic więcej – oświadczył Nicholas.

Sięgnął przed siebie i wyciągnął miecz z jej ciała. Zawisła w powietrzu, jakby wisiała na jakichś niewidzialnych postronkach, potem w końcu opadła na posadzkę na wznak. Unosił się nad nią i patrzył, jak w jej matowiejących oczach gaśnie życie. Spoglądał na białe krople krwi zbierające się w kałużę wokół jej ciała, wsiąkające w jej szatę. Już nie czerwone, lecz znowu białe. Biel mieszała się z bielą. Jej twarz zaczęła tracić swą urodę, swą młodość. Zaczęła się zmieniać, jej ciało robiło się zwiotczałe, na policzkach i czole pojawiły się głębokie bruzdy zmarszczek. Proces starzenia i rozkładu trwał nieprzerwanie, aż w końcu pozostał z niej tylko szkielet. Później nie było już nic poza małą kałużą białej krwi w miejscu, gdzie przedtem leżała na plecach.

Nicholas dotknął ziemi i pobiegł ku Rosalindzie. Chłopiec gdzieś zniknął.

Sztylet wciąż tkwił w jej torsie.

– Nie – wyszeptał i przycisnął twarz do jej oblicza. – Nie, to się nie miało zdarzyć. Nie możesz umrzeć. Oddałaś swoje życie za chłopca? Nie, z pewnością to się nie miało zdarzyć.

– Nicholasie, czy byłbyś łaskaw wyciągnąć ten sztylet? Bardzo mnie ziębi w środku.

Odskoczył od ciała. Pokręcił z niedowierzaniem głową.

– Przypominasz sobie, co powiedział mi Sarimund? Żadne zło nie może mnie tknąć. I rzeczywiście mnie nie dotknęło, jedynie wypchnęło mnie na moment poza ten świat i wysłało w ciemność. Ale jestem tu znów i nic mi się nie stało. Proszę, wyciągnij sztylet. Próbowałam sama to zrobić zaklęciem, lecz nie mogłam; a moje ręce nie chcą się ruszać. Chyba nie odzyskałam jeszcze dość sił.

Nie mógł się przemóc... w końcu chwycił rękojeść i wyszarpnął z niej ostrze. Spojrzał w dół. Nie było krwi, widział jedynie rozcięcie w białej szacie.

– Ach – rzekła, wciąż się nie ruszając. – Teraz jest o wiele lepiej.

Podniósł się na kolana.

– Byłem przekonany, że ta bestia cię zabiła.

– Nie, nie. Ty ją uśmierciłeś, tak jak było ci to pisane. Wiedziałeś, że to uczynisz. Pozostawałam świadoma, po prostu nie mogłam się ruszyć i mówić. Gdzie jest Egan?

– Widziałem chłopca pochylonego nad tobą, kiedy tu wszedłem, ale potem gdzieś zniknął.

– Cóż, zatem to ma sens, nieprawdaż?

– Nic nie ma sensu w tym przeklętym miejscu.

– Dochodzę powoli do siebie.

Usiadła z wyprostowanymi plecami, uśmiechając się na widok dłoni podtrzymującej jej łokieć.

– Przysięgasz mi, że nic ci nie jest?

– Och, tak. Egan odszedł, ponieważ nie wolno wam spotkać się, nawet tu, w Krainie za Ostrokołem. Wiesz o tym.

Nagle usłyszeli fanfary zagrane przez Taranisa.

Nicholas i Rosalinda wyszli z komnaty pogrążonej w śnieżnobiałej poświacie. Nie było już tam ciągnących się bez końca korytarzy z posągami wojowników oraz komnat pełnych kolorowych poduszek. Nie, znów stali na murach warowni na Krwawej Skale.

Unieśli głowy i zobaczyli, jak Taranis szybuje wysoko nad nimi, a jego skrzydła smagają strużki krwi spływające po czarnych skałach, sprawiając, że krew rozbryzgiwała się na kamieniach murów.

Taranis uniósł swą ogromną głowę i znów zatrąbił. Dźwięk odbijał się echem od skał, rozjaśniając niebo na jasnoszary kolor. Wiatr zamarł. Wszystko ucichło, oprócz echa wstrząsających fanfar Taranisa. Wiedziała, że wszyscy słyszeli ten ryk – każdy Tiber, każdy Lasis, nawet żółte drzewo Sillow. Oraz czarnoksiężnicy i czarownice.

Zaśpiewał dla nich.

– Wszystko potoczyło się dobrze. Ocaliłaś, pani, księcia Egana, jak było ci przeznaczone. Ach, Sarimund, jego zaklęcie w końcu zadziałało. Współczesny człowiek jest w stanie zabić potwora, wiedza o tym daje satysfakcję. Pani ocaliła księcia, a ty, człowiek, spłaciłeś swój dług wobec niej. Już po wszystkim, zaś książę Egan będzie sprawował rządy, co było mu przeznaczone.

Nicholas uśmiechnął się do niej.

– Zastanawiam się, jak wysoko potrafiłbym podskoczyć tu, w Krainie za Ostrokołem?

– Zapewne tak wysoko jak obłoki barwy bakłażana. W końcu umiesz latać. – Nie mogła się powstrzymać, głośno się roześmiała. – Ach, Nicholasie! – krzyknęła i rzuciła się na niego, obejmując go ze wszystkich sił.

Pocałował ją raz, potem drugi, nie mogąc pohamować się do chwili, kiedy Taranis odchrząknął, a z jego ogromnego gardła dobiegł odgłos przypominający zduszony ryk. Nicholas uwolnił się z jej objęć, zrobił krok w tył i uniósł głowę ku niebu.

– Sarimundzie! – przemówił gromkim głosem, który wstrząsnął skałami fortecy. – Ona ocaliła chłopca, który jest twoim synem. Spłaciłem swój dług. Epona nie żyje. Słyszałeś Taranisie? Teraz Egan będzie władał Krainą za Ostrokołem, jak było to zapisane w gwiazdach. Teraz wszystko będzie inaczej, wszystko wkroczy na właściwe tory w Krainie za Ostrokołem.

Nicholas pochylił głowę, jakby chciał usłyszeć odpowiedź. Spojrzał ponownie na swą żonę i uśmiechnął się do niej.

– Słyszysz ten rumor? Nadeszła pora, byśmy opuścili to miejsce. Chłopiec jest teraz mężczyzną. Nadszedł czas na zmiany. – Obdarzył ją uśmiechem zmieszanym z grymasem. – Chociaż bardzo bym chciał spotkać się z nim, nie wolno mi tego zrobić. Cóż by się stało, gdybyśmy stanęli naprzeciw siebie twarzą w twarz? Nie wiem i nie chcę wiedzieć.

Nicholas wsadził ją grzbiet Taranisa. Smok wzleciał w powietrze nad Krwawą Skałą i zawisł. Znów im zaśpiewał:

Zaczyna się nowa epoka w Krainie za Ostrokołem.
Nowa siła doda życia równinom,
Spokojna ciemność pobłogosławi noce,
A mądrość oświeci ducha.

Kiedy wznieśli się wyżej, zobaczyli, jak forteca zaczyna zapadać się sama w siebie. Czarne skały staczały się w dół po stromych zboczach Góry Olyvan, czemu towarzyszyły odgłosy podobne do szalonych gromów, które ich ogłuszały. Wieżyczki zaczęły drżeć, łuki rozpękały się z hukiem, powietrze wypełniło się gruzem i pyłem.

Patrzyli do chwili, gdy warownia na Krwawej Skale przestała istnieć, a na szczycie Góry Olyvan nie zostało już nic. Dostrzegli, że Góra Olyvan zaczyna się zazieleniać, a jej powierzchnię pokrywają krzewy niewiarygodnego koloru. Z nagiej skały wyrosły również żółte drzewa Sillow, żarzące się jaskrawo.

– Ach, nowe królestwo – zaśpiewał Taranis – i nowy władca naszej krainy.

Widzieli teraz, jak sama z siebie wznosi się biała forteca, kamienne bloki ustawiają się jeden obok drugiego, wznosząc się ku niebu na ogromną wysokość: misterne białe wieżyczki pnące się w górę, połyskujące pod nowym słońcem, które świeciło nad całą ziemią.

Na murach powiewały sztandary. Chorągwie miały biały kolor z trzema bladożółtymi księżycami.

Powietrze miało inny zapach. Pachniało zdrowo i rześko.

Dostrzegli Belenusa i Sarimunda wychodzących na mury z rozległego białego pałacu. Rozmawiali ze sobą. Pojawił się jeszcze jeden mężczyzna, piękny i młody. Stał tam do chwili, kiedy Sarimund wyciągnął ku niemu ręce. Książę Egan ruszył ku niemu szybkim krokiem i padli sobie w objęcia. Sarimund uniósł głowę i spojrzał na nich. Uśmiechał się.

Rosalinda usłyszała wyraźnie jego głos we własnych myślach.

– Dziękuję ci, Isabello, za ocalenie mego syna. Teraz Egan obejmuje władzę. Ma dobre serce. Jeśli kiedykolwiek będziesz mnie potrzebowała, wystarczy, że mnie zawołasz. Milordzie, twój dług został spłacony. Wszyscy składają ci dzięki. Kapitan Jared Vail dziękuje. Ruszajcie do domu, Isabello, ruszajcie do domu.

Taranis raz jeszcze zaryczał i wzleciał prosto w górę.

– Trzymajcie się mocno – zaśpiewał do nich.

Poleciał stromo do góry, wprost ku słońcu, które miało barwę dojrzałej cytryny. Patrzyli w dół i widzieli, jak kraina poniżej staje się coraz mniejsza i mniejsza, a potem znika. Powietrze było ciepłe, jak powiewający jedwab muskający ich ciała.

Wszystko było olśniewające i spokojne, powietrze tak przejrzyste, że widzieli nawet poprzez szlachetne kamienie na grzbiecie Taranisa.

Rosalinda usłyszała śpiew – cichy, frapujący, kobiecy głos, który brzmiał znajomo. Był to głos jej matki. Dostrzegła twarz mężczyzny, jej ojca. Kiwał ku niej głową, uśmiechając się i rozpościerając ramiona.

Poczuła, jak ręce Nicholasa zaciskają się wokół jej kibici; wyczuwała na szyi jego ciepły oddech. Oparła plecy o jego tors. Odczuwała spokój i pełny błogostan.

Czy Taranis wciąż dla nich śpiewał?

Potem ani Nicholas, ani Rosalinda nie wiedzieli już niczego więcej.

Epilog

San Savaro, Włochy

Usłyszeli wiwaty.

Powóz toczył się brukowanymi uliczkami spalonego słońcem miasta San Savaro. Na ulicach zgromadziły się tłumy, ludzie wznosili okrzyki, klaskali i machali do nich. Z tyłu za tłumem widniały sklepy i restauracje, nieduże parki, konie przywiązane do słupów, powozy stojące obok furmanek. I wszędzie było pełno kwiatów, puszczonych po trejażach posadzonych w olbrzymich donicach, w małych skrzynkach okiennych, wyrastających z każdego spłachetka zieleni.

– Co to ma znaczyć? – zapytał Nicholas, patrząc ze zdumieniem na wszystkich tych ludzi, którzy niewątpliwie zebrali się, by ich powitać. – Zapewne mają nas za kogoś innego.

Opuścili Anglię w miesiąc po tym, jak przebudzili się w łożu w Wyverly Chase, a potem natknęli się na Richarda, który przemierzał nerwowym krokiem ich salon z matką depczącą mu po piętach i wykrzykującą, że pragnie opuścić ten dom, ponieważ wredny duch całkowicie ją ignorował – ją! Nie śpiewał nawet dla niej obraźliwych przyśpiewek, nie przechylał fotela, by dać znać o swej obecności; ponadto miała po dziurki w nosie przeklętego pasierba oraz tej latawicy, jego żony, stojącej teraz wyżej nad nią na społecznej drabinie.

– Ale on jest hrabią – odezwał się Richard – i ma prawo zachować się wobec nas jak lord. Jest lordem Mountjoy. A ta latawica jest jego małżonką. Pogódź się z tym, matko.

– Pani – rzekła Rosalinda, stojąc w progu – wyobrażam sobie, że nasza zjawa podążyła w końcu wyznaczonym sobie szlakiem. Wie pani, nie ma już powodu, żeby tu dłużej pozostawała. Richardzie, teraz wszystko potoczy się dobrze. Nikomu z nas nie stanie się już nic złego. Możesz w to wierzyć.

Richard Vail spojrzał na nią, potem uśmiechnął się, w istocie rzeczy uśmiechnął się do niej, potem obdarzył uśmiechem przyrodniego brata. Uśmiechem tak podobnym do uśmiechu Nicholasa, iż niemal się rozpłakała ze wzruszenia.

– Dobrze. To dobrze – rzekł.

Całkowita przemiana? – zastanawiała się.

Z korytarza dobiegł ją pełen drwiny głos Lancelota. Oczekiwanie całkowitej przemiany u niego byłoby nadużyciem.

– Nie mogę tego pojąć – odezwał się Nicholas, patrząc na zebrane tłumy. – Muszą być przekonani, że jesteśmy dygnitarzami, którzy przybyli z wizytą.

– Albo oczekują papieża – rzekła Rosalinda i uśmiechnęła się szeroko.

Nie wyjawiła Nicholasowi, że w Krainie za Ostrokołem widziała ojca, że ojciec odwrócił się ku niej, by na nią popatrzeć. Wiedziała, że ojciec ją widział i był pewien, że córka żyje i wraca do niego.

Podniosła wzrok na słońce nad ich głowami i pobiegła myślami ku jaskrawożółtemu słońcu z Krainy za Ostrokołem.

Jakim cudem powrócili do Wyverly Chase, gdzie zbudzili się we własnym łożu, wciąż odziani w peleryny, wciąż trzymając się za ręce?

I rzeczywiście trzymali się za ręce. Mieli też guzy i siniaki oraz obolałe mięśnie. Tors Rosalindy był nieco wrażliwy na dotyk. W miejscu, w którym Epona wbiła w nią sztylet.

Ciżba powoli rzedła, kiedy ich powóz, do którego zaprzęgnięto Grace i Leopolda, wyjeżdżał z centrum San Savaro. Pokryta kocimi łbami droga poszerzyła się i zaczęła się wić pod górę w kierunku szczytu, na którym wznosił się ogromny *palazzo* z żółtej cegły. Żółta barwa była jasna jak rozwodnione słońce. Kiedy podjechali bliżej, dostrzegli, że wzdłuż całej frontowej elewacji pałacu biegł długi rząd doryckich kolumn otoczonych fontannami tryskającymi strugami wody z ust nimf i roześmianych satyrów. Antyczne posągi stały w grupach lub pojedynczo, zielony, przystrzyżony trawnik był upstrzony większą liczbą wielkich donic z kaskadami kwiatów niż widział gdziekolwiek, odkąd opuścił własne ogrody w Wyverly Chase. Miejsce to urządzono z elegancją i gracją.

– Przypominasz sobie? – zapytał Nicholas.

– Tak. Nie wydaje się teraz taki wielki, jeśli rozumiesz, co mam na myśli.

– Nie, wcale nie jest wielki – zgodził się i pocałował ją w ucho.

Powóz zajechał na dziedziniec z gracją za sprawą powożącego Lee Po, który potrafił dokonać wszystkiego, jak zapewnił Rosalindę. Pozwolił, by Grace i Leopold kroczyły paradnie i parskały.

Na szczycie nad wyraz szerokich schodów, złożonych z około dwudziestu stopni, ustawił się rząd ludzi – dwóch mężczyzn, kobieta, trzech chłopców; wszyscy byli jeszcze młodzi, wszyscy odziani w, jak przypuszczał Nicholas, najwytworniejsze szaty. Wszyscy machali ku nim wesoło.

Natychmiast rozpoznał matkę Rosalindy i wiedział, że tak będzie wyglądała Rosalinda, gdy osiągnie wiek dojrzały. Kobieta o pięknych rysach, zaokrąglona i pulchna, o jaśniejącej cerze i tych płomiennych, rudych włosach, lśniących pod gorącym słońcem Italii. Miała na sobie zieloną suknię tego samego kroju i koloru, którą Rosalinda nosiła dzień wcześniej.

Trzymała na rękach niemowlę.

Był tam także starszy brat Rosalindy, Raffaello, wysoki, przystojny, młody mężczyzna, którego wygląd wydawał się Nicholasowi bardzo znajomy i to z pewnością było bardzo dziwne. Potem skierował wzrok na ojca swej małżonki i znieruchomiał. Nie, pomyślał, to przecież nie mogło być możliwe.

– Nie – powiedział na głos. – Nie.

* * *

– Nie chcieli spuścić cię z oczu. Zastanawiałem się, czy pozwolą mi uprowadzić cię, kiedy nadejdzie pora wracać do domu. We wrześniu ślub Graysona. – Przerwał na moment i rozejrzał się. – Czy to była twoja sypialnia?

Ściągnął buty i zaczął rozpinać koszulę. Owładnęła nim chuć.

– Tak. Niczego nie zmienili.

Nicholas otworzył wszystkie okna i wychylił się, chcąc wciągnąć do płuc niezwykły zapach Italii.

Jej sypialnia wychodziła na ogrody od wschodu; powietrze było ciepłe i przesiąknięte aromatem jaśminu. I czym jeszcze? Podnieceniem, pomyślał. W powietrzu nagromadziło się tyle podniecenia, ponieważ przybyli tego popołudnia.

– Lubię twoich braci. A Raffaello jest dobrym człowiekiem – rzekł Nicholas, odwracając się, by spojrzeć na małżonkę, gdy ta zdejmowała z siebie śliczną jedwabną suknię koloru brzoskwini.

Jak to cudownie, że szaty pod spodem były niemal przezroczyste.

– Tak, ja również ich lubię. Ci młodsi nie bardzo wiedzą, co z nami począć... ze mną... ale niebawem zaakceptują mnie jako swoją siostrę, a ciebie jako kolejnego brata. Przywiozłam mnóstwo pudełek z angielskimi słodyczami. W szczególności kandyzowane migdały powinny dopomóc im w jak najszybszym zaakceptowaniu nas. – Przerwała na moment, marszcząc brwi. – Jakie to dziwne, że Raffaello jest teraz dorosłym mężczyzną. Wciąż mam go w pamięci jako chłopca.

– Twój ojciec, Rosalindo, on...

– Tak, wiem. Nie uświadomiłabym sobie tego, gdybym wcześniej nie widziała portretu.

– Twój ojciec jest podobny do cholernego wizerunku kapitana Jareda Vaila.

To zostało powiedziane na głos.

– Sarimund twierdził, że nasze rody zmieszały krew gdzieś w epoce średniowiecza, bardzo dawno temu. Mimo to, Nicholasie... mój ojciec nie jest podobny do kapitana Jareda jak dwie krople wody. Są pewne różnice, tak jak są różnice między tobą a Richardem.

– Tak, ale Richard jest moim przyrodnim bratem, żyjemy teraz, w tym samym czasie, jestem od niego starszy zaledwie o pięć lat, nie zaś o trzysta.

Czary, pomyślał. Nie cierpiał tego, jak przemieniały rzeczywistość i obracały się przeciw sobie, zaś ludzki umysł nie widział w nich sensu.

– Pokaż mi swój palec – powiedział. – Ten, którym skaleczyłaś się o łuskę Taranisa.

Wziął jej dłoń w swoją i przyglądał się badawczo palcowi. Uspokoił się.

– Leczyłaś go, prawda?

– Och, tak. Goi się coraz lepiej z dnia na dzień. Sądzisz, że to piętno Taranisa?

– Musi tak być – odparł. – Ale, na Boga, dlaczego?

– Nie wiem.

Nicholas ucałował jej palec.

– Zastanawiam się, zastanawiam się – powtarzał i wiedział, po prostu wiedział, że w przyszłości, jakimś sposobem, jasnoczerwone znamię będzie miało określone znaczenie w ich życiu.

– Vittorio uciekł – zmieniła temat.

– Tak, wiem. Twój ojciec jest dostatecznie potężny, by go odnaleźć.

– Obwinia siebie o to, że powiedział Vittorio, iż żyję i przyjeżdżam do domu. Szkoda tylko, że jego człowiek, Erasmo, umarł. Z ochotą zabrałabym go do Krainy za Ostrokołem i wrzuciła do ognistego dołu.

– Moim zdaniem to Vittorio go zabił.

– Prawdopodobnie masz rację. Ośmielę się stwierdzić, że mój ojciec zabije Vittoria za to, czego się dopuścił. On go odnajdzie, Nicholasie.

Oboje wiedzieli, że mówiła o magii, jaką dysponował jej ojciec.

– Przynajmniej druga żona Vittoria uwolniła się od niego. – Podszedł do żony i wziął ją w ramiona.

– Wyobraź sobie. Moja małżonka, moja prosta, rudowłosa małżonka jest chrzanioną księżniczką.

– Cóż, nazywają mnie tutaj tylko chrzanioną *signorą*, nie ma w tym tytule żadnej magii.

– Wciąż pochodzisz z królewskiego rodu, zatem jesteś księżniczką. Moja biedna macocha zaczęła bełkotać, kiedy jej o tym powiedziałem... Chyba nigdy wcześniej nie słyszałem czegoś podobnego. Przez chwilę pomyślałem, kiedy już uwierzyła, że złoży ci głęboki ukłon, jednak się powstrzymała.

Rosalinda zachichotała.

– Dobrze, ogłosiłeś, że jestem włoską księżniczką. Zanim wyszli, zdążyła syknąć do mnie, że wciąż jestem ladacznicą, cudzoziemską ladacznicą, i niebawem dowiemy się, że mój ojciec mnie wydziedziczył. Księżniczka, ha!

– Doceniam to, że pozostała sobą, złośliwcem, i nie zmieniła się nawet na jotę. W przeciwnym razie mógłbym ją nawet polubić. Zaczynam wierzyć, że teraz Richard i ona będą szli na udry, i to ostro. To zaś każe mi się zastanowić, czy on nie będzie wpływał na Aubreya z korzyścią dla mnie.

– Dopóki Lancelot i Miranda pozostaną perfidni i wredni, dopóty będę zadowolona. – Roześmiała się i objęła go w mocnym uścisku. – Dobrze, jestem księżniczką, cudzoziemską księżniczką. Jak się na to zapatrujesz?

Odsunął ją odrobinę od siebie i popatrzył jej w oczy.

– Zakładam, że moja cudzoziemska księżniczka z przyjemnością złoży wizytę w Makau. Mówiąc prawdę, zaproponował to Lee Po. Uznał, że zawojujesz szturmem tamtejszych mieszkańców.

Zamilkła na chwilę.

– Sądzisz, że mógłbyś nauczyć mnie portugalskiego, zanim tam dotrzemy?

– Och, tak. A Lee Po już się zaoferował, że będzie uczył cię mandaryńskiego dialektu języka chińskiego. – Zaczął ją całować, potem nagle przerwał i cofnął się. – Powinnaś była mi powiedzieć, że twój ojciec dowiedział się, że żyjesz i wracasz do domu.

– Uwierzyłbyś mi?

– Nie. Tak. – Zaklął, przejechał palcami po włosach. – Chyba, niech to diabli.

– Pocałuj mnie, Nicholasie. Jesteśmy czarodziejami, pogódź się z tym.

– Czarownica, moja cudzoziemska żona jest cholerną czarownicą – zamruczał pod nosem, lecz nie na tyle cicho, by tego nie dosłyszała.

Roześmiała się, wspięła na czubki palców i szepnęła mu do ucha.

– A ty, milordzie, jesteś cholernym czarodziejem.

Gdy Nicholas musnął nosem jej szyję, pomyślał o jednym z posągów, które widział, niemal całkowicie przesłoniętym bujnie kwitnącą na czerwono bugenwillą. Wyglądał niemal jak żywy – połyskujący marmurowy posąg smoka o skrzących się oczach i łuskach, które wydawały się na tyle ostre, że można było skaleczyć o nie palec.

Pysk smoka przypominał mu Clandusa.

Proszę o przesłanie mi za pobraniemnastępujących książek:

ROMANSE

- Catherine Coulter

BIAŁE NOCE cena 25,00 zł. . . . . egz.
BLIŹNIACY cena 26,00 zł. . . . . egz.
CIEŃ NOCY cena 25,00 zł. . . . . egz.
CZAR KSIĘŻYCOWEJ NOCY cena 25,00 zł. . . . . egz.
CZAR TROPIKALNEJ WYSPY cena 25,00 zł . . . . egz.
OŚWIADCZYNY (*oprawa miękka*) cena 26,00 zł. . . . . egz.
OŚWIADCZYNY (*oprawa twarda*) cena 31,00 zł. . . . . egz.
PENDRAGON (*oprawa miękka*) cena 26,00 zł. . . . . egz.
PENDRAGON (*oprawa twarda*) cena 30,00 zł. . . . . egz.
PŁOMIEŃ NOCY cena 25,00 zł. . . . . egz.
WICHRY NOCY cena 26,00 zł. . . . . egz.
WYŚCIGI cena 26,00 zł. . . . . egz.

- Bertrice Small

CNOTLIWA FILIPA cena 28,50 zł. . . . . egz.
KRÓLEWSKA INTRYGA cena 28,00 zł. . . . . egz.
MIŁOŚĆ PONAD WSZYSTKO cena 31,00 zł. . . . . egz.
NAZAJUTRZ cena 26,50 zł. . . . . egz.
ODZYSKANA MIŁOŚĆ cena 28,00 zł. egz.
OD PIERWSZEGO WEJRZENIA cena 31,00 zł. . . . . egz.
PANNY ZE SMOCZEGO GNIAZDA cena 25,00 zł. . . . . egz.
PIĘKNA ROSAMUNDA cena 29,00 zł. . . . . egz.
POD NAPOREM UCZUĆ cena 26,00 zł. . . . . egz.
PRAWDZIWA MIŁOŚĆ cena 25,00 zł. . . . . egz.
URZECZONA cena 25,00 zł. . . . . egz.
ZŁOŚNICE cena 31,00 zł. . . . . egz.

- Christina Dodd

BOSA KSIĘŻNICZKA (*oprawa miękka*) cena 26,00 zł . . . . egz.
BOSA KSIĘŻNICZKA (*oprawa twarda*) cena 30,50 zł . . . . egz.
FAWORYT cena 24,00 zł. . . . . egz.
JEDEN POCAŁUNEK cena 24,00 zł. . . . . egz.
NARZECZONA cena 24,00 zł. . . . . egz.
OBLUBIENICA cena 22,00 zł. . . . . egz.
POŚLUBIĆ KSIĘŻNICZKĘ (*oprawa miękka*) cena 26,50 zł . . egz.
POŚLUBIĆ KSIĘŻNICZKĘ (*oprawa twarda*) cena 31,50 zł . . egz.
POWRÓT KSIĘCIA cena 24,00 zł. . . . . egz.
SKANDALISTKA cena 24,00 zł. . . . . egz.
SŁODKA KUSICIELKA (*oprawa miękka*) cena 25,00 zł. . . . . egz.
SŁODKA KUSICIELKA (*oprawa twarda*) cena 30,00 zł. . . . . egz.
ŚWIECA W OKNIE (*oprawa miękka*) cena 25,50 zł. . . . . egz.
ŚWIECA W OKNIE (*oprawa twarda*) cena 31,50 zł. . . . . egz.
TAJEMNICZY SPADKOBIERCA cena 25,00 zł. . . . . egz.
UCIEKAJĄCA KSIĘŻNICZKA cena 25,50 zł . . . . egz.

UROCZY WIECZÓR (*oprawa miękka*) cena 25,00 zł. . . . . egz.
UROCZY WIECZÓR (*oprawa twarda*) cena 30,00 zł. . . . . egz.

• Stephanie Laurens

AŻ DO SZALEŃSTWA (*oprawa miękka*) cena 26,50 zł . . . . egz.
AŻ DO SZALEŃSTWA (*oprawa twarda*) cena 31,00 zł. . . . . egz.
CENA MIŁOŚCI (*oprawa miękka*) cena 26,00 zł . . . . egz.
CENA MIŁOŚCI (*oprawa twarda*) cena 31,00 zł . . . . egz.
CZYSTA NAMIĘTNOŚĆ (*oprawa miękka*) cena 26,50 zł. . . . . . egz.
CZYSTA NAMIĘTNOŚĆ (*oprawa twarda*) cena 31,50 zł. . . . . . egz.
DZIKIE NOCE cena 25,00 zł. . . . . .egz.
GDY NADCHODZI ŚWIT cena 26,00 zł. . . . . egz.
IDEALNA NARZECZONA cena 26,50 zł. . . . . egz.
KOCHANEK DOSKONAŁY cena 25,00 zł. . . . . egz.
MĘSKI HONOR cena 26,00 zł . . . . egz.
NARZECZONA DIABŁA (*oprawa twarda*) cena 31,00 zł. . . . . . egz.
OBIETNICA W POCAŁUNKU cena 23,00 zł. . . . . egz.
OŚWIADCZYNY DEMONA cena 26,00 zł. . . . . egz.
PANI JEGO SERCA (*oprawa miękka*) cena 25,50 zł . . . . egz.
PANI JEGO SERCA (*oprawa twarda*) cena 31,50 zł. . . . . egz.
PRAWDA O MIŁOŚCI cena 28,00 zł . . . . egz.
SMAK NIEWINNOŚCI (*oprawa miękka*) cena 26,50 zł. . . . . . . egz.
SMAK NIEWINNOŚCI (*oprawa twarda*) cena 31,00 zł. . . . . . . egz.
W PUŁAPCE POŻĄDANIA (*oprawa miękka*) cena 28,50 zł. . . . egz.
W PUŁAPCE POŻĄDANIA (*oprawa twarda*) cena 33,50 zł. . . . egz.
WSZYSTKO O MIŁOŚCI cena 26,00 zł. . . . . egz.
WSZYSTKO O NAMIĘTNOŚCI cena 25,50 zł. . . . . egz.
WYBRANKA cena 26,00 zł . . . . egz.

• Jo Beverley

KUSZENIE LOSU cena 26,00 zł. . . . . egz.
MAŁŻEŃSTWO Z ROZSĄDKU cena 24,00 zł. . . . . egz.
MROCZNY RYCERZ cena 27,00 zł. . . . . egz.
NIEPOKORNA OBLUBIENICA cena 25,00 zł. . . . . egz.
NOCNY ZDOBYWCA cena 28,00 zł. egz.
PAN MEGO SERCA cena 28,50 zł . . . . egz.
RÓŻE MIŁOŚCI cena 29,00 zł. . . . . egz.
SEKRETY NOCY cena 26,00 zł. . . . . egz.
SKOWRONEK (*oprawa miękka*) cena 26,50 zł. . . . . egz.
SKOWRONEK (*oprawa twarda*) cena 32,00 zł. . . . . egz.
ZAKAZANY OWOC cena 25,00 zł. . . . . egz.
ZAKAZANE ZABAWY cena 26,00 zł. egz.

• Joan Wolf

KRÓLEWSKA NARZECZONA cena 25,00 zł . . . . egz.
SZANTAŻYSTKA cena 24,00 zł. . . . . egz.
TAJEMNICA SILVERBRIDGE cena 25,50 zł . . . . egz.
WE MGLE POZORÓW cena 24,00 zł . . . . egz.

ZŁOTA DZIEWCZYNA cena 23,00 zł. egz.

- Liz Carlyle

DIABELSKIE SZTUCZKI cena 25,50 zł. . . . . egz.
DIABEŁ WCIELONY cena 26,00 zł. . . . . egz.
DWA MAŁE KŁAMSTWA cena 25,00 zł. . . . . egz.
DZIELNA NIEWIASTA cena 26,00 zł. egz.
JEDEN MAŁY GRZESZEK cena 24,00 zł. . . . . egz.
NIE OKŁAMUJ DAMY cena 28,00 zł . . . . egz.
NIE OSZUKUJ KSIĘCIA cena 26,50 zł . . . . egz.
NIE ROMANSUJ Z HULAKĄ cena 28,50 zł . . . . egz.
PAKT Z DIABŁEM cena 25,00 zł. . . . . egz.
TAJEMNICZY DŻENTELMEN cena 26,50 zł . . . . egz.
TRZY MAŁE SEKRETY cena 25,50 zł. . . . . egz.
WDÓWKA cena 26,50 zł . . . . egz.

- Kat Martin

CYGAŃSKI LORD cena 26,50 zł. . . . . egz.
DIABELSKI NASZYJNIK cena 26,00 zł. . . . . egz.
DIABELSKA WYGRANA cena 26,50 zł . . . . egz.
MAGICZNY NASZYJNIK cena 25,50 zł. . . . . egz.
NASZYJNIK PANNY MŁODEJ cena 24,00 zł. . . . . egz.
NOCNY JEŹDZIEC cena 24,50 zł. . . . . egz.
ROZKOSZNA ZEMSTA cena 26,50 zł. . . . . egz.
SERCE I HONOR cena 26,50 zł . . . . egz.
SERCE I PŁOMIEŃ cena 26,50 zł . . . . egz.
UTRACONA NIEWINNOŚĆ cena 26,00 zł. . . . . egz.
ZUCHWAŁY ANIOŁ cena 26,50 zł . . . . egz.

- Juliette Benzoni

KATARZYNA tom I cena 24,40 zł. . . . . egz.
KATARZYNA tom II cena 28,50 zł. . . . . egz.
KATARZYNA tom III cena 26,50 zł. . . . . egz.
KATARZYNA tom IV cena 25,50 zł. . . . . egz.
KATARZYNA tom V cena 25,50 zł. . . . . egz.
KATARZYNA tom VI cena 25,00 zł. . . . . egz.
KATARZYNA tom VII cena 25,00 zł. egz.

- Sabrina Jeffries

PIRAT *(oprawa miękka)* cena 26,50 zł. . . . . egz.
PIRAT *(oprawa twarda)* cena 32,00 zł. . . . . egz.
STARE PANNY ZE SWAN PARK *(oprawa miękka)* cena 26,50 zł
STARE PANNY ZE SWAN PARK *(oprawa twarda)* cena 31,00 zł
WYSTĘPNA MIŁOŚĆ *(oprawa miękka)* cena 26,50 zł. . . . . egz.
WYSTĘPNA MIŁOŚĆ *(oprawa twarda)* cena 31,00 zł. . . . . . . egz.